D1451391

# Доктор Пьер Дюкан

5 миллионов французов не могут ошибаться

# Я
# не умею
# худеть

**Французская система похудения**
и окончательной стабилизации
потерянного веса

 **Москва, 2012**

УДК 615.874
ББК 51.230
Д 95

Je ne sais pas maigrir
DR PIERRE DUKAN

© Flammarion, 2000
© Editions J'ai lu presente edition, 2008

Редакция благодарит Елену Александрову и ее дочь Ольгу
за активное участие в создании книги

**Дюкан П.**

Д 95    Я не умею худеть / Пьер Дюкан ; [пер. с фр. Л. Ивашкевич]. — М. :
Эксмо, 2012. — 320 с.

ISBN 978-5-699-50923-2

Уже несколько лет все с придыханием говорят о чудодейственной ультрамодной французской диете доктора Дюкана, по которой худеет огромное количество людей по всему миру, в том числе и такие знаменитости, как Карл Лагерфельд, Дженнифер Лопес, Пенелопа Крус, Жизель Бундхен. Так кто же этот волшебник, вдохновляющий миллионы на бесповоротную борьбу с жиром? Пьер Дюкан – врач-диетолог с опытом работы более 30 лет, специалист в области правильного питания. На сегодняшний день он является самым востребованным диетологом во Франции. Однажды один из пациентов доктора попросил помочь ему сбросить лишний вес, не исключая из рациона его любимое мясо. И тщательно продуманные Дюканом рекомендации сработали. Методика доктора Дюкана проста. Она состоит из четырех последовательных и продуманных до мелочей этапов, обеспечивающих ее надежность и эффективность: два первых этапа рассчитаны на потерю лишнего веса, а два последних – на закрепление и стабилизацию результатов. Сегодня по этой схеме расстаются со своими лишними килограммами более пяти миллионов худеющих мужчин и женщин по всему миру без подсчета калорий и взвешивания порций.

УДК 615.874
ББК 51.230

© Ивашкевич Л.В., перевод на русский язык, 2011
© Издание на русском языке, оформление.
ООО «Издательство «Эксмо», 2012

ISBN 978-5-699-50923-2

*Посвящается Саше и Майе, Майе и Саше, моим двум детям, в благодарность за вторую жизнь, которую они мне подарили взамен той, что дал им я.*

*Кристине, моей жене, без которой это было бы просто невозможно.*

*Моим единомышленникам Сильвии и Морису.*

2...

# СОДЕРЖАНИЕ

# ДЛЯ МОИХ БУДУЩИХ РОССИЙСКИХ ДРУЗЕЙ

## РОЖДЕННЫЙ БЫТЬ ВРАЧОМ

С самого детства я хотел быть врачом, но боялся уколов до такой степени, что меня держали вдесятером, когда проводили эту процедуру. Чтобы избавиться от этого навязчивого страха, я попросил медсестру научить меня делать уколы другим. В 10 лет у меня уже был свой маленький набор шприцов, и я гордился этими лечебными принадлежностями. Я также научился делать массаж и успокаивать боль, и мой дед даже считал, что у меня «легкая рука».

Когда после окончания средней школы, пришлось выбирать между искусством и медициной, моя мама, она всегда была для меня маяком, предсказала мое будущее:

**«Мой Пьер, если ты станешь врачом, то всегда сможешь рисовать или коллекционировать искусство, но если ты станешь художником, то больше никогда не сможешь заниматься медициной».**

Не удивительно, что я проглотил медицинское образование, не испытывая больших трудностей.

## РОЖДЕНИЕ МЕТОДА.
## ХУДЕТЬ ДА, НО НЕ ТОЛСТЕТЬ СНОВА!

В 75–80-х годах, пациенты и врачи были рады и горды, когда им удавалось добиться только потери веса, что наивно считалось самоцелью: похудел, значит, цель достигнута, игра выиграна. Тогда, так же как и сейчас, каждый, кто решил похудеть, сам выбирал свой собственный вес. Такой подход не мог привести ни к чему, кроме катастрофы, поскольку весь последующий путь к снижению веса зависел от этого выбора. В то время женщины мечтали быть похожими на легендарную манекенщицу Твигги, совершенно анорексичную особу. То есть они ставили себе цель, которая заведомо была несбыточной мечтой, вместо того чтобы **стремиться к своему правильному, справедливому весу**. Этот неправильный выбор до сих пор является одной из основных ошибок худеющих.

Когда я только стал диетологом, то попытался применить все, чему меня учили: считать калории и уменьшать их суточные показатели, — но быстро понял, что с такими бедными средствами, игра будет проиграна заранее.

Поэтому мне пришлось составить диету, систему, а затем методику сначала для моих пациентов, потом для моих читателей, пользователей Интернета, и, наконец, для моих коллег врачей. Поскольку я врач, а начинал я врачом-терапевтом, я испытываю большое удовольствие исцелять всех, кого можно исцелить. А, по моему стойкому убеждению, **лишний вес — это даже не острая форма болезни, это устойчивое и хроническое заболевание, которое требует долгосрочного внимания и сопровождения**. Поэтому своей главной задачей я посчитал не просто избавление пациентов от лишних килограммов, а окончательную стабилизацию веса, то есть полное излечение.

Сегодня, имея за плечами 35-летний опыт, я отдаю себе отчет в том, что предлагаю современный метод борьбы, способный эффективно бороться с прогрессивно наступающим на человечество ожирением.

# ВЫХОД
# ПЕРВОГО ИЗДАНИЯ КНИГИ

Моя методика постепенно становилась более эффективной, пациенты уже не только теряли вес, но и могли его стабилизировать и не набирать снова. Совершенно окрыленный этими успехами, я решил больше не держать в секрете свой метод, а, напротив, сделать его доступным как для широкой публики, так и для других врачей, которые были больше не в силах бороться с избыточным весом подопечных. В тот момент я даже не мог предположить, что ко мне присоединятся впоследствии даже приверженцы школы низкой калорийности, которые, ввиду систематических провалов при применении их системы, испытывали постоянный стресс и неудовлетворенность результатами их пациентов.

Когда я принес мою законченную работу в редакцию, первый издатель мне отказал. Он был прекрасным человеком, но имел, пожалуй, только один недостаток, он был худым, и ему трудно было понять, насколько бедственным могло быть положение людей с избыточным весом.

Затем я принес рукопись другому издателю, который поручил ее прочитать женщине с довольно округлыми формами. Она не была столь категоричной, но для начала велела удалить в тексте все прилагательные с корнем «толстый», высказав гипотезу, что это слово не соответствует традиционным правилам маркетинга. Не одобрив такого вмешательства, я отказался уступать лицемерной пропаганде, мое дело было передано вышестоящему начальнику, который решил его в мою пользу.

И книга вышла!

Когда общий тираж достиг полумиллиона, издатель пригласил меня на обед и попросил объяснить причину такого успеха. Помню, я ответил ему, что, должно быть, интуитивно и изнутри понял механизмы эмоционального и психического восприятия полных людей, которые дали мне разобраться, почему они будут согласны похудеть навсегда и каким образом они будут худеть с энтузиазмом. **Метод, который я им предложил, был одновременно источником удовольствия и уменьшения недовольства.** Увеличение удовольствия заключалось в том, что потеря веса происходила достаточно быстро, и тело это сразу чувствовало. Сокращению недовольства же способствовали отсутствие чувства голода, сильная внутренняя структура диеты, ее точные указания и возможность наблюдения за ее прохождением.

Начав писать эту работу, я вложил в нее свой двадцатилетний опыт медицинской практики, в течение которого я пытался понять и вылечить всех этих мужчин и женщин, обращавшихся ко мне за помощью. Я научился их чувствовать как своих близких, они стали частью моей жизни и больше не были для меня «термодинамическими машинами», поглотителями калорий, толстеющими, малоподвижными роботами, не умеющими обуздать собственный аппетит, как нас учили и, к сожалению, по-прежнему учат и сегодня в западных университетах. На самом деле на практике оказалось, что это люди с временной или устойчивой неудовлетворенностью, заставляющей их есть сытно и много, чтобы любой ценой ее нейтрализовать.

Между ними и мной установился простой двусторонний договор, в котором я предложил им обменять удовольствие от пищи на удовольствие от потери веса, чувство гордости за свое тело, когда **внешний вид отражает красоту и глубину души**, ведь «форма — это сущность, которая поднимается на поверхность», как когда-то заметил Виктор Гюго.

Публикуя эту книгу, я не знал, кто будет ее читать. Я был далек от мысли, что она станет руководством к жизни для десятков миллионов читателей во всем мире. Но именно так и произошло. Год за годом, без лишней суеты эта маленькая книга передавалась из рук в руки, и без какой-либо рекламы, без маркетинговых стратегий она нашла свою аудиторию.

# ЧЕРЕЗ ГРАНИЦЫ КУЛЬТУР И ТРАДИЦИЙ

Аудитория книги начала расширяться, пересекая границы, и вереница зарубежных издателей стала приобретать права для изданий на разных языках. **Италия и Корея** были первыми, и, как обычно, книга проделали свой путь без лишнего шума, от страны к стране. Пришла очередь **Болгарии**, где был незабываемый прием и огромный успех, как в ускоренном кино, как будто весь ее путь во Франции прокручивался с большой скоростью. Мне казалось, что я уже получил самую большую награду за свои усилия... но тут книга вышла в **Польше**. Я даже не знал, что Польша приобрела у французского издателя право на издание на польском языке. Мне позвонил переводчик книги, чтобы послать фото с вручения престижной литературной премии «НИКЕ» за лучшие продажи в Польше. Полтора миллиона поляков, купивших мою книгу, оказали мне доверие, выразили уверенность и заинтересованность в моем методе. Затем они также дружно приобрели и другие мои книги. Польша подарила мне наивысшую в моей жизни награду, признав и приняв диету, совершенно меня не зная.

**Потом появилась Елена!** Именно благодаря ей я пишу это предисловие. Елена русская, она живет между Москвой и Парижем, много лет работает в индустрии красоты. Когда я с ней познакомился, она высказала мысль, созвучную с моими взглядами, что избыточный вес угнетает красоту. Я рассказал ей о невероятном успехе моей диеты в Польше, и она пришла ко мне с разговором об издании книги в России. Ее энтузиазм и убежденность подтолкнули меня принять решение познакомить российских читателей со своим методом.

Две замечательные русские парижанки: Елена и ее дочь Ольга, обе с красивой фамилией Александрова, именно они открыли двери для моей диеты в вашу прекрасную страну. И если метод, который я передаю вам, принесет свои плоды, то мы — как вы, так и я — частично будем обязаны им.

## ПРИНЦИПЫ МЕТОДА

Прежде чем вы перейдете непосредственно к чтению, хочу дать вам некоторые рекомендации, составляющие основу моего подхода, его философию и его ценности.

Мой метод состоит из четырех этапов, образующих единое целое. Каждый этап решает определенную задачу и неотделим от последующих. Метод тщательно продуман, поэтому **придерживаться его следует в полном объеме или не начинать вовсе**. Это особенно относится к последним двум этапам закрепления и стабилизации, без которых все усилия обречены на провал.

Метод имеет некоторые преимуществ, что, несомненно, будет мотивировать вас на протяжении всех этапов:

- предоставляется подробный список инструкций, уменьшающих сомнения, ограничения и разочарования;

- предлагается естественный рацион питания, приближенный к рациону первобытного охотника;

- исключаются ограничения в количествах.

**Сущность метода и ключ к его успеху основаны на восьми правилах:**

- Используйте 100 продуктов питания: 72 натуральных белковых продуктов и 28 овощей.

- Разрешенные продукты можно употреблять БЕЗ ОГРАНИЧЕНИЙ, не страдая от чувства голода.

- Метод состоит из четырех последовательных этапов, начиная с первого дня диеты, и продолжается всю жизнь.

- Этапы закрепления и окончательной стабилизации правильного веса являются самыми важными.

- Физические упражнения «прописаны» как лекарство по рецепту, как и обязательная ежедневная двадцатиминутная ходьба.

- Вы сможете получать удовольствие от приготовления по 1200 рецептам от всего международного сообщества дюкановцев.

- Введите в ваш рацион овсяные отруби — единственный в мире продукт, способствующий похудению, при условии, что продукт правильно измельчен и особым образом просеян, что придает им лечебные свойства и отличает от классических отрубей, используемых в кулинарии.

- У вас есть возможность ежедневного персонального коучинга по Интернету, с вечерними отчетами и утренними инструкциями.

Вы уже достаточно узнали о моем методе и можете смело начать чтение книги, но я хочу привести еще немного цифр. Международная статистика доказывает, что 70% читателей принимают решение следовать правилам моей диеты в течение месяца. Более половины из них полностью избавляются от лишних килограммов. Это гораздо больше, чем результаты всех других методов, придуманных за последние 60 лет. Более того, 78% из тех, кто достигает своего правильного веса, закрепляют и стабилизируют его уже через год.

Я надеюсь, что вы, мои читатели, войдете в эту категорию успешно похудевших.

Каким бы ни был результат, на каком бы этапе вы не находились, вы можете писать мне, обращаться ко мне через Интернет на моем сайте, также я буду регулярно вести чат. Приятного чтения, до скорых встреч.

*Ваш доктор Пьер ДЮКАН.*

# ПРЕДИСЛОВИЕ ДЛЯ ТЕХ, КТО ХОЧЕТ БЫТЬ ЗДОРОВЫМ

**20** миллионов французов страдают проблемой излишнего веса, 35–40 тысяч людей умирают от этого каждый год. Но кого это беспокоит?

ВАС! И вы не знаете, что делать? Я предлагаю вам свою методику.

Не потому что она моя, а потому что на склоне жизни, после 35-летнего опыта ее ежедневного применения, я убедился, что она лучшая среди всех тех, о которых мне приходилось слышать!

Вам нужны доказательства? Вот они:

1) **3 миллиона** французов попробовали ее, и 10 лет спустя после первой публикации о ней книга занимает первые строчки в списке бестселлеров, следуя сразу за книгами о Гарри Поттере.

2) **174 врача** попросили разрешения использовать мою методику, что говорит о том, что они считают ее эффективной. Я дал им свое согласие, даю его и вам, мои дорогие читатели!

Я предлагаю 100 продуктов питания, самых качественных, питательных и сытных, помеченных волшебными словами: БЕЗ ОГРАНИЧЕНИЙ.

Методика состоит из 4 этапов, начиная с наиболее строгого и заканчивая самым щадящим.

1) **Этап «Атака»** — короткий и самый результативный.

2) **Этап «Чередование»** — достижение желаемого веса.

3) **Этап «Закрепление»** — на каждый потерянный килограмм вам потребуется 10 дней.

4) **Этап «Стабилизация»** — удержание достигнутого веса: белковый четверг, отказ от лифта, 3 столовые ложки овсяных отрубей в день в течение всей жизни.

Чтобы добиться успеха, надо по крайней мере попробовать! Желаю вам начать и победить в борьбе за идеальную фигуру с помощью моей диеты.

*Ваш доктор Пьер Дюкан*

# Ассоциация П.Р.О.Т.И.В.[1]

## ПРЕДИСЛОВИЕ: РЕШАЮЩАЯ ВСТРЕЧА, ИЛИ ЧЕЛОВЕК, ОБОЖАВШИЙ МЯСО

Начало моего знакомства с проблемой излишнего веса восходит к тому времени, когда, будучи молодым врачом-терапевтом, я занимался медицинской практикой в квартале Монпарнас в Париже и одновременно специализировался в неврологическом отделении больницы города Гарш для детей, страдающих параплегией[2].

В то время среди моих пациентов числился один издатель, веселый толстяк и чрезвычайно эрудированный человек, страдавший тяжелой астмой, от приступов которой я не раз его спасал. Однажды он пришел ко мне в кабинет и, усевшись в английское кресло, со скрипом прогнувшееся под его тяжестью, сказал:

— Доктор, я всегда был доволен вашей помощью, я вам полностью доверяю, и поэтому сегодня я хочу, чтобы вы помогли мне похудеть.

---

[1] Программа — Реакция на Ожирение — Тучность и Избыточный Вес, газета «Монд».
[2] Параплегия — паралич обеих нижних или верхних конечностей — *Прим. ред.*

Тогда мои познания о диетологии сводились исключительно к тому, чему меня научили на медицинском факультете: низкокалорийные диеты и маленькие порции блюд, по содержанию вполне похожие на нормальные, зато по количеству явно предназначенные для лилипутов. В большинстве случаев, услышав от врача рекомендации следовать подобной диете, пациент, не привыкший отказывать себе ни в каком гастрономическом удовольствии, стремительно покидал кабинет, охваченный ужасом при мысли, что ему придется ограничивать себя в том, что составляет его наибольшую радость.

Запинаясь, я принялся ему объяснять, что на самом деле я не знаком с тонкостями этой науки.

— Да о какой науке вы говорите, доктор? Я обошел всех специалистов в Париже, включая местных шарлатанов. Начиная с юношеских лет, я многократно терял вес, в сумме — не менее 300 кг, но потом снова с успехом их набирал. Я должен признать, что я никогда особо не стремился похудеть, и моя жена невольно причинила мне

> 66 *Я продолжаю диету, ибо я чувствую прилив сил, и к тому же я получаю удовольствие от того, что я ем* 99
>
> *Первый пациент диетолога Дюкана*

большой вред, продолжая любить меня, несмотря на мои огромные размеры. Сейчас я почти задыхаюсь, совершая минимальное усилие, мне трудно найти одежду моего размера, и, откровенно говоря, я начинаю опасаться за свою жизнь.

В заключение он добавил фразу, которая полностью изменила направление моей профессиональной жизни:

— Вы можете лишить меня какой угодно пищи, кроме мяса: я слишком его люблю, чтобы отказаться от него.

Я машинально, практически не задумываясь, ответил ему:

— Ну, хорошо. Если вы так обожаете мясо, приходите завтра утром ко мне натощак взвеситься, а затем на протяжении 5 дней ешьте только мясо. Однако избегайте его жирных сортов: свинины, баранины и самых жирных частей говядины — филе и ребер. Жарьте его до готовности, пейте как можно больше воды, и через 5 дней приходите ко мне на повторное взвешивание.

— Ладно, ладно.

**!** ЧЕРЕЗ 5 ДНЕЙ ВЫЯСНИЛОСЬ, ЧТО ОН ПОТЕРЯЛ ОКОЛО 5 КГ. Я НЕ ВЕРИЛ СВОИМ ГЛАЗАМ, ОН, КСТАТИ, ТОЖЕ. ПОНАЧАЛУ Я БЫЛ НЕМНОГО ОБЕСПОКОЕН, НО ОН ПРОСТО СИЯЛ, БЫЛ ВЕСЕЛЕЕ ОБЫЧНОГО И С ТАКИМ ЭНТУЗИАЗМОМ ГОВОРИЛ МНЕ ОБ ИСЧЕЗНОВЕНИИ ХРАПА, О ВНОВЬ ОБРЕТЕННОМ ЧУВСТВЕ КОМФОРТА, ЧТО СКОРО ВСЕ МОИ СОМНЕНИЯ УЛЕТУЧИЛИСЬ.

— Я продолжаю диету, ибо я чувствую прилив сил, и к тому же я получаю удовольствие от того, что я ем.

Итак, он пошел по второму кругу — еще на 5 мясных дней, но я взял с него обещание сделать по возвращении полный анализ крови и мочи. Через 5 дней, сбросив еще 2 кг, он с ликующим видом подсунул мне результаты своих анализов, которые, кстати, были совершенно нормальными — ни повышенного сахара, ни высокого уровня холестерина или мочевой кислоты.

Между тем я посетил библиотеку медицинского факультета, где более тщательно изучил питательные свойства различных видов мяса, особо заостряя внимание на белках, высоким содержанием которых оно славится.

Таким образом, через 5 дней, когда издатель снова появился у меня в кабинете, **пышущий здоровьем и похудевший еще на 1,5 кг,** я посоветовал ему дополнить свой рацион рыбой и морепродуктами, этот совет он с удовольствием принял, так как все возможные разновидности мяса были уже исчерпаны.

Прошло 20 дней, и весы показали на 10 кг меньше от изначального веса, а второй анализ крови был по-прежнему удовлетворительным. Тогда я решил рискнуть и пойти ва-банк, добавив все оставшиеся белки, а именно птицу, молочные продукты и яйца, и на всякий случай порекомендовал ему увеличить количество жидкости и перейти на 3 литра воды в день.

В конце концов он согласился включить в свой рацион и овощи, длительное отсутствие которых начало всерьез беспокоить меня.

Через 5 дней, во время очередной консультации обнаружилось, что **он не потерял ни грамма.** Под этим предлогом он потребовал вернуться к своей любимой диете, которая была особенно ценна для него неограниченным потреблением мяса. Я согласился при условии, что пятидневная мясная диета будет чередоваться с диетой, сочетающей овощи и мясо, аргументируя риском авитаминоза, в который ему верилось с большим трудом. Тем не менее он принял мое предложение — в основном из-за угрозы нарушения прохождения пищи по кишечнику, так как при таком рационе в организм практически не поступает клетчатка.

Так и появилась на свет моя белковая диета, чередующая употребление растительных и животных белков. Постепенно увеличивался и мой интерес к ожирению и всем другим проблемам избыточного веса, что полностью изменило течение моей профессиональной и научной жизни.

Долгие годы я тщательно разрабатывал и совершенствовал эту концепцию, чтобы создать такую диету, которая на сегодня кажется мне наиболее подходящей для специфической психологии людей, страдающих ожирением, и самой эффективной из всех диет для похудения.

Однако со временем я с сожалением обнаружил, что диеты для похудения, какими бы эффективными они ни были и как бы строго ни соблюдались, не выдерживают испытания временем. Из-за отсутствия закрепляющего этапа их результаты в лучшем случае медленно, но неумолимо испаряются, а в худшем — вес резко увеличивается, и все заканчивается эмоциональной неустойчивостью, стрессом и чувством разочарования.

Большинство людей, подвергающих себя испытанием диетой для похудения, проигрывают неравный бой с излишним весом, что обычно приводит их в полное уныние, порождает неудовлетворенность собой и может быть чревато чрезмерным ожирением. Чтобы избежать этого, мне было необходимо создать систему для поддержания достигнутого веса — защитный барьер против повторного набора килограммов.

Я ввел этот защитный барьер, использовав пошаговое внедрение в рацион основных продуктов, необходимых для нормального питания, чтобы избежать ответной реакции организма, лишенного своих резервов. Для преодоления такого инстинктивного протеста организма и более легкого перехода к нормальному питанию я установил точную длительность этого этапа диеты, пропорцио-

> 66 *Многие диеты не выдерживают испытание временем из-за отсутствия закрепляющего этапа* 99

нальную потере веса, которую очень легко подсчитать: **для закрепления одного сброшенного килограмма необходимо 10 дней**.

Однако и после прохождения этапа закрепления достигнутого веса под влиянием обмена веществ в организме возможно постепенное возвращение к старым привычкам в питании. Кроме того, неизбежно появление желания компенсировать свои проблемы и тревоги, поощряя себя жирной, сладкой и обильной пищей, которая может сломить сопротивление и такой, казалось бы, неприступной крепости, которой является фаза закрепления веса.

Поэтому я отважился порекомендовать моим пациентам другую меру, предложив еще один этап диеты, который я смело назвал «заключительной фазой». Казалось бы, неприемлемый эпитет для тех, кто страдает избыточным весом, как для взрослых, так и для детей, которые вообще не переносят ничего, что имеет отношение к длительности, так как это противоречит их импульсивности и неприятию самоограничения.

Неприемлемое слово, неприемлемое правило, которому надо будет следовать до конца своей жизни, — но что, если именно оно обеспечит вам стабильность веса и будет применяться только один день в неделю?

**!** ВСЕГО ОДИН ДЕНЬ ДИЕТЫ В НЕДЕЛЮ, НО КОТОРЫЙ БУДЕТ СТРОГО И СТАБИЛЬНО БЕЗОГОВОРОЧНО СОБЛЮДАТЬСЯ И РЕЗУЛЬТАТЫ КОТОРОГО БУДУТ БОЛЕЕ ЧЕМ УБЕДИТЕЛЬНЫМИ.

Именно тогда и наступил для меня момент истины: я понял, что настоящий успех моей диеты, несомненно, кроется в сочетании всех четырех ее этапов, последовательно сменяющих друг друга, с последовательно убывающей интенсивностью. Годы практики позволили мне выстроить логичную и упорядоченную цепочку, от которой невозможно отклониться.

Первый **этап «Атака»** достаточно короткий, но очень эффективный. Его сменяет этап под названием **«Чередование»**, включающий периоды штурма и передышки, за которым следует

> 66 *Вы можете лишить меня какой угодно пищи, кроме мяса: я слишком его люблю, чтобы отказаться от него* 99
>
> *Первый пациент диетолога Дюкана*

**этап закрепления** достигнутого веса, продолжительность которого пропорциональна количеству потерянных килограммов. И наконец, чтобы навсегда сохранить с таким трудом отвоеванный вес, — постоянная и потому эффективная мера, соблюдение которой рекомендовано до конца жизни, — один белковый день в неделю, **день очищения**, который позволит сохранить баланс во все остальные дни недели.

И в конце концов я добился своих первых действительно стабильных результатов. На самом деле я предложил пациентам не только рыбу, но и руководство по рыбалке, то есть план диеты, по которому они могли не только быстро и эффективно справиться с ожирением, но и сохранить результаты длительное время и без посторонней помощи.

Я провел 20 лет, совершенствуя эту методику, применяя ее у ограниченного количества пациентов. Сегодня благодаря их стабильным результатам я предоставляю ее более широкой аудитории.

Моя диета предназначена **для тех, кто испробовал все**; кто слишком часто сбрасывал вес и набирал его; и для тех, кто прежде всего хочет обеспечить себя гарантией того, что в обмен на свое кратковременное усердие он не только сбросит лишние килограммы, но и сохранит плоды своих усилий и будет жить с фигурой, к которой стремился и на которую имеет полное право. Так что я написал эту книгу в надежде, что предлагаемая мною система похудения однажды станет также и решением ваших проблем с весом.

Я написал книгу **для тех, кого беспокоят проблемы с весом**, но она посвящается тем, с кем я работал, кто помог мне жить полноценной жизнью врача: моим пациентам, молодым и старым, мужчинам и женщинам, особенно первому из них — моему веселому толстяку-издателю.

# Глава 1

# ЗНАКОМСТВО
# С ЧЕТЫРЬМЯ ЭТАПАМИ

С момента той решающей встречи с издателем, страдающим избыточным весом, прошло 25 лет, и направление моей профессиональной жизни кардинально изменилось. С тех пор я посвятил себя науке о питании и сейчас помогаю людям разных весовых категорий похудеть и стабилизировать свой вес.

Как и все мои коллеги-врачи, я был выпускником типичной классической французской школы, где нас учили строгому подсчету калорий и рассказывали о низкокалорийных диетах, позволяющих потребление всех продуктов, но в умеренном количестве.

Но как только я начал работать, эта красивая теория, основанная на зыбкой надежде, что можно превратить толстяка, страстного обжору и чревоугодника, в добросовестного и скрупулезного почитателя низкокалорийного диетического питания, безвозвратно рухнула.

То, что я знаю сегодня, я узнал благодаря многолетней практике и непосредственному ежедневному общению с моими пациентами — мужчинами, а чаще всего женщинами, страстно желающими вкусно готовить и еще больше испытывающими непреодолимую потребность вкусно поесть.

Очень быстро я понял, что под маской чревоугодия и необузданного аппетита прячется потребность самовознаграждения посредством еды, которая для всех толстых людей является непреодолимой и такой же насущной, как инстинкт выживания.

Скоро мне стало ясно, что мы не в состоянии помочь толстому человеку похудеть, давая ему одни только советы, сколько бы здравого смысла и научной аргументации в них ни было. Человек, принявший решение похудеть, обращается к врачу или методике похудения, чтобы не вести в одиночку борьбу с лишним весом — борьбу, идущую вразрез с его инстинктом выживания.

 *Как только я начал работать, классическая красивая теория низкокалорийных диет, основанная на зыбкой надежде, что можно превратить толстяка, страстного обжору и чревоугодника, в добросовестного и скрупулезного почитателя низкокалорийного диетического искусства, безвозвратно рухнула*

Этот человек стремится найти внешнюю силу, кого-то, кто сопровождал бы его и давал бы ему четкие инструкции — как раз то самое, что он больше всего ненавидит, — инструкции, именно инструкции, ибо для него немыслимо в одиночку определить точные дни, время и способы пищевого воздержания.

Толстый человек без всякого стыда признает свою слабость (да и почему ему должно быть стыдно?) и незрелость своих решений, когда речь идет о его весе. Я повидал на своем веку разных толстяков: и мужчин, и женщин; разного социального происхождения: обычных людей и звезд, руководителей, банкиров и политиков; умных и блестящих людей. Все они сидели напротив меня и рассказывали мне о своей поразительной слабости к еде, о своем безволии и безудержном аппетите прожорливых детей.

Очевидно, что большинство из них еще с раннего детства тайно освоили легкую тактику использования пищи для компенсации стресса или недовольства. И какой бы разумной и логичной ни казалась рекомендация врача, она не поможет (а если и поможет, то ненадолго) сопротивляться этому оборонительному рефлексу, выработавшемуся с самого детства.

За свои 30 лет работы я был свидетелем славы и провала многих диет. **Начиная с 50-х годов я насчитал около 210!** О некоторых из них были написаны книги, ставшие бестселлерами, опубликованными миллионными тиражами: диеты Аткинса, Скарсдейла, Монтиньяка, Weight Watchers[3] и многие другие. Я понял, с каким энтузиазмом человек, стремящийся потерять вес, безоговорочно принимает их, даже если они драконовские, абсурдные или просто опасные для здоровья, как, например, диета американской клиники Майо, со своими двумя десятками яиц в неделю, которая и теперь, спустя 30 лет после ее появления на свет, по-прежнему применяется, хотя ее единодушно отвергают диетологи всего мира.

> 66 *Очень быстро я понял, что под маской чревоугодия и необузданного аппетита прячется потребность самовознаграждения посредством еды, которая для всех толстых людей является непреодолимой и такой же насущной, как инстинкт выживания* 99

Анализ этих диет и причин их успехов и провалов, мое ежедневное общение с людьми, страдающими избыточным весом, во время которого я заметил, насколько целеустремленными пациенты могут быть в своем желании похудеть в определенные пери-

---

[3] «Следящие за фигурой» — программа получила свое начало, когда несколько друзей начали еженедельно встречаться, чтобы обсудить, как лучше всего похудеть. Затем группа друзей выросла в миллионы мужчин и женщин во всем мире, которые с полным повиновением придерживаются правил программы — *Прим. ред.*

оды своей жизни и как быстро они могут разочаровываться при отсутствии результатов, соразмерных их усилиям, убедили меня в том, что:

- тем, кто хотел бы похудеть, **нужна диета, которая достаточно быстро дает первые результаты.** Это нужно для того, чтобы укрепить и сохранить их мотивацию. Пациенту также необходимы конкретные цели, поставленные кем-то извне, с последующим определением этапов похудения, в промежутках между которыми он смог бы подсчитать и сопоставить свои усилия с ожидаемыми результатами;

- большинство недавно появившихся сенсационных диет с молниеносными победами имеют очень эффективный начальный этап и дают поразительные первые результаты. Но, к сожалению, после прочтения книги и изучения рекомендаций, содержащихся в ней, **человек снова остается наедине со своими искушениями.** И для него все начинается заново;

- независимо от того, насколько оригинальны и изобретательны эти диеты, все они, как ни странно, оказываются несостоятельными после начального, самого активного периода и первых ощутимых результатов и, как правило, оставляют человека один на один с самим собой, добавляя лишь несколько поучительных рекомендаций и полезных советов об умеренности, которым он не в состоянии следовать;

- ни одна из этих знаменитых диет не смогла дать точного, простого и эффективного руководства, которое позволило бы поддержать и укрепить результаты начального этапа.

Человек, стремящийся похудеть, заранее знает, что не сможет один, без посторонней помощи, сохранить плоды своих усилий. Кроме того, известно, что худеющий, предоставленный самому себе, после первого этапа снова начнет набирать свои килограммы: сначала медленно, потом быстрее и в конце концов — с такой же ошеломляющей скоростью, с которой худел.

Начав борьбу с лишним весом и в течение определенного времени следовав конкретным рекомендациям, человек все еще нуждается хотя бы в символическом, незримом присутствии инструктора — присутствии, которое бы сопровождало и направляло его на протяжении всех этапов похудения. В конечном счете, ему нужно всего лишь простое, эффективное руководство к действию, нечто вроде магической формулы, которую он сможет применять до конца своей жизни.

Изучив множество модных диет, не гарантирующих долгосрочных результатов, осознавая бесполезность низкокалорийных рационов, приверженцы которых, несмотря на многочисленные фиаско, продолжают считать, что в один прекрасный день расточитель чудом превратится в бережливого бухгалтера, я **создал свою диету белкового чередования**, которая является темой этой книги и которую, учитывая все годы моей практики, я могу назвать наиболее эффективной и легко переносимой пациентами из всех современных диет.

66 *Предлагаемая диета, основанная на натуральных продуктах питания, является самым эффективным инструментом борьбы с лишним весом из всех тех, которые я применял за годы своей практики* 99

Возможно, говоря так, я покажусь моим читателям нескромным, но я все же рискну, ибо, принимая во внимание, какие маштабы принимает проблема ожирения, мое молчание может быть рассмотрено как умышленное неоказание помощи человеку, находящемуся в опасности.

На самом деле моя система представляет собой что-то вроде дуэта диет, которые функционируют как двухтактный двигатель — чередование этапа чистого белка в сочетании с этапом чередования белка и овощей, который дает организму время на восстановление и позволяет легче перенести потерю веса.

Учитывая то, с какой легкостью мои пациенты после первых успешных результатов были готовы отступиться от своей цели и вновь приняться за старое, мне пришлось превратить свою диету во что-то большое — во **всеобъемлющий план похудения.**

Этот план учитывает психологию человека, страдающего избыточным весом, и включает в себя все необходимые для успешного снижения веса условия, а именно: диета предлагает человеку, желающему похудеть, ряд конкретных рекомендаций, этапов и задач, которые не могут быть неверно истолкованы или нарушены.

Моя методика, основанная на натуральных продуктах питания, является самой эффективной из всех, которые я применял за годы своей практики. Первоначальная потеря веса достаточно значительна, чтобы послужить стимулом для продолжения диеты.

Мой план похудения — это диета, не требующая больших ограничений (полностью исключается взвешивание пищи и расчет калорий), она обеспечивает полную свободу в потреблении некоторых наиболее распространенных продуктов питания.

Предлагаемая система — это не просто диета, это глобальный план потери веса, который может быть принят или отклонен целиком. Этот план состоит из четырех последовательных этапов.

**Этап «Атака»**, включающий потребление чистого белка, позволяет быстро потерять вес и на практике ничуть не уступает результатам, достигнутым посредством голодания либо использования белкового порошка, но без недостатков этих двух методов.

**Этап «Чередование»** — эта стадия диеты предусматривает чередование белка с овощами и позволяет быстро и за один раз достичь желаемого веса.

**Этап «Закрепление»** — этап закрепления полученных результатов, рассчитан на предотвращение эффекта йо-йо, когда организм стремится восстановить быстро потерянные килограммы. Это этап повышенной уязвимости, длительность которого рассчитывается по формуле: 10 дней на закрепление каждого килограмма, потерянного за два предыдущих этапа.

**Этап «Стабилизация»** — самая главная **заключительная стадия удержания достигнутого веса**, которая опирается на очень простые защитные меры, не требующие особых усилий для поддержания достигнутого веса:

- 1 белковый день в неделю, то есть придерживаемся этапа «атаки» 1 раз в неделю, а именно в четверг;

- отказ от лифта;

- 3 столовые ложки овсяных отрубей в день.

Эти три правила требуют безоговорочного неукоснительного соблюдения, в то же время это конкретные и не сложные в выполнении условия, но им надо будет следовать в течение всей жизни!

## ТЕОРИЯ ДИЕТЫ ДЮКАНА

Прежде чем углубиться в детали моего плана похудения и подробно объяснить принцип его действия и причины его успеха, я считаю необходимым вкратце ознакомить читателя с его принципами в целом и разъяснить, для кого он предназначен и каковы возможные противопоказания для следования ему.

Моя диета — это не просто **самая безопасная и наиболее эффективная** из всех современных диет, предназначенных для потери веса. Это наиболее эффективный план питания, который с самого первого дня заботится о своем приверженце и больше никогда не оставляет его один на один с его проблемой.

Одним из важнейших преимуществ диеты Дюкана является его дидактическая ценность, которая позволяет людям, борющимся с лишним весом, узнать о важности каждой группы продуктов питания и порядке их включения в рацион, начиная с жизненно важных, необходимых, затем существенных и заканчивая излишними.

Цель моего плана похудения — поставить приверженцев диеты на правильный путь посредством четких и взаимосвязанных инструкций, которые помогут им избежать постоянных конфликтов между желаниями и волей, способных, в свою очередь, поколебать твердость их решения.

> 66 *В отличие от большинства диет, предлагаемый метод рассчитан не только на потерю веса, но и на закрепление результатов* 99

Эти рекомендации сгруппированы в четыре последовательных этапа, из которых два первых ведут к реальному снижению веса, в то время как два других служат надежной защитой для поддержания веса и закрепления достигнутых результатов.

## Этап чистых белков «Атака»

Это самый результативный этап, где желающие похудеть очень мотивированы и стремятся найти диету, которая, какой бы суровой она ни была, по своей эффективности и быстроте действия соответствует их ожиданиям и позволяет быстро потерять избыточный вес.

 ЭТОТ ПЕРВОНАЧАЛЬНЫЙ ЭТАП ЧИСТЫХ БЕЛКОВ ЗАКЛЮЧАЕТСЯ В ИСПОЛЬЗОВАНИИ ТОЛЬКО ОДНОГО ИЗ ТРЕХ ОСНОВНЫХ ВЕЩЕСТВ — БЕЛКОВ.

Кроме яичного белка, пищи, состоящей исключительно из белков, в природе не существует. Поэтому речь идет о диете, при которой в рацион входят продукты, по своему составу приближающиеся к чистому пищевому белку. Например, мясо, рыба, морепродукты, птица, яйца и обезжиренные молочные продукты.

По сравнению со всеми низкокалорийными диетами этот план похудения при условии строгого соблюдения станет реальным оружием, дающим отпор любому препятствию. Это самая действенная, быстрая и безопасная диета, использующая натуральные продукты питания. Ее эффективность очевидна даже в наиболее проблемных ситуациях, особенно у женщин в период пременопаузы, характеризующийся задержкой в организме воды, вздутием живота, или во время климакса на начальном этапе гормональной терапии. Она также применима и эффективна у людей, безуспешно испытавших на себе массу агрессивных диет.

## Этап «Чередование»

Этот этап основывается на двух взаимосвязанных, последовательно сменяющих друг друга циклах — цикла чистых белков и цикла белков в сочетании с сырыми или приготовленными овощами. Оба цикла работают как фазы двухтактного двигателя, которые поочередно поглощают и сжигают калории.

 ОБА ЦИКЛА ПОЗВОЛЯЮТ УПОТРЕБЛЯТЬ ЧЕТКО ОПРЕДЕЛЕННЫЕ ПРОДУКТЫ СКОЛЬКО ДУШЕ УГОДНО В ЛЮБОЙ МОМЕНТ ДНЯ И В ЛЮБЫХ КОЛИЧЕСТВАХ, ПОЗВОЛЯЯ СМЕШИВАТЬ ИХ НА СВОЙ ВКУС, ЧТО ДАЕТ ОПРЕДЕЛЕННУЮ СВОБОДУ В РАМКАХ ДИЕТЫ И ЯВЛЯЕТСЯ ЭФФЕКТИВНЫМ СРЕДСТВОМ ДЛЯ БОРЬБЫ С ОЩУЩЕНИЕМ ГОЛОДА.

Таким образом удовлетворяется тяга к калорийной пище. В зависимости от веса, который надо потерять, количества предыдущих диет, возраста и мотивации темп этого этапа может быть адаптирован под каждого человека, основываясь на определенных правилах, которые будут изложены ниже.

Этап «Чередование», часто начинающийся с впечатляющей потери килограммов, должен непрерывно соблюдаться до получения желаемого веса. Даже если в прошлом были неудачные попытки, этап чередования белков с овощами — один из тех, которые меньше всего учитывают предыдущие неудачи.

## Этап «Закрепление» — переходный период

После первых двух активных этапов наступает следующий этап плана похудения — **закрепление каждого потерянного килограмма за десятидневный срок. Это этап** с более размеренным ритмом, когда питание должно включать в себя и другие продукты, необходимые для организма, при этом вы избегаете классического «эффекта йо-йо»[4], который традиционно проявляется ускоренным набором потерянного веса после прекращения диеты. На протяжении двух первых этапов организм пытается сопротивляться. Он старается сберечь свои запасы за счет снижения затрат энергии и в основном использует максимальное количество энергии из поступающих в него продуктов питания. Радуясь, что одержал победу над избыточным весом, человек, сам того не зная, играет с огнем. На самом же деле его тело просто ждет подходящего момента, чтобы восполнить утраченные запасы. Обильная трапеза, которая не имела бы большого значения в начале диеты, после прохождения первых двух этапов может быть

> 66 *Длительность этапа закрепления достигнутого веса = 1 потерянный килограмм × 10. То есть на 1 потерянный килограмм в течение этапов «Атака» и «Чередование» приходится 10 дней закрепления результата* 99

---

[4] Йо-йо — игрушка на резинке, прыгающая вверх-вниз — *Прим. перев.*

чревата катастрофическими последствиями. По этой причине закрепляющий этап будет ознаменован введением более калорийных и доставляющих удовольствие продуктов питания при условии, что их разнообразие и количество будут ограничены с целью восстановления нормального обмена веществ, ослабленного потерей веса.

**!** В ТЕЧЕНИЕ НЕДЕЛИ ДОБАВЬТЕ В СВОЙ РАЦИОН 2 ЛОМТИКА ХЛЕБА, ФРУКТЫ, СЫР, 2 ПОРЦИИ КРАХМАЛОСОДЕРЖАЩИХ ПРОДУКТОВ И САМОЕ ГЛАВНОЕ — 2 ПРАЗДНИЧНЫЕ ТРАПЕЗЫ.

Задача этого этапа диеты — избежать резкого увеличения веса, что является наиболее распространенным следствием большинства диет для похудения. Введение таких важных продуктов, как хлеб, фрукты, сыр, некоторые крахмалосодержащие продукты, и доступ к определенным излишним лакомствам абсолютно необходимы при условии, что их включение в рацион подчиняется точным инструкциям. Длительность этого этапа равняется количеству потерянных килограммов, умноженному на 10, то есть требуется 10 дней на закрепление одного потерянного килограмма.

## Заключительный этап «Стабилизация» — обеспечение устойчивости достигнутого веса

После потери веса и предотвращения «эффекта йо-йо» с помощью системы добровольных мер и ограничений человек, потерявший вес, торжествует, но в то же время инстинктивно чувствует, что его победа пока недостаточно прочна и рано или поздно — чаще это все же происходит рано — он окажется во власти своих старых привычек. С другой стороны, он еще больше уверен в том, что самостоятельно никогда не добьется равновесия и пищевой умеренности, которую большинство специалистов рекомендуют ему в качестве гарантии сохранения достигнутого веса. Как бы парадоксально это ни казалось, человек, достигший желаемого веса, не только способен принимать инструкции, но более того — он осознает свою нужду в них и даже требует их, так как ценит их точность, конкретность, простоту, безусловность выполнения и особенно эффективность, которые позволяют ему питаться нормально 6 дней в неделю без всяких опасений набрать вес.

## РЕЗЮМЕ. Краткое изложение диеты Дюкана

- **Этап чистых белков «Атака».**
  *Продукты*: только белки.
  *Средняя продолжительность*: от 2 до 7 дней.

- **Этап «Чередование».**
  *Продукты*: чередование белковых дней и дней, когда можно употреблять белки и овощи.
  *Средняя продолжительность*: приблизительно 1 потерянный килограмм за неделю, пока не достигнете желаемого веса.

- **Этап «Закрепление».**
  *Продукты:* добавляются 2 ломтика хлеба, фрукты, сыр, 2 порции крахмалосодержащих продуктов (1 порция в первую половину этапа, 2 — во вторую половину). Устраивайте себе 2 праздничные трапезы в неделю (1 пир в первую половину этапа, 2 пира — во второй половине).
  *Средняя продолжительность*: 10 дней на закрепление одного потерянного килограмма.

- **Заключительный этап «Стабилизация».**
  *Продукты:* белковый четверг + отказ от использования лифта + 3 столовые ложки овсяных отрубей ежедневно.
  *Средняя продолжительность*: в течение всей жизни.

# Глава 2

# НЕОБХОДИМЫЕ ПОНЯТИЯ О ПИТАНИИ. ТРИО: УГЛЕВОДЫ, ЖИРЫ, БЕЛКИ

П итание людей и животных включает огромное число продуктов, которые на самом деле содержат только три вида питательных веществ: углеводы, жиры, белки. Вкус каждого продукта, его консистенция и пищевая ценность зависят от пропорции в нем этих трех составляющих.

## НЕРАВНОЕ КОЛИЧЕСТВО КАЛОРИЙ

Были времена, когда диетологи при составлении рационов придавали значение только калорийности пищи и прописывали диеты для похудения, основываясь исключительно на подсчете калорий, что и обрекало эти диеты на неудачу, остававшуюся загадкой в течение длительного времени. Сейчас большинство из них отказались от количественного подхода и стали уделять больше внимания происхождению калорий, а также свойствам и сочетанию питательных веществ, входящих в состав продукта. Оказалось, что 100 калорий, содержащихся в белом сахаре, растительном масле и рыбе, по-разному перевариваются организмом и приносят разную пользу.

Время суток, когда калории поступают в организм, тоже играет роль. Еще недавно казавшийся нелепостью факт, что калории, потребляемые утром, днем и тем более в вечернее время, по-разному воспринимаются организмом, сегодня является общеизвестным.

Эффективность моего четырехэтапного плана похудения можно объяснить тщательным отбором конкретных питательных веществ, содержащихся в пищевых продуктах, с акцентом главным образом на белки, начиная с этапов «Атака» и «Чередование» и заканчивая этапами закрепления и стабилизации достигнутого веса.

 ПОЭТОМУ Я СЧИТАЮ НЕОБХОДИМЫМ ИМЕННО ТЕМ ЧИТАТЕЛЯМ, У КОТОРЫХ НЕТ ОСОБЫХ ЗНАНИЙ В ЭТОЙ ОБЛАСТИ, СРАВНИТЬ ХАРАКТЕРИСТИКИ ЭТИ ТРЕХ ПИТАТЕЛЬНЫХ ВЕЩЕСТВ, ДЛЯ ТОГО ЧТОБЫ ПОКАЗАТЬ, КАК ИМЕННО ОНИ ИСПОЛЬЗУЮТСЯ В РАМКАХ МОЕГО ПЛАНА ПОХУДЕНИЯ.

## УГЛЕВОДЫ

Эта категория питательных веществ очень популярна, высоко ценится и всегда предоставляла человеку 50% энергетической ценности его рациона, независимо от эпохи, культуры и места жительства.

На протяжении тысяч лет основным источником углеводов, за исключением фруктов и меда, для человека оставались так называемые медленные углеводы: крупы, макаронные изделия, бобовые и т.д. Их особенностью является медленное, постепенное усвоение, с умеренным увеличением содержания сахара в крови, что позволяет избежать инсулинового шока, влияние которого на здоровье и вес сейчас общеизвестны.

С открытием методов извлечения сахара из сахарного тростника, а затем и из сахарной свеклы, повлекших постоянный рост потребления сладостей и быстрых углеводов, питание человека резко изменилось.

Являясь своеобразным топливом для выработки энергии, углеводы очень удобны для спортсменов, лиц, занятых тяжелой физической работой, или подростков. Но они далеко не так полезны для большинства людей, которые сегодня ведут в основном сидячий образ жизни.

**Белый сахар и все его производные** — конфеты, карамель и т.д. — это чистые углеводы, всасываемые организмом с быстротой молнии. Крахмалистые продукты, хотя они и не сладкие на вкус, также очень богаты углеводами. К ним относятся мука и мучные изделия (хлеб, особенно белый, крекеры, печенье, манная крупа и т.д.), макаронные изделия, картофель, бобовые: горох, чечевица, фасоль.

**Наиболее богатые углеводами фрукты** — это бананы, вишня и виноград. Вино и все алкогольные напитки также содержат углеводы. Булочные и кондитерские изделия, помимо углеводов, очень богаты жирами.

 1 ГРАММ УГЛЕВОДОВ СОДЕРЖИТ ТОЛЬКО 4 КАЛОРИИ, НО ЭТО ЧИСЛО УДВАИВАЕТСЯ ПРИ ПОСТУПЛЕНИИ В ОРГАНИЗМ ЗА СЧЕТ ПОВЫШЕНИЯ ИХ ЭНЕРГЕТИЧЕСКОЙ ЭФФЕКТИВНОСТИ.

Кроме того, мука и крахмалосодержащие продукты очень медленно перевариваются организмом, причем часто служат причиной образования газов, вздутия живота (метеоризма), вызывающих неприятные ощущения.

Большинство продуктов, содержащих углеводы, высоко ценятся за вкус: мучные, крахмалосодержащие изделия и сладкие углеводы. Привязанность к сладкому отчасти врожденная, но большинство психологов связывают ее появление с одной особенностью в воспитании. Дело в том, что родители привыкли вознаграждать детей за хорошее поведение чем-то сладким, таким образом, сладкое с самого раннего детства ассоциируется с чем-то вроде поощрительного приза.

Наконец, продукты, богатые углеводами, почти всегда обходятся довольно дешево, поэтому они обычно в изобилии представлены на столе независимо от уровня благосостояния людей.

> 66 Существуют быстрые и медленные углеводы. Первых следует избегать всегда, вторые можно частично вводить на третьем этапе и употреблять 6 дней в неделю — на последнем этапе 99

В заключение необходимо отметить, что пища, содержащая углеводы, есть везде и за счет своего вкуса и цены часто выступает в качестве не только «сладкой награды», но и быстрого способа перекусить.

На уровне обмена веществ углеводы облегчают высвобождение инсулина, который в свою очередь способствует производству и накоплению жиров.

Из вышесказанного следует, что люди, предрасположенные к полноте, должны с осторожностью относиться к продуктам, содержащим углеводы. Но в настоящее время эти меры предпринимаются чаще всего в отношении жиров, которые заслуженно считаются врагом человека, пытающегося похудеть. Но это не повод для того, чтобы терять бдительность в отношении углеводов, тем более что первый этап атаки должен быть максимально эффективным и быстродействующим.

 ЭТАП АТАКИ ПОЛНОСТЬЮ ИСКЛЮЧАЕТ УГЛЕВОДЫ. НА ЭТАПЕ «ЧЕРЕДОВАНИЕ» РАЗРЕШЕНО УПОТРЕБЛЕНИЕ ТОЛЬКО ОВОЩЕЙ С ОЧЕНЬ НИЗКИМ СОДЕРЖАНИЕМ САХАРА. УГЛЕВОДЫ ВНОВЬ ПОЯВЛЯЮТСЯ НА ЭТАПЕ ЗАКРЕПЛЕНИЯ ДОСТИГНУТОГО ВЕСА, НО С ОПРЕДЕЛЕННЫМИ ОГРАНИЧЕНИЯМИ. СВОБОДНО УПОТРЕБЛЯТЬ ИХ В ПИЩУ МОЖНО ЛИШЬ НА ФИНАЛЬНОЙ СТАДИИ ПЛАНА ПОХУДЕНИЯ, 6 ДНЕЙ В НЕДЕЛЮ.

# ЖИРЫ

Жиры — злейший враг кандидата на похудение, в полном смысле этого слова, поскольку они являются запасником ненужной, избыточной энергии. Потребление жира в теории и на практике способствует увеличению веса.

Вспомним о **диете Аткинса**, открывающей свободный доступ к жирам и всячески порочащей углеводы, которую многие люди сочли сенсационной, что, кстати, и принесло такой успех ее автору. После анализа сразу становится ясно, что эта диета была глубоким заблуждением по двум причинам:

- из-за опасного увеличения холестерина и триглицеридов, за что некоторые люди поплатились жизнью;

- она вселяла в человека уверенность в том, что можно потреблять жиры без риска для своего веса, вследствие чего у пациента исчезал рефлекс осторожности по отношению к ним.

Существует два основных источника жиров: **животные и растительные жиры**. Животные жиры, содержащиеся в чистом виде в сале и свином жире, довольно в большом количестве присутствуют в некоторых колбасах, сосисках, паштетах и т.д. Не только свинина, но и мясо многих других животных содержит значительное количество жира: баранина, ягнятина. Мясо некоторых птиц, таких как гуси и утки, также богато жирами. Говядина, за исключением антрекота и реберной части, где прослойки жира особенно очевидны, не является жирным мясом. Постным мясом считается и конина.

Масло, получаемое из молочных сливок, почти на 100% состоит из жиров. Сливки — очень жирный продукт, содержание жиров в них достигает 80%. Среди рыбы выделяются достаточно высоким содержанием жира 5 разновидностей. Голубой оттенок кожи и маслянистый вкус позволяют отличать их от нежирных видов: сардина, тунец, лосось, скумбрия и сельдь. Но необходимо заметить, что даже эти 5 разновидностей содержат в себе не больше жира, чем простой стейк из говядины, и, самое главное, что жир этих рыб из холодных морей очень богат жирными кислотами омега-3, которые снижают риск сердечно-сосудистых заболеваний.

Растительные жиры чаще всего представлены в маслах и многочисленных масленичных культурах.

**Растительное масло содержит еще больше жира, чем сливочное**. Конечно, некоторые растительные масла, такие как оливковое, подсолнечное и рапсовое, имеют высокую питательную ценность и полезны для сердца и сосудов, но все они без исключения содержат огромное количество жиров и калорий и должны быть полностью исключены на протяжении двух первых этапов диеты. Их следует избегать во время этапа закрепления достигнутого веса и с осторожностью употреблять на заключительном этапе диеты. Что же касается таких масленичных культур, как грецкие орехи,

> 66 *Орехи часто употребляются в пищу в виде закусок и сопровождаются алкоголем, но имейте в виду, что они повышают калорийность блюд, которые следуют за ними* 99

арахис, фундук, фисташки, которые обычно подаются в качестве закуски в сочетании с алкоголем, то имейте в виду: **они повышают калорийность блюд, следующих за аперитивом**.

Для всех желающих следить за фигурой или похудеть жиры крайне опасны:

- они наиболее калорийны из всех питательных веществ: **1 грамм жиров содержит 9 калорий**, что в 2 раза больше, чем в углеводах и белках, 1 грамм которых содержит только 4 калории;

- **продукты, содержащие жиры, редко едят отдельно.** Растительное или сливочное масло, сметана, как правило, сопровождаются хлебом, крахмалосодержащими продуктами, макаронными изделиями, уксусом, что существенно увеличивает общую сумму калорий;

- **жир переваривается медленнее**, чем быстрые углеводы, но гораздо быстрее, чем белки, что увеличивает их энергетическую ценность;

- продукты, богатые жирами, **незначительно усмиряют аппетит** и, в отличие от продуктов, содержащих белок, не оказывают никакого воздействия на размер порции и ее перенос на более поздний час;

- наконец, жиры животного происхождения — сливочное масло, колбасные изделия, сыры — являются потенциальной **угрозой для сердца**. Поэтому их ни в коем случае нельзя употреблять без ограничений, как это рекомендовалось Аткинсом и его последователями.

## БЕЛКИ

Белки — третье из универсальных питательных веществ. Они составляют большую группу азотистых продуктов, среди которых существует подгруппа белков — самых длинных молекул, входящих в структуру живых существ. Большинство богатой белком пищи поставляется из животного мира. Мясо — наиболее известный источник белков.

**!** ИЗ ВСЕХ ЖИВОТНЫХ БЕЛКОВ КОНИНА БОЛЬШЕ ВСЕГО БОГАТА БЕЛКАМИ. В ГОВЯДИНЕ НЕМНОГО БОЛЬШЕ ЖИРОВ, НО НЕКОТОРЫЕ ЧАСТИ ЭТОГО МЯСА ТАКЖЕ СЛАВЯТСЯ БЕЛКАМИ.

В **ягнятине и баранине** значительно больше жира, и прослойки жира делают их продуктами с низким содержанием белков. Наконец, свинина, самая жирная из всех разновидностей мяса, не содержит достаточного количества белка, чтобы войти в группу белковых продуктов питания.

> 66 *1 грамм углеводов содержит 4 калории, 1 грамм жиров — 9 калорий, 1 грамм белков — 4 калории, но белок не находится в продуктах в таком концентрированном виде, как углеводы и жиры* 99

**Субпродукты** (внутренности, ливер, потроха) также очень богаты белком и известны очень низким содержанием жиров и углеводов, за исключением печени, в которой есть сахар. Мясо птицы, за исключением домашних гусей и уток, не жирное и богато белком, особенно индейка и белое куриное мясо.

**Рыба**, в основном белая — камбала, треска, хек, — содержит много белков, имеющих высокую биологическую ценность. В мясе рыб из холодных морей, таких как лосось, сардины, тунец, форель, больше жира, что уменьшает количество содержащегося в нем белка. Тем не менее это отличные поставщики белка и верные защитники от сердечно-сосудистых заболеваний. **Ракушечные и моллюски** не содержат углеводов, поэтому они богаты белками. **Ракообразные** обычно не рекомендуются из-за содержания холестерина, но он находится в красной части головы животного, а не в мясе, что позволяет без опасений есть креветки, крабы и другие морепродукты, при условии, что вы обязательно удалите голову.

**Яйцо** — необычный источник белка. Яичный желток содержит довольно много жиров и холестерина, поэтому людям, предрасположенным к сердечно-сосудистым заболеваниям, стоит его избегать. С другой стороны, яичный белок является стопроцентным источником белка, эталоном, основой классификации всех остальных белков.

**Растительные белки** содержатся в большинстве зерновых и зернобобовых культур, но в них содержится слишком много углеводов, поэтому они не могут использоваться в диете. Кроме того, за исключением сои, растительный белок характеризуется низкой биологической ценностью и не содержит некоторых незаменимых аминокислот, так что его нельзя употреблять в пищу в течение длительного времени.

## Как сочетается вегетарианство с диетой Дюкана

Как можно одновременно быть вегетарианцем и следовать моей диете? Все зависит от значения, которое мы вкладываем в это слово. Если быть вегетарианцем — значит просто исключить мясо из своего рациона, то существует много других источников белка: рыба, морепродукты, яйца, молочные продукты. Если же под вегетарианством подразумевается потребление продуктов, получение которых не связано с убийством животных, то задача становится труднее, так как остаются только яйца и молочные продукты, но этого, возможно, будет достаточно для тех, кто пытается похудеть.

Наконец, если вегетарианство основывается только на продуктах растительного происхождения, то следовать диете становится еще труднее, так как у такого вегетарианца не остается ничего, кроме неполноценных растительных белков, и надо очень искусно сочетать злаки и бобовые, чтобы получить все необходимые аминокислоты, без совокупности которых невозможно производить жизненно важные белки.

## Человек — плотоядный охотник

Важно знать, что человек эволюционировал, становясь плотоядным. Его обезьяноподобные предки были травоядными, хотя даже они иногда убивали других животных с целью пропитания. Только тогда, когда собиратели превратились в охотников, а затем в активных потребителей мяса, человек приобрел присущие ему способности. И в настоящее время человеческий организм обладает пищеварительной и выделительной системами, которые позволяют ему неограниченно питаться мясом и рыбой. Мы устроены так, чтобы употреблять животную пищу — мясо, рыбу или домашнюю птицу — как в метаболическом, так и психологическом плане.

> **Белки перевариваются значительно медленнее, чем жиры, и еще более медленно, чем углеводы**

Безусловно, мы можем без этого обойтись, сегодня возможно жить не охотясь и не питаясь животной пищей, но не нужно забывать, что это часть нашей природы, это именно то, чего наш организм ждет от нас, и, лишая его этих продуктов, мы сводим на нет эмоциональную реакцию, которую он вырабатывает при поступлении в него ожидаемой пищи. То, о чем я сейчас говорю, может показаться вам незначительным, но суть в том, что конечной целью любого организма, будь то животное или человек, является поиск максимального соответствия между его предназначением и его действиями.

## Переваривание белков, потеря калорий и ощущение сытости

Процесс переваривания белков происходит медленнее других питательных веществ — более 3 часов. Это объясняется очень просто. Белковые молекулы — длинные цепи, звенья которых очень тесно связаны между собой. Чтобы преодолеть их сопротивление, требуется тщательное пережевывание пищи, энергоемкий процесс ее размельчения в желудке и особенно — совместное воздействие пищеварительных соков. Таким образом, работа по добыче калорий из белков дорого обходится нашему организму. Считается, что для получения из белковой пищи 100 калорий необходимо потратить почти 30 калорий. Подводя итог, можно сказать, что специфически-динамическое действие (СДД — свойство пищевых продуктов усиливать обмен веществ) белков — 30%, жиров — 12%, а углеводов — 7%.

> **!** ТАКИМ ОБРАЗОМ, КОГДА КАНДИДАТ НА ПОХУДЕНИЕ ЕСТ МЯСО, РЫБУ ИЛИ ОБЕЗЖИРЕННЫЙ ЙОГУРТ, ТО УЖЕ ИХ ПЕРЕВАРИВАНИЕ ТРЕБУЕТ РАБОТЫ И РАСТРАТЫ БОЛЬШОГО КОЛИЧЕСТВА КАЛОРИЙ, ЧТО СНИЖАЕТ ЭНЕРГЕТИЧЕСКУЮ ЦЕННОСТЬ ПРИНИМАЕМОЙ ПИЩИ.

Мы более подробно вернемся к этому вопросу в главе о первом этапе диеты. Кроме того, продолжительное переваривание белков замедляет опорожнение желудка и повышает чувство сытости.

## Белки — единственные жизненно важные питательные вещества

Из трех питательных веществ только белки жизненно необходимы для нашего существования.

Углеводы — наименее необходимые, потому что человеческий организм сам производит глюкозу, т.е. сахар, потребляя жиры и мясо. Это именно то, что происходит, когда мы голодаем или сидим на диете: организм использует жировые запасы, чтобы выработать глюкозу, необходимую для работы мышц и мозга. То же самое касается жиров, которые человек, страдающий ожирением, с избытком производит в виде жировой ткани, потребляя слишком много сахара и жирных продуктов.

Организм человека не может синтезировать белки. Сам факт жизни, поддержание мышечной системы, обновление кровяных клеток, заживление ран, рост волос и даже функционирование памяти — все эти жизненно важные операции **требуют как минимум 1 грамм белка на килограмм веса тела**. При недостаточном поступлении белка организм вынужден использовать свои резервы, в основном черпая их из мышц, кожи и даже костей. Это происходит, когда соблюдают абсурдные диеты, такие, как водная диета, основанная на питье одной только воды, или диета Беверли-Хиллз, состоящая исключительно из экзотических фруктов, — знаменитая диета звезд Голливуда, которые, если действительно бы ей следовали, потеряли бы на ней значительную часть своего здоровья и привлекательности.

С недавнего времени в Европу из США пришла мода на **«детокс»** (сокращено от «детоксикация» — очищение организма от разного рода токсинов) или диету «детокс», исходя из которой в течение нескольких дней следует есть только овощи и фрукты. Но если учитывать научно доказанный факт, что без употребления высококачественных белков организм начинает черпать резервы из мышечной массы, то сразу становится понятной нецелесообразность таких диет, основной целью которых является маркетинг и пускание пыли в глаза.

 ТОТ, КТО СОБИРАЕТСЯ БОРОТЬСЯ С ЛИШНИМ ВЕСОМ, ДОЛЖЕН ЗНАТЬ, ЧТО, КАКОЙ БЫ ОГРАНИЧИТЕЛЬНОЙ НИ БЫЛА ДИЕТА, ОНА НИКОГДА НЕ ДОЛЖНА ПРЕДОСТАВЛЯТЬ МЕНЕЕ 1 ГРАММА БЕЛКА НА 1 КИЛОГРАММ ВЕСА ТЕЛА В СУТКИ, ПОРЦИИ КОТОРОГО ДОЛЖНЫ БЫТЬ РАВНОМЕРНО РАСПРЕДЕЛЕНЫ МЕЖДУ ТРЕМЯ ПРИЕМАМИ ПИЩИ.

Недостаточный завтрак, кусок яблочного пирога и шоколадный батончик на обед, пицца и фрукты на ужин типичный пример меню, лишенного белка и способствующего увяданию кожи и общему ослаблению организма.

## Низкая калорийная ценность белка

1 грамм белка поставляет в организм только 4 калории, как 1 грамм сахара, но в 2 раза меньше, чем 1 грамм жиров. Однако разница в том, что даже в самых богатых белком продуктах белок не находится в них в таком концентрированном виде, как в продуктах, содержащих углеводы (сахар) и жиры (сливочное и растительное масла).

Все виды мяса, рыбы и другие **белковые продукты содержат максимум 50% белков**, а остальная часть — это отходы или непригодная ткань. Таким образом, 100 г индейки или стейка из говяжьей вырезки дают 200 калорий, и, как мы помним из вышесказанного, организм поглощает 30% его калорийности на переваривание белка, то есть 60 калорий. Поэтому остается только 140 калорий, которые можно легко найти в столовой ложке масла, которое мы небрежно проливаем на листья зеленого салата для его заправки. На этом простом примере очень ясно видно, какое фундаментальное значение имеют белки в процессе похудения и почему первый этап моей диеты построен исключительно на чистых белках.

## Два недостатка белков

- **Пища, содержащая белки, стоит дорого.** Мясо, рыба, морепродукты могут нанести существеный урон скромному бюджету. Яйца, субпродукты более доступны, но все же фигурируют среди продуктов питания категории люкс. К счастью, имеются молочные продукты с очень низким содержанием жиров, которые обеспечивают нас высококачественными белками по достаточно низким ценам.

- Богатые белком продукты **богаты и отработанными веществами**. В отличие от большинства других, белковые продукты не растворяются полностью, поэтому организм накапливает определенное количество отходов, таких как мочевая кислота, которую необходимо выводить. Теоретически, увеличение потребления белковых продуктов соответственно увеличивает и концентрацию отходов в организме. Однако на практике организм человека и, в частности, почки обладают механизмами для удаления этих отходов, но для этого нужно увеличить количество потребляемой воды.

 ТО ЕСТЬ ПОЧКИ ОЧИЩАЮТ КРОВЬ ОТ МОЧЕВОЙ КИСЛОТЫ ПРИ ОДНОМ ОЧЕВИДНОМ УСЛОВИИ — УВЕЛИЧЕНИИ КОЛИЧЕСТВА ВЫПИВАЕМОЙ ЕЖЕДНЕВНО ВОДЫ.

В моей медицинской практике у меня было около 60 больных, предрасположенных к подагре и почечным камням, которые подвергались белковой диете и увеличили ежедневное потребление воды до 3 литров. Те, кто принимал лекарства, продолжили их принимать, остальные же так и не начали медикаментозное лечение. Ни разу за все время диеты содержание мочевой кислоты не увеличилось, а у трети больных даже понизилось. Поэтому очень важно пить больше воды, когда вы потребляете пищевые продукты с высоким содержанием белка, особенно в течение первого этапа моей диеты.

> **Поддержание мышечной системы, обновление кровяных клеток, заживление ран, рост волос и даже функционирование памяти — все эти жизненно важные операции требуют как минимум 1 грамм белка на 1 кг веса тела**

Представляется удобный случай для сплетников и ворчунов, намекающих на то, что белковая диета чревата неприятными последствиями для почек. Те же враги белковой диеты продолжили свое наступление, утверждая, что даже вода может оказаться токсичной для почек в дозе 1,5 литра в день! За 30 лет врачебной практики и ежедневного использования моей диеты я всегда настоятельно советовал своим пациентам **пить как минимум 1,5 литра воды в день**, и мне никогда не приходилось усомниться в правильности даваемых мною рекомендаций.

В моей практике было даже 30 пациентов, имевших только одну почку, которые с успехом худели, не отмечая никаких нарушений в ее функционировании. Кроме закоренелых пессимистов и распространителей слухов существуют также злые люди, завистники и главным образом люди, которые хотели бы похудеть, но у них просто нет для этого мужества и решительности, поэтому они и пытаются мешать другим соблюдать диету. Обращаясь к таким людям, я говорю: «Присоединяйтесь к нам, и давайте пить вместе!»

## РЕЗЮМЕ

Хочу еще раз четко сформулировать некоторые основные принципы, которые необходимо соблюдать при похудении, следуя диете.

1) Самым большим врагом любого человека, намеревающегося пройти через диету, являются жиры, как животные, так и растительные. Без учета жиров, содержащихся в мясе и рыбе, достаточно принять во внимание калорийность жиров в различных соусах, в масле для жарки и сметане для приготовления соусов, не говоря уж о жирных сырах и колбасах, которые бесспорно являются приоритетными поставщиками калорий. Таким образом, эффективная диета должна начинаться с сокращения или даже изъятия продуктов, богатых жирами. **Невозможно потерять свой собственный жир, потребляя его извне.**

2) Следует также помнить, что **только животные жиры содержат холестерин** и нейтральные жиры, так называемые триглицериды. Их потребление должно быть ограничено, особенно в случае предрасположенности к сердечнососудистым заболеваниям и гиперхолестеринемии.

3) Другой враг желающих похудеть — **простые углеводы**. Не медленные углеводы и хлеб грубого помола или бобовые и злаки, а быстрые углеводы, вроде белого сахара, которые обычно незамедлительно усваиваются при поступлении в организм, а их присутствие облегчает усвоение других углеводов. Мы часто наслаждаемся сладким вкусом углеводов во время быстрого перекуса между двумя приемами пищи, забывая о том, как много калорий они содержат.

4) Белки обладают умеренной калорийностью: **4 калории на 1 грамм.**

5) Пища, богатая белком, такая, как мясо или рыба, **содержит волокна соединительной ткани**, которые весьма устойчивы к перевариванию, что мешает их полному усвоению организмом. Потеря калорий при белковом обмене является манной небесной для желающих похудеть.

6) На расщепление белковой пищи потребляется 30% калорий, что гораздо больше, чем для любой другой пищи.

7) **Никогда не следуйте диете, которая рекомендует менее 60–80 граммов чистого белка,** так как такие диеты ослабляют мышечную массу, и в результате кожа становится вялой.

8) Мочевая кислота не опасна для организма, это натуральный продукт — отходы белка, она полностью выводится из организма благодаря ежедневному потреблению **не менее 1,5 литра воды.**

9) Следует помнить, что **чем медленнее усваивается пища, тем позже появляется чувство голода.** Сладкая пища усваивается быстро. За ней следует жирная, и только потом — белковая пища. Те, кто постоянно испытывает чувство голода, сами могут сделать выводы.

# Глава 3

# ЧИСТЫЙ БЕЛОК — ДВИГАТЕЛЬ ДИЕТЫ. ЭТАП «АТАКА»

Прежде чем продолжить, позвольте мне внести небольшое уточнение касательно названия моей диеты, которое может показаться вам претенциозным. На протяжении многих лет использования диеты мои пациенты оказали мне честь и дали ей мое имя, диета «Дюкан». Сегодня существует масса сайтов, говорящих о диете по-дюкановски, о дюкановках и дюкановцах, о последователях дюкановского плана. Все это свидетельствует об эмоциональной близости между мной и моими пациентами, которая, не скрою, радует меня и вызывает разочарование у моей обожаемой дочери Майи, демонстрирующей дочернюю ревность. Таким образом, с вашего позволения я буду применять это название, но теперь вы знаете о причинах.

Диета начинается с самого эффективного этапа, который длится **от 2 до 7 дней**. Именно первый этап атаки задает силу и ритм следующему этапу — чередования чистого белка с белково-овощным рационом, что приводит к достижению желаемого веса. И он же является опорой в период закрепления веса — переходный период между диетой и возвратом к нормальному питанию.

Наконец, чистый белок употребляется с частотой 1 раз в неделю во время заключительного этапа поддержания веса и позволяет совершенно нормально питаться в оставшиеся 6 дней недели без ощущения вины и особых ограничений.

 СОВОКУПНОСТЬ 72 ПРОДУКТОВ, БОГАТЫХ БЕЛКАМИ, С НИЗКИМ СОДЕРЖАНИЕМ ЖИРОВ, ЯВЛЯЕТСЯ ДВИГАТЕЛЕМ МОЕГО ПЛАНА ДИЕТЫ И ЕГО ЧЕТЫРЕХ ПОСЛЕДОВАТЕЛЬНО СМЕНЯЮЩИХ ДРУГ ДРУГА ЭТАПОВ.

Но прежде чем приступить к претворению плана похудения в жизнь, нам надо понять особый механизм действия диеты и объяснить ее впечатляющую эффективность, для того чтобы максимально использовать все ее ресурсы.

На первом этапе вами потребляются только чистые белки. В каких продуктах найти белок?

Белки являются основой живой материи, как животных, так и растительных организмов. То есть они есть во всех продуктах.

Для достижения более высокой эффективности использования потенциала белковой диеты в нее нужно включать продукты питания, в максимальной степени содержащих белки.

Практически не существует продуктов, состоящих исключительно из одних белков, кроме яичного белка. В растениях есть белки, но они одновременно слишком богаты углеводами. Это касается круп, муки, бобовых и крахмалистых продуктов, в том числе и сои, известной очень качественным белком, но, к сожалению, содержащей слишком много жиров и углеводов, что делает ее непригодной для использования в рамках этапа «Атака».

**66** *Первый этап диеты заключается в употреблении чисто белковых продуктов и длится от 2 до 7 дней* **99**

То же самое относится и к пищевым продуктам животного происхождения — даже если они и богаты белками, большинство из них слишком жирные. Например, свинина, баранина, ягнятина, мясо некоторых птиц, таких как утки и гуси, некоторые части говядины и телятины.

Существует, однако, целый ряд продуктов питания животного происхождения, не являющихся чистыми белками, но по их содержанию приближающихся к ним, и следовательно, они и лежат в основе диеты:

- конина, за исключением нижней части живота;

- говядина, за исключением вырезки на отбивные;

- телятина для гриля;

- птица, за исключением уток и гусей;

- все виды рыбы, в том числе и с голубыми разводами на чешуе, чьи жиры являются чрезвычайно полезными для сердца и артерий, что делает ее приемлемой в нашем случае;

- ракообразные и моллюски;

- яйца, где чистота белка немного подпорчена наличием жиров в желтке;

- обезжиренные молочные продукты очень богаты белком и не содержат жиров. Однако в них есть лактоза (молочный сахар), как и во фруктах — фруктоза (фруктовый сахар), то есть углеводы. Тем не менее их присутствие не столь значительно, и поэтому они включены в список продуктов питания, используемых во время этапа атаки, и составляют его ударную силу.

## КАК ДЕЙСТВУЕТ БЕЛОК?

Питание человека или животного состоит из сочетания белков, жиров и углеводов, представленных в разных пропорциях. Но существует идеальный баланс между этими тремя питательными веществами. Для человека это соотношение выглядит так: 5:3:2, то есть **5 частей углеводов, 3 части жира и 2 части белка** — такое сочетание довольно близко к составу грудного молока. При этом оптимальном соотношении поглощается максимальное количество калорий, что и способствует набору веса.

> **!** НО ДОСТАТОЧНО ИЗМЕНИТЬ ЭТУ ПРОПОРЦИЮ, ЧТОБЫ ПОМЕШАТЬ МАКСИМАЛЬНОМУ ПОГЛОЩЕНИЮ КАЛОРИЙ И УМЕНЬШИТЬ ЭНЕРГЕТИЧЕСКУЮ ЦЕННОСТЬ ПИЩИ. ТЕОРЕТИЧЕСКИ НАИБОЛЕЕ РАДИКАЛЬНОЕ СОКРАЩЕНИЕ ПОГЛОЩАЕМЫХ КАЛОРИЙ МОЖЕТ БЫТЬ ДОСТИГНУТО, ЕСЛИ ЖЕЛАЮЩИЙ ПОХУДЕТЬ БУДЕТ ПОТРЕБЛЯТЬ ПИЩЕВЫЕ ПРОДУКТЫ, СОДЕРЖАЩИЕ ТОЛЬКО ОДНО ПИТАТЕЛЬНОЕ ВЕЩЕСТВО.

На практике этот метод уже пытались использовать в разных странах. Например, в США углеводная диета Беверли-Хиллз, состоящая только из одних экзотических фруктов, и диета, сосредоточенная на потреблении жиров (диета «Эскимо»). Вот только питание одними лишь углеводами или жирами трудноосуществимо и может повлечь за собой неблагоприятные последствия. Чрезмерное количество сахара будет способствовать возникновению диабета, а избыточное потребление жиров, помимо неизбежного отвращения, может плохо отразиться на сердечно-сосудистой системе. Кроме того, отсутствие жизненно необходимых белков приводит к тому, что организм начинает черпать их из мышечной ткани.

Таким образом, **диета, включающая лишь одно из трех питательных веществ, является приемлемой только в случае использования белков**, поскольку она не рискует вызвать атеросклероз (засорение сосудов), по определению полностью исключает недостаток белков, и к тому же такая диета отличается разнообразными вкусовыми качествами.

Когда мы начинаем питание, ограниченное только белковой пищей, органам пищеварения очень трудно справиться с задачей ее переваривания, так как они запрограммированы переваривать иное соотношение питательных веществ. Поэтому они не могут в полной мере использовать калорийность поступаемой пищи. Таким образом, работа пищеварительных органов при белковой диете напоминает двухтактный двигатель скутера или моторной лодки, работающий на моторном масле и бензине одновременно, который пытаются завести, используя только бензин, — в результате, сделав несколько выстрелов, мотор глохнет, так и не использовав бензин.

> 66 *Для человека идеальное соотношение веществ — 5:3:2: 5 частей углеводов, 3 части жира и 2 части белка — такое сочетание довольно близко к составу грудного молока* 99

При таких обстоятельствах организм извлекает лишь калории, необходимые для поддержания органов (мышц, клеток крови, кожи, ногтей), а другие использует плохо или вообще не использует.

## Потребление белка сопровождается значительным потреблением калорий

Чтобы понять эту вторую функцию белков, которая и обеспечивает эффективность моей диеты, необходимо объяснить, что такое **специфически-динамическое действие** (СДД) пищи. Это не что иное, как затраты энергии на переваривание, всасывание и превращение пищевых веществ в состояние, позволяющее им поступить в кровь.

Количество затрачиваемой на процесс СДД энергии зависит от состава и молекулярной структуры продуктов. Когда вы потребляете 100 калорий белого сахара, — то есть быстрых углеводов, состоящих из простых молекул, вы усваиваете их быстрее, и организм расходует на их переваривание и переработку всего

7 калорий. 93 калории остаются неизрасходованными. Поэтому принято считать, что **СДД углеводов составляет 7%.**

Когда вы съедаете 100 калорий сливочного или растительного масла, ваш организм использует чуть больше энергии и на их переваривание тратит 12 калорий, в результате остается 88 калорий. Таким образом, **СДД жиров составляет 12%.** И наконец, при потреблении 100 калорий чистого белка, содержащегося в яичном белке, в нежирном твороге, рыбе, организму необходимо выполнять огромную работу, так как белки состоят из очень

> 66 *Чрезмерное количество сахара способствует возникновению диабета, а избыточное потребление жиров может плохо отразиться на сердечно-сосудистой системе. Кроме того, отсутствие жизненно необходимых белков приводит к тому, что организм начинает черпать их из мышечной ткани* 99

длинных цепей молекул, звенья которых, аминокислоты, очень сильно связаны между собой, что требует от организма гораздо больших затрат энергии на их переработку. Эти расходы соответствуют 30 калориям. Таким образом, остается только 70 калорий, и поэтому **СДД белка составляет 30%.**

При усвоении белка, которое требует напряженной работы организма, выделяется тепло, и, соответственно, температура тела увеличивается, что объясняет то, почему **не рекомендуется купаться в холодной воде после приема богатой белками пищи**: разница температур может вызвать обморок. Это свойство белка волнует только рьяных купальщиков и является настоящим благом для желающих похудеть. Ибо оно позволяет им безболезненно расходовать калории и питаться нормально, не думая постоянно о последствиях.

В конце дня после употребления 1500 калорий белковосодержащих продуктов, что является суточной нормой, после их переваривания в организме остается лишь 1000 калорий. Это один из секретов диеты Дюкана, одна из причин ее успеха. Но это еще не все...

## Чистые белки уменьшают чувство голода

Употребление сладких или жирных продуктов питания, которые легко перевариваются и усваиваются, вызывает ложное чувство сытости, за которым следует триумфальное возвращение голода. Последние исследования показывают, что перекус чем-нибудь сладким или жирным между двумя основными приемами пищи вовсе не означает более позднего наступления голода и уменьшения количества съедаемого во время очередного приема пищи.

 А ВОТ БЕЛКОВЫЙ ПЕРЕКУС ЗАДЕРЖИТ ВРЕМЯ ОЧЕРЕДНОГО ПРИЕМА ПИЩИ И УМЕНЬШИТ ЕЕ КОЛИЧЕСТВО.

Кроме того, при питании только белковыми продуктами вырабатываются *кетоны*, которые убивают чувство голода, что, естественно, приводит к намного более прочному ощущению сытости. Через 2 или 3 дня после начала употребления чистой белковой пищи голод полностью исчезает, и диету можно продолжать без постоянного, характерного для большинства других диет ощущения голода, ставящего под угрозу процесс похудения.

## Чистые белки предотвращают задержку жидкости в организме

Некоторые типы диет, так называемые *гидрофильные*, предусматривающие обильное потребление фруктов, овощей и минеральных солей, содействуют задержке воды в организме и сопровождаются появлением отечной пухлости.

В отличие от них диета, богатая белками, более «*гидрофоб-на*». Это облегчает мочеиспускание и, соответственно, предот-вращает иссушение тканей, в норме наполненных водой, что совсем нежелательно в предменструальный и пременопаузный периоды.

> **!** МОЯ ДИЕТА НА ЭТАПЕ АТАКИ СОСТОИТ ИСКЛЮЧИТЕЛЬНО ИЗ ЧИСТЫХ БЕЛКОВ, ОБЛАДАЮЩИХ ХОРОШИМИ ВОДОВЫВОДЯЩИМИ СВОЙСТВАМИ.

Это свойство особенно важно для женщин. Когда полнеет муж-чина, главным образом потому, что потребляет слишком много лишних калорий, то у него излишки калорий просто накаплива-ются в организме в виде жира. У женщин механизм набора веса более сложен и связан с **задержкой жидкости**, что затрудняет и снижает эффективность диеты.

В некоторые моменты менструального цикла — за 4–5 дней до начала менструаций или в переломные моменты в жизни женщи-ны (половое созревание, начало половой жизни, гормональные расстройства и бесконечная пременопауза, особенно у полных женщин) — появляются все симптомы задержки воды в организ-

> 66 *Затраты на переработку белка самые большие — 30%, у жиров — 12%, у углеводов — 7%* 99

ме. При этом женщины отмечают вя-лость, вздутие живота, отечность лица по утрам, рыхлость тела, ватность и припухлость пальцев рук — да так, что они иногда даже не могут снять кольца, также появляется тяжесть в ногах и лодыжках. Задержка жидко-сти сопровождается набором веса, процессом обратимым, но он может превратиться и в постоянный избыточный вес. В таких случаях женщины для восстановления изначального веса пред-принимают попытки сбросить вес и с удивлением обнаруживают, что диеты совсем не эффективны.

В этих ситуациях, достаточно часто встречающихся, чистый белок, используемый в фазе атаки, оказывает решительное и незамедлительное действие. В течение нескольких дней, даже нескольких часов, ткани, пропитанные водой, иссушаются, что придает ощущение внутреннего комфорта и легкости и, естественно, повышает мотивацию кандидатов на похудение.

## Чистые белки повышают сопротивляемость организма

Это свойство белка, хорошо известное диетологам, давно заметили и непосвященные. До открытия антибиотиков для лечения туберкулеза использовались традиционные методы, а именно значительное увеличение белка в пищевом рационе. В Берке, французском курортном городе на южном побережье Ла-Манша, в свое время молодых пациентов, больных туберкулезом, заставляли пить кровь животных.

Сегодня тренеры рекомендуют спортсменам рацион с высоким содержанием белков для укрепления организма. Врачи делают то же самое, когда хотят увеличить сопротивляемость организма к инфекции при лечении анемии или ускорить заживление ран.

Это отличный бонус моей диеты, так как обычно при потере веса организм ослабевает. Лично я заметил, что первоначальный этап моей диеты, состоящий исключительно из чистого белка, является наиболее стимулирующим. Некоторые пациенты даже поведали мне, что почувствовали прилив сил, бодрость и улучшение настроения уже на второй день диеты.

## Чистые белки предотвращают ослабление мышечной ткани и вялость кожи

Этот вывод не должен вызывать удивления, потому что кожа, ее упругая ткань и мышцы построены прежде всего из белка. Диеты, в которых не хватает белка, вынуждают организм использовать белковые резервы мышц и кожи, и те, в свою очередь, теряют эластичность, не говоря уж о риске появления ломкости костей, которые и без того хрупки у женщины в период менопаузы.

Сумма всех этих эффектов вызывает старение тканей, которое отражается на состоянии кожи, волос и общего внешнего вида. Как только вы заметили эти симптомы, нужно незамедлительно прекратить такую диету и никогда не следовать ей в течение долгого времени.

С другой стороны, в богатой белком предлагаемой диете и особенно в рамках ее первого чистобелкового этапа у организма нет причин расходовать свои резервы, так как он получает достаточное количество этого жизненно важного вещества. В условиях резкой потери веса мышцы тонизируются и сохраняют свою прочность, кожа остается гладкой и человек теряет вес, не старея.

> 66 *Диеты, в которых не хватает белка, вынуждают организм использовать белковые резервы мышц, и те теряют эластичность, не говоря уж о риске появления ломкости костей* 99

Эта особенность диеты может показаться незначительной полным молодым женщинам с хорошо развитой мускулатурой и здоровой кожей, но она приобретает особую актуальность для женщин в особо трудный для них период пременопаузы или для тех, у кого слабые мышцы и особенно нежная и тонкая кожа.

В настоящее время многие представительницы прекрасного пола, следуя диете, берут в качестве ориентира только один показатель — стрелку весов. Но вес не может и не должен играть такую определяющую роль, ибо эластичность и упругость кожи, мышечной ткани и общий тонус организма являются элементами, которые в полной мере участвуют в формировании женской красоты.

# ДИЕТА ДОЛЖНА СОПРОВОЖДАТЬСЯ ОБИЛЬНЫМ ПИТЬЕМ ВОДЫ

Проблема питья воды во время диеты всегда казалась немного запутанной. На эту тему существуют удивительно разнообразные мнения, но их, к сожалению, слишком много и, как назло, каждое новое противоречит тому, которое вы уже слышали.

На самом деле этот момент — не просто маркетинговая идея для продажи воды или трещотка ради забавы людей, стремящихся похудеть. Совсем наоборот, это вопрос первостепенной важности, который, несмотря на огромные совместные усилия прессы, врачей, торговцев минеральной водой

> 66 *Белок способствует выведению лишней воды из организма, пропадает ощущение отечности по утрам* 99

и простых здравомыслящих людей, еще не воспринимается достаточно серьезно любой аудиторией и, в частности, людьми, сидящими на диете.

Казалось бы, что для того, чтобы избавиться от лишних жиров, нам необходимо сжигать калории, но, оказывается, одним сжиганием калорий обойтись нельзя.

 ЧТОБЫ МАКСИМАЛЬНО РАСПРАВИТЬСЯ С ЖИРОВЫМИ ЗАПАСАМИ, ВАЖНО НАУЧИТЬСЯ ВЫВОДИТЬ ИХ ИЗ ОРГАНИЗМА КАК ОТРАБОТАННЫЕ ВЕЩЕСТВА.

Подумайте сами, как бы отреагировала домохозяйка на выстиранное, но невыполосканное белье?

То же касается и потери веса, и становится совершенно ясно, что диета, которая не включает достаточного количества воды, не только неэффективна, но и приводит к накоплению в организме вредных веществ.

# Вода очищает организм
# и улучшает результаты диеты

Совершенно очевидно, что чем больше мы пьем, тем больше мочи выделяют почки, и у нас больше возможностей для удаления отходов переваренной пищи. Вода является лучшим природным мочегонным средством. Удивительно, как мало людей пьют достаточное количество воды.

> 66 *Переваривание белка требует большой работы организма, то есть организм тратит на его переработку энергии значительно больше, чем на переработку жиров и углеводов* 99

Тысячи повседневных забот притупляют естественное чувство жажды, а затем подавляют его полностью. Проходят дни и месяцы, чувство жажды исчезает и перестает играть свою роль предупреждения об обезвоживании тканей. У женщины мочевой пузырь более чувствителен и меньше по размеру, чем у мужчин, поэтому многие из них стараются пить поменьше, не имея возможности постоянно ходить в туалет во время работы, находясь в общественном транспорте или просто потому, что у них аллергия на общественные туалеты.

Но то, что допустимо в обычных условиях, не следует применять во время диеты для похудения. И есть аргумент, который всегда убеждает пытающихся потерять вес.

 НЕ ПИТЬ ВОДУ И НЕ ВЫВОДИТЬ ТОКСИНЫ НЕ ТОЛЬКО ОПАСНО ДЛЯ ОРГАНИЗМА, НО МОЖЕТ УМЕНЬШИТЬ ИЛИ ПОПРОСТУ ЗАБЛОКИРОВАТЬ ПОТЕРЮ ВЕСА И СВЕСТИ НА НЕТ ВСЕ ВАШИ УСИЛИЯ.

Почему? Работу, проделываемую человеческим организмом при сжигании жиров во время диеты, можно сравнить с работой двигателя внутреннего сгорания — сжигание топлива сопровождается выделением тепла и отходов.

Если эти отходы не выводятся регулярно через почки, их накопление приведет к остановке сжигания калорий, а затем и прекращению потери веса, даже если диета соблюдается с особой тщательностью. То же самое произойдет с двигателем автомобиля, если выхлопная труба будет забита, или с камином, который не чистят. Оба просто прекратят работу, задыхаясь от накопленных отходов.

Неразборчивость в питании и неправильные диеты приводят к тому, что почки становятся «ленивыми».

> 66 *Употребляя большое количество белковой пищи, необходимо пить не менее 1,5 литров воды в день!* 99

Поэтому, чтобы восстановить нормальное функционирование своих выделительных органов, человеку, страдающему ожирением, как никому другому, необходимо выпивать большие объемы воды.

Вначале просто пить воду может показаться вам неприятной и непосильной задачей, особенно в зимний период. Но вы быстро приобретете привычку, а вдобавок получите приятное ощущение очищения организма, сопровождаемое потерей веса, — и вскоре пить воду станет для вас необходимостью.

## Сочетание чистой воды и белков оказывает мощное воздействие на целлюлит

Это свойство моей диеты касается только женщин, потому что целлюлит — это способ отложения жира, наблюдающийся преимущественно у женской части населения. Причиной его является гормональный дисбаланс. Целлюлитные зоны чаще всего располагаются в области бедер, ягодиц, коленей.

Большинство диет не в силах бороться с целлюлитом. Однако за свою многолетнюю практику я убедился, что чистобелковая диета в сочетании со сниженным потреблением соли и питьем слабоминерализованной воды приводит к потере веса, а также к умеренному, но реальному сокращению целлюлита в наиболее подверженных ему участках женского тела: бедрах и на внутренней стороне коленей.

ИЗ МНОГИХ ДИЕТ, СОБЛЮДАВШИХСЯ ОДНОЙ И ТОЙ ЖЕ ПАЦИЕНТКОЙ В РАЗНЫЕ ПЕРИОДЫ ЕЕ ЖИЗНИ, ИМЕННО ДИЕТА, СОЧЕТАЮЩАЯ ВОДУ И ЧИСТЫЕ БЕЛКИ, ПРИВЕЛА К ЛУЧШИМ РЕЗУЛЬТАТАМ В ПЛАНЕ СОКРАЩЕНИЯ ОКРУЖНОСТИ БЕДЕР И ТАЛИИ ПРИ ОДИНАКОВЫХ ПОКАЗАТЕЛЯХ ПОТЕРЯННЫХ КИЛОГРАММОВ.

Эти результаты связаны с гидрофобным, водоотталкивающим эффектом белка и интенсивной работой почек, вызванной большим притоком воды. Она проникает во все ткани, в том числе и целлюлитные. Поступившая в ткани чистая вода выходит из них, насыщенная солью и отходами. К эффектам выведения солей и очистки организма необходимо добавить мощный эффект сжигания чистого белка. Сочетание этих трех составляющих сжигания скромному, но редкому и не свойственному другим диетам воздействию на целлюлит.

## Когда пить воду

Некоторых из нас преследует устоявшееся ложное и устаревшее мнение, что лучше пить между приемами пищи, но не во время их, чтобы избежать удержания воды пищей.

Между тем отказ от воды во время еды не только лишен каких-либо физиологических оснований, но во многих случаях является противопоказанным.

ЕСЛИ ВЫ НЕ ПЬЕТЕ ВО ВРЕМЯ ЕДЫ, КОГДА ЖАЖДА ВОЗНИКАЕТ ТАК ЕСТЕСТВЕННО И КОГДА ТАК ЛЕГКО И ПРИЯТНО ПИТЬ, ВЫ РИСКУЕТЕ УБИТЬ ЧУВСТВО ЖАЖДЫ И, ОТВЛЕКАЯСЬ НА ПОВСЕДНЕВНЫЕ ДЕЛА, НАПРОЧЬ ЗАБЫТЬ О ВОДЕ НА ВЕСЬ ДЕНЬ.

За исключением некоторых случаев удержания воды в организме при гормональных нарушениях или почечной недостаточности моя диета, особенно во время этапа атаки, предполагает обязательное питье воды — 1,5 литра в день, лучше минеральной, но также в любой другой форме: чай, кофе, травяной отвар.

Большая чашка чая на завтрак, стакан воды утром, 2 стакана в обед и чашечка кофе после еды, 1 стакан во второй половине дня и 2 стакана на ужин — и вот вы **без труда выпили 2 литра**.

Многие пациенты говорили мне, что из-за необходимости пить воду, не испытывая жажды, они приняли не очень элегантную, но, по их словам, очень эффективную привычку пить воду прямо из бутылки.

## Какую воду пить

Наиболее оптимальные результаты в сочетании с моей чистобелковой диетой дает слабосоленая минеральная вода, так как она обладает мягким мочегонным и слабительным свойствами. Например, «Эвиан», «Вольвик», «Витель».
Избегайте минеральных вод «Виши», «Бадуа», «Сан-Пеллегрино» и «Кезак», так как они слишком соленые, чтобы пить их в больших количествах.

> **!** СРЕДИ РОССИЙСКИХ МИНЕРАЛЬНЫХ СЛАБОМИНЕРАЛИЗОВАННЫХ ВОД ИЗ НЕДОРОГОГО СЕГМЕНТА МОЖНО ПОРЕКОМЕНДОВАТЬ «ТРОИЦУ», «МОСКОВИЮ», «ВАШЕ ЗДОРОВЬЕ», «КРИСТАЛЬНУЮ», «МАЛЫШКУ», «ЖИВУЮ ВОДУ» И «ДОМБАЙ», И БОЛЕЕ ДОРОГОСТОЯЩИЕ, ТАКИЕ КАК «СВЯТОЙ ИСТОЧНИК», «ГОРЯЧИЙ КЛЮЧ», ТРУСКАВЕЦКУЮ ВОДУ «НАФТУСЯ», «ЛЕГЕНДУ ГОР» («АРХЫЗ») ИЗ КАВКАЗСКОГО ИСТОЧНИКА, ГОРОДЕЦКУЮ ПИТЬЕВУЮ ВОДУ «НИКОЛА КЛЮЧ», СОЧИНСКУЮ ВОДУ «АГУРА» И Т.Д.

«Hydroxydase» — родниковая вода, особенно полезная при очищающих диетах и еще больше — в случаях значительного избытка веса и ожирения, связанного с диффузным целлюлитом верхних конечностей.

Эту воду, обычно продаваемую в аптеках в монодозных флаконах, можно применять в рамках моей диеты с дозировкой 1 флакон утром натощак.

Сторонники использования водопроводной воды могут спокойно продолжить ее пить, так как суть питья заключается в потреблении именно того количества воды, которое активирует работу почек. **Состав воды не так уж важен.**

То же самое касается чая и различных травяных отваров — из вербены, лимона, мяты для тех, кто любит вкус и предпочитает пить горячие напитки, особенно в зимний период.

Что касается газировок «лайт», такие напитки, как «Кока-Кола лайт», которые сегодня потребляются не реже, чем обычная кола, не только допустимы, но я лично рекомендую их по нескольким причинам:

1) они позволяют дополнить 2 обязательных литра жидкости;

2) в них практически нет сахара и калорий — 1 стакан «Кока-Колы лайт» содержит всего лишь 1 калорию, а бутылка «семейного» формата равнозначна калорийности одного земляного орешка;

3) «Кока-Кола лайт» обладает приятным вкусом, который может уменьшить тягу к сладкому. Многие пациенты рассказывали мне, что потребление газированных напитков «лайт» оказывает успокаивающее действие и помогает им соблюдать диету.

Существует только одно исключение — питание детей и подростков. Опыт показывает, что у этих возрастных категорий заменители сахара плохо выполняют свою роль и очень незначительно ослабляют необходимость съесть что-нибудь сладкое.

Кроме того, неограниченное потребление сладких напитков может привести к тому, что они будут пить их не для утоления жажды, а просто для удовольствия, и это может перерасти в более тревожные формы зависимости.

> 66 *Большого стакана любого напитка часто бывает достаточно, чтобы смягчить голод* 99

## Вода насыщает

Очень часто люди связывают ощущение пустоты в желудке с голодом, и отчасти это так и бывает. Однако доказано, что если во время еды регулярно пить, это увеличивает общий объем пищи, поступающей в желудок, благодаря чему он больше наполняется, подавая мозгу сигнал о насыщении.

Мой опыт показывает, что питье воды притормаживает чувство голода за пределами часов приема пищи, например в наиболее опасное время суток — между 17 и 20 часами. Большого стакана любого напитка часто бывает достаточно, чтобы утихомирить чувство голода.

Сегодня, в связи с развитием достаточно обеспеченного потребительского общества, появился новый вид голода — самовнушаемый голод западного человека, окруженного изобилием широкого ассортимента полностью доступных продуктов, которые не могут быть употреблены без риска старения, ожирения или серьезной угрозы для здоровья.

Удивительно, что в то время как ученые, научные институты и фармацевтические лаборатории упорно трудятся, чтобы найти идеальное средство, сдерживающее аппетит, многие люди даже и не подозревают о существовании такого простого и проверенного средства умерить голод, как вода.

# ДИЕТА ДОЛЖНА БЫТЬ С НИЗКИМ СОДЕРЖАНИЕМ СОЛИ

Соль является жизненно важным элементом и в той или иной степени присутствует в каждом продукте питания. Поэтому добавление соли является абсолютно ненужным. Часто ее используют просто по привычке, только чтобы придать пище больше вкуса и тем самым обострить аппетит.

## Бедная солями диета не опасна для здоровья

Можно и даже нужно всю жизнь соблюдать диету с низким содержанием соли. Люди с заболеваниями сердца или страдающие почечной недостаточностью, а также гипертоники постоянно едят пищу без соли, не замечая никакого дефицита в организме. В этом случае должны быть осторожны только люди с постоянно низкими показателями артериального давления (гипотоники). Бессолевые диеты, особенно если речь идет о диетах, предполагающих обильное количество воды, могут еще больше снизить кровяное давление и вызвать усталость и головокружение с самого утра. Такие люди должны подсаливать свою пищу, и им не следует пить больше 1,5 литра воды в день.

## Слишком соленая пища = удержание воды в тканях

В жарких странах рабочим регулярно раздают соляные таблетки, чтобы избежать избыточной потери воды с потом. У женщин, особенно когда они находятся под сильным гормональным воздействием в периоды, предшествующие менструации, менопаузе или даже во время беременности, некоторые части тела могут, как губка, удерживать впечатляющие объемы воды.

Моя диета в сочетании со своей гидрофобной функцией не станет по-настоящему эффективной до тех пор, **пока вы не сведете к минимуму потребление соли**, что поможет воде быстрее пройти через весь организм. Эта мера вполне сопоставима с бессолевой диетой при лечении кортизоном.

Я часто слышал, как пациенты жалуются на прибавку 1 кг или даже 2 кг за одну ночь в случае отклонения от предписанного плана диеты и иногда даже при строгом ее соблюдении.

> 66 *9 граммов соли удерживают 1 л воды, и для того, чтобы вернуть свой прежний вес после приема слишком соленой пищи, потребуется день или два* 99

Конечно, при анализе принятой за этот вечер пищи мы не обнаруживаем количества, необходимого для прибавки 2 кг, а именно 18 000 калорий, — это и невозможно, так как человек просто не в состоянии поглотить такое количество калорий за один прием.

Оказывается, что это произошло, потому что пища была слишком соленой и к тому же запивалась алкогольными напитками.

! КАК ИЗВЕСТНО, СОЛЬ В СОЧЕТАНИИ С АЛКОГОЛЕМ ЗАМЕДЛЯЕТ ПРОХОЖДЕНИЕ ВОДЫ ЧЕРЕЗ ОРГАНИЗМ, УДЕРЖИВАЯ ЕЕ. НИКОГДА НЕ СЛЕДУЕТ ЗАБЫВАТЬ, ЧТО 1 ЛИТР ВОДЫ ВЕСИТ 1 КГ, А 9 ГРАММОВ СОЛИ УДЕРЖИВАЮТ 1 ЛИТР ВОДЫ, И ДЛЯ ВОССТАНОВЛЕНИЯ ВЕСА ПОТРЕБУЕТСЯ ДЕНЬ ИЛИ ДВА.

Поэтому, если во время диеты вам необходимо участвовать в корпоративных или семейных обедах или ужинах и некоторое время не следовать инструкциям диетолога, избегайте соленой пищи и старайтесь пить поменьше алкоголя.

И наконец, даже не пытайтесь встать на весы на следующее утро, потому что неоправданное увеличение веса может препятствовать последующему соблюдению диеты и подорвать вашу решимость.

> 66 *Сочетание чистых белков с большим количеством воды не только способствует уменьшению веса, но и помогает избавиться от целлюлита* 99

Подождите день или даже два, за которые вы сможете вернуться к диете, пейте слабоминерализованную воду и сведите потребление соли к минимуму. Благодаря этим трем мерам через два дня вы вернетесь к прежнему весу.

## Соль обостряет аппетит, а ее отсутствие утоляет чувство голода

Это доказанный факт. Соленые блюда увеличивают количество выделяемой слюны и кислотность желудочного сока, что и обостряет аппетит.

С другой стороны, несоленые блюда не способствуют выделению большого количества пищеварительных соков, следовательно не вызывают аппетит. К сожалению, отсутствие соли уменьшает жажду, и те, кто решил соблюдать диету Дюкана, в первые дни будут вынуждены напоминать себе о том, что нужно пить много воды, до тех пор, пока не выработается чувство естественной жажды.

### РЕЗЮМЕ

**Чистобелковая диета** — основное звено из всех четырех составляющих моей диеты. Именно на этом этапе используются только продукты питания с максимальным содержанием белка.

1) На протяжении всего срока следования диете **не надо обращать внимание на калории** и лучше воздержаться от

их подсчета. Главное — не выходить за рамки категории белков. Количество потребляемых калорий особо не влияет на результаты диеты.

2) Более того, секрет двух первых этапов диеты, гарантирующих реальную потерю веса, заключается в приеме пищи с профилактической целью — **без особого ощущения голода**, чтобы предупредить наступление настоящего голода, который может стать неконтролируемым, и одних белков может оказаться недостаточно для его утоления. Да, именно такой голод может легко сбить с правильного пути неблагоразумного толстяка и заставит его поглощать пищу низкой питательной ценности, но оказывающую сильный эмоциональный эффект, — сладкую и жирную.

3) Эффективность этапа «Атака» связана с **тщательным подбором продуктов питания**. Эффект его мгновенный, если вы питаетесь так, как и рекомендовано, ограничиваясь категорией продуктов, богатых белками. Но если вы отклоняетесь от рекомендаций, то эффект сильно замедляется или исчезает вовсе, и вы снова обречены на бесконечный подсчет калорий в съеденном.

4) **Эту диету нельзя соблюдать наполовину**. К ней применимо правило «все или ничего», что объясняет не только ее метаболическую эффективность, но и замечательное психологическое воздействие на толстяка, действующего чаще всего в рамках этого закона крайностей. Обладающий несдержанным темпераментом, самоотверженный в своих усилиях и безудержный в своей пищевой расточительности, толстый человек найдет в моей диете задачи, соответствующие своему образу жизни.

5) **Родство психологии полного человека со структурой питания** моего плана диеты создает все необходимые условия для успеха. Эта схожесть гарантирует преданность диете, результаты которой во всем блеске проявляются на заключительном этапе стабилизации, когда нужно соблюдать диету только в течение одного дня в неделю. Этот день рассматривается как день искупления и покорно принимается теми, кто уже давно борется с избыточным весом.

# ДИЕТА ДЮКАНА В ПОВСЕДНЕВНОМ ПРИМЕНЕНИИ

Вот и наступает этот ответственный момент — практическое применение моей диеты. Вы уже знаете все, что необходимо знать о том, как он работает, и о его четырех этапах.

В теоретическом введении я пытался объяснить, что **избыточный вес появляется не случайно**, он является частью человека, и хотя некоторые отказываются принимать его, но он является отражением нашего характера, психики, да и всей нашей личности.

Он также может объясняться генетической склонностью к полноте; зависеть от вашего прошлого, от обмена веществ, от уровня чувствительности и эмоциональности и вашей привычки получать удовольствие от еды, компенсируя таким образом маленькие и большие неприятности своей жизни.

Все это означает, что предстоящая работа не так проста, как кажется. Возможно, поэтому многим — может быть, и вам, мой читатель, тоже — не удалось справиться с полнотой с помощью многочисленных диет.

Борьба с такой мощной, почти животной силой, как необходимость в еде, пришедшей из глубины веков и способной переступить через все аргументы здравого смысла, не может быть основана ни на обычных принципах рационального питания, ни на надежде, что у человека с избыточным весом внезапно появится чувство самообладания и стремление к самоограничению.

Чтобы успешно противостоять власти инстинкта, нужно бороться с ним его же оружием, применяя средства, присущие всему инстинктивному, и подкрепляя их разумными аргументами.

Страх перед болезнью, желание нравиться другим, стремление быть полноценной частью общества и соответствовать его критериям — это единственные причины, которые могут побуждать чрезмерно полных людей к действию. Но при первых же успехах: как только одежда становится чуть великовата, а одышка при преодолении лестничных ступенек уменьшается, они могут легко опустить руки.

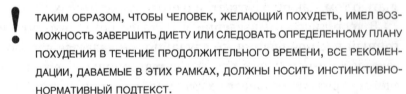

ТАКИМ ОБРАЗОМ, ЧТОБЫ ЧЕЛОВЕК, ЖЕЛАЮЩИЙ ПОХУДЕТЬ, ИМЕЛ ВОЗМОЖНОСТЬ ЗАВЕРШИТЬ ДИЕТУ ИЛИ СЛЕДОВАТЬ ОПРЕДЕЛЕННОМУ ПЛАНУ ПОХУДЕНИЯ В ТЕЧЕНИЕ ПРОДОЛЖИТЕЛЬНОГО ВРЕМЕНИ, ВСЕ РЕКОМЕНДАЦИИ, ДАВАЕМЫЕ В ЭТИХ РАМКАХ, ДОЛЖНЫ НОСИТЬ ИНСТИНКТИВНО-НОРМАТИВНЫЙ ПОДТЕКСТ.

Рекомендации по диете должны исходить извне, от какого-либо постороннего авторитетного лица и быть преподнесены в форме конкретных указаний, не подлежащих толкованию или обсуждению, а только исполнению со стороны желающего похудения, и придерживаться его следует ровно столько времени, сколько будет необходимо для поддержания результатов.

Отличительной особенностью моей диеты, основывающейся на неопровержимой эффективности чистого белка, является то, что в течение многих лет я приспосабливал ее к психологии толстяка, предлагая ему систему инструкций, которые учитывают его страстную натуру и пылкость, его героизм и энтузиазм, особенно на начальной стадии, и в то же время — мимолетность его усилий, отсутствие настойчивости и постоянства в завершении начатого.

Со временем я понял, что для решения столь сложной задачи одной диеты недостаточно, поэтому я создал целый цикл, план из четырех этапов, связанных между собой и поочередно сменяющих друг друга таким образом, чтобы **человек ни на один миг не оказался лицом к лицу с соблазном**.

Уже давно я понял, что худеть, не совершая самых простых и естественных физических усилий, которые

**66** *Отличительная особенность этой диеты заключается в том, что она учитывает психологию толстяка, его страстную натуру, его энтузиазм — и в то же время мимолетность его усилий и отсутствие настойчивости в завершении начатого* **99**

должны стать второй натурой человека, значило бы подорвать эффективность моей диеты. В мире, где малоподвижный образ жизни является неотъемлемой частью экономической модели и где его не только принимают, а стремятся к нему, простого совета здравого смысла недостаточно. Именно поэтому я принял решение включить в свою диету физическую активность и **особенно ходьбу**, и не просто советовать ее, а ПРЕДПИСЫВАТЬ точно так, как я сделал бы с лекарством. Обновленная в 2010 году глава этого издания о физической нагрузке поможет вам понять все детали этого нововведения.

Обратимся теперь к практическому применению этих четырех этапов.

# Глава 4

# ЭТАП ЧИСТЫХ БЕЛКОВ «АТАКА»

Независимо от его продолжительности и от количества лишнего веса, предлагаемая диета всегда начинается с этапа чистых белков — особой части диеты, которая запускает психологический импульс и необходимые изменения обмена веществ, что и приводит к первой значительной потере веса.

Теперь я подробно проанализирую продукты, которые будут приемлемы в течение этого первого этапа, добавив к описанию несколько советов, чтобы облегчить ваш выбор.

**Как долго должен длиться первый этап атаки, чтобы начало диеты было эффективным?** На этот важный вопрос нет однозначного ответа. Продолжительность каждого этапа зависит от конкретного случая — в основном от количества килограммов, которое человек хочет потерять, возраста, числа соблюдаемых до этого диет, силы мотивации и наличия или отсутствия привычки к белковой пище.

Я очень подробно расскажу о результатах, которые вы можете ожидать от первого этапа, и они, конечно, зависят от строгого соблюдения указаний и от выбора длительности этапа.

Кроме того, я поделюсь с вами информацией о различных реакциях организма, с которыми вам, возможно, придется столкнуться на протяжении первого этапа.

## СПИСОК ПРОДУКТОВ, РАЗРЕШЕННЫХ В РАМКАХ ЭТАПА АТАКИ

Во время этого этапа, продолжительность которого может колебаться от 2 до 7 дней, у вас будет выбор из 8 перечисленных ниже категорий продуктов питания.

 ПРОДУКТЫ ИЗ ЭТИХ КАТЕГОРИЙ МОГУТ ПОТРЕБЛЯТЬСЯ В ЛЮБОЕ ВРЕМЯ БЕЗ КАКИХ-ЛИБО ОГРАНИЧЕНИЙ. ИХ МОЖНО СМЕШИВАТЬ МЕЖДУ СОБОЙ.

Из продуктов этих категорий вы можете употреблять только ту пищу, которая вам нравится, или даже ограничиться только продуктами из одной категории во время каждого из приемов пищи (обеда иди ужина) или в течение целого дня.

Очень важно не выходить за рамки предоставляемого мною списка — я назначаю его уже долгое время, и поэтому вероятность того, что я что-либо забыл, просто исключена.

Знайте также, что малейшее отклонение от моих рекомендаций, даже самое незначительное на ваш взгляд, подобно уколу иглы для воздушного шарика: достаточно легкого движения, и с ним будет покончено.

Отклонение может показаться минимальным, но это отнимет у вас свободу есть столько, сколько вам нравится. Поддавшись соблазну, вы потеряете доступ к неограниченному количеству и будете вынуждены в этот день заниматься раздражающим и изнурительным подсчетом калорий и ограничивать себя во время еды.

Одним словом, девиз прост и не подлежит обсуждению: все нижеперечисленные продукты доступны для вас в любом количестве, а о тех, которых нет в списке, ненадолго забудьте — скоро вся пища, которую вы любите, будет снова вам принадлежать.

## Первая категория — нежирное мясо

Нежирным считается мясо трех видов: телятина, говядина и конина (увы, все меньше и меньше людей потребляют ее).

● **Говядина.** Все части, а именно бифштекс, филейную часть, ростбиф, разрешается запекать в духовке или на гриле. Избегайте только антрекота и реберной части, так как в них слишком много прослоек жира.

● **Телятина.** Рекомендую телячье жаркое и отбивные; также можно употреблять телячью печень, если уровень холестерина в крови вам это позволяет. Даже реберную часть можно съесть, предварительно удалив весь жир из нее.

● **Конина.** Можно есть все части, за исключением нижней части живота. Мясо лошади очень полезное и постное, ешьте его, если хотите, желательно в обед, так как оно очень сытное, и вечерняя порция его может нарушить ваш сон.

● **Свинина и баранина** запрещаются во время этапа атаки.

Вы можете готовить все эти разновидности мяса в соответствии с вашим вкусом, но без использования жира, сливочного и растительного масел, без сметаны, даже обезжиренной. Чтобы сохранить поджаристость, слегка смажьте сковороду бумажной салфеткой, пропитанной несколькими каплями растительного масла.

Для приготовления используйте также **гриль** или запекайте мясо **в духовке**. Вы сами определите степень готовности, но знайте, что мясо при жарке постепенно теряет жир, и это максимально приближает его к пищевым характеристикам чистого белка.

**Бифштекс** из сырого говяжьего мяса или же просто сырая говядина разрешаются при условии, что соусы к ним будут приготовлены без масла.

**Рубленое мясо** — жареное или в виде гамбургера — рекомендуется любителям мясного фарша, которые могли бы приготовить его запеченным в духовке в виде котлет, приправленных яйцом и пряностями.

Замороженный бифштекс также можно использовать в рамках первого этапа диеты, но нужно тщательно следить за тем, чтобы содержание жира в нем не превышало 10%, 15% — это уже слишком много для этапа атаки.

Кошерные бифштексы очень жирные, и вообще измельчать мясо для бифштекса лучше самому, предварительно выбрав у мясника нежирный кусочек. Если же мясо слишком жирное, вы можете сначала проварить его, чтобы оно выделило весь лишний жир.

 Я ЕЩЕ РАЗ ХОЧУ ВАМ НАПОМНИТЬ, ЧТО НЕТ НИКАКИХ ОГРАНИЧЕНИЙ В КОЛИЧЕСТВЕ ПОТРЕБЛЕНИЯ БЕЛКОВЫХ ПРОДУКТОВ.

## Вторая категория — субпродукты

Сюда относятся печень говядины, телятины и домашней птицы, языки. Телячий язык и язык ягненка тоже допускаются на этапе атаки, так как не содержат много жира. Говяжий язык интересен преимущественно своей передней нежирной частью, а вот задняя часть его слишком жирная.

Печень отличается высоким содержанием витаминов, которые являются чрезвычайно полезными в период похудения, но, к сожалению, богата холестерином, и следовательно, ее нужно исключить из своего меню, если вы склонны к сердечно-сосудистым заболеваниям.

## Третья категория — рыба

Для этой категории нет ограничений. Все виды рыбы, жирную и постную, свежую и замороженную, сушеную и копченую, приправленную соусом без использования масла, можно употреблять без всяких ограничений:

- **жирные виды рыб с голубоватой кожей**, например сардины, скумбрия, тунец, лосось;

- вся **белая нежирная рыба**: хек, треска, кефаль, судак, форель, мольва, карась, сом, скат, барабулька, мерланг и многие другие;

- **копченая рыба** может употребляться в пищу, в том числе копченый лосось, жирность которого не превышает 10%. То же относится к копченой форели, угрю и пикше;

- **консервированная рыба** очень полезна в тех случаях, когда вам нужно быстро перекусить. Допускаются консервы только в собственном соку: тунец, лосось, скумбрия в соусе из белого вина;

- **крабовые палочки** из нежирной белой рыбы, приправленные соусом из крабов и слегка подслащенные. Они очень удобны в использовании, не имеют запаха, легко перевариваются, не требуют приготовления и могут служить перекусом в любое время суток между двумя приемами пищи.

У многих моих пациентов и читателей предвзятое отношение к крабовым палочкам. Действительно, это формованный рыбный продукт, но, тщательно исследовав способ его приготовления, я узнал, что это высококачественный продукт питания, приготовленный из свежевыловленной белой нежирной рыбы, который готовят на месте — на кораблях-заводах в открытом море. Другие же пациенты обращают внимание на этикетки от крабовых палочек, согласно которым содержание углеводов в них превышает допустимую норму. Это правда, но речь идет всего лишь о крахмале, а остальные качества крабовых палочек вполне приемлемы в рамках моей диеты. Что же касается жиров, то их содержание в крабовых палочках чрезвычайно низко.

Рыба должна быть приготовлена без добавления жира, но ее можно приправить лимонным соком и посыпать специями или пряностями, запечь в духовке, сварить в пряном отваре или в папильотке (то есть завернуть в фольгу и оставить в печи вариться в собственном соку до готовности).

> ❝ *Продукты, входящие в 8 перечисленных категорий для первого этапа, могут использоваться в любое время и в любом количестве* ❞

## Четвертая категория — морепродукты

Разрешается употреблять все виды моллюсков и ракообразных:

- серые и розовые креветки;
- средиземноморские креветки;
- крабы, раки, омары, лангусты;
- устрицы;
- мидии;
- морские гребешки и т.д.

Морепродукты хороши тем, что могут разнообразить стол и придать ему праздничный вид. Кроме того, они очень питательные.

## Пятая категория — домашняя птица, кролик и дичь

Допускаются все виды домашней птицы, за исключением птиц с плоским клювом — уток и гусей, но даже их можно есть без кожи при необходимости:

- **куриное мясо** является наиболее распространенным и практичным в рамках чистобелкового этапа. Все его части, за исключением наружной части крыла, неотделимой от куриной кожи и соответственно слишком жирной, можно употреблять в пищу. Однако вы должны знать, что разные части курицы отличаются по содержанию жира. Самой нежирной частью курицы является **белое мясо, а затем бедрышки и крылья**. Кроме того, чем курица моложе, тем лучше;

- мясо **индейки** разрешено в любой кулинарной обработке — в виде эскалопа, нашпигованное чесноком и запеченное в духовке;

- мясо птенцов **цесарки, голубя, перепела** можно есть, ровно так же как и мясо водоплавающей и летающей дичи, такой как фазан, куропатки, и даже не очень жирное мясо дикой утки;

- **кроличье мясо** можно употреблять жареным или отварным с горчицей и обезжиренным творогом.

**!** СЛЕДУЕТ ПОМНИТЬ, ЧТО ДОМАШНЮЮ ПТИЦУ НАДО ВАРИТЬ С КОЖЕЙ, ТАК КАК КОЖА ПРЕПЯТСТВУЕТ ИССУШЕНИЮ МЯСА ПРИ ВАРКЕ, А ПОТРЕБЛЯТЬ ЕЕ ОБЯЗАТЕЛЬНО БЕЗ КОЖИ.

## Шестая категория — постная ветчина без свиной кожи

Вот уже несколько лет в супермаркетах продается слегка подкопченная свиная, индюшиная, куриная **ветчина**, жирность которой колеблется между 4 и 2%, что намного меньше, чем в мясе и нежирной рыбе. То есть эти продукты не только разрешены, но даже рекомендуются, так как они всегда доступны, герметично упакованы и не требуют специальной подготовки.

ХОТЯ ВКУС ТАКОЙ ВЕТЧИНЫ ТРУДНО СРАВНИТЬ С ТРАДИЦИОННЫМ, ЕЕ ПИТАТЕЛЬНАЯ ЦЕННОСТЬ ТАКАЯ ЖЕ. СЛЕДУЕТ НАПОМНИТЬ, ЧТО ТРАДИЦИОННАЯ ВЕТЧИНА, СВИНОЙ ОКОРОК (САМАЯ ВЕРХНЯЯ ЧАСТЬ ЗАДНЕЙ НОГИ) И СЫРОКОПЧЕНАЯ ВЕТЧИНА НЕ ДОПУСКАЮТСЯ НА ПЕРВОМ ЭТАПЕ.

То же самое касается сушеного мяса **гризон**[5] или **брезаола**[6]. Российским аналогом мясу гризон может служить бастурма[7]. Это мясо с очень невысоким содержанием жира и поэтому прекрасно подходит для этапа атаки, но, к сожалению, я вынужден констатировать, что оно не всегда доступно по цене. Вы без труда сможете найти его в супермаркете, но намного вкуснее, свежее и с меньшим содержанием соли будет бастурма, купленная в лавке мясника.

## Седьмая категория — яйца

Яйца можно есть сваренными вкрутую или всмятку, в виде яичницы или омлета, поджаренных на сковороде с тефлоновым покрытием, то есть без добавления сливочного или растительного масла.

Чтобы разнообразить их вкус, можно добавить креветки или лангустов, или даже крабовую крошку. Можно также приготовить яичницу с луком или несколькими верхушками спаржи по вкусу.

**Недостатки неограниченного количества яиц:**
- яйца богаты холестерином, и чрезмерное их потребление не рекомендуется людям с высоким содержанием холестерина в крови. Если это касается и вас, то необходимо сни-

---

[5] Высушенная говядина с добавлением соли и трав, название происходит от швейцарского кантона Grison.

[6] Итальянский вариант мяса гризон.

[7] Блюдо турецкой, среднеазиатской, а также армянской кухни, которое можно легко найти в любом российском супермаркете.

зить дозу до 3—4 желтков в неделю. Яичные белки являются стопроцентным чистым белком, и вы можете есть их без ограничений. Можно приготовить омлет или яичницу из одного желтка и двух яичных белков;

- при непереносимости яиц, когда речь идет о настоящей аллергии на яичный желток (что случается крайне редко), пациент прекрасно знает о ней и в своем рационе обходится без яиц;

- Многие часто связывают плохое переваривание яиц с заболеваниями печени. Не следует забывать, что чаще всего печень страдает из-за низкого качества яиц и их недостаточной свежести или просто масла, на котором они готовились.

Так что если у вас нет аллергии и вы готовите яйца без добавления жира, можете спокойно съедать одно или два яйца в день в течение короткого периода первого чистобелкового этапа.

## Восьмая категория — молочные продукты 0 %-ной жирности (йогурт, сыр, молоко и творог)

Эти продукты питания во всех отношениях похожи на традиционные творог, сыр, йогурты, но не содержат жира и во многом облегчают соблюдение диеты на ее первом этапе. Преобразование молока в творог удаляет лактозу (молочный сахар), оставляя в нем только ничтожное количество соли. Таким образом, в получившемся твороге остаются практически одни белки, что делает его замечательным продуктом, идеально подходящим для этапа атаки и помогающим поддерживать исключительно белковый рацион.

В течение нескольких лет производители поставляют на рынок молочные продукты нового поколения с нулевым содержанием жира: йогурты с искусственными подсластителями, ароматизированные или обогащенные мякотью плодов. Но если заменитель сахара (аспартам) и ароматизаторы лишены калорийной ценности, то мякоть плодов содержит небольшое количество нежелательных углеводов.

Для большей ясности подытоживаю: используйте три вида обезжиренных йогуртов — без добавок и наполнителей, ароматизированные с кокосовым, ванильным или лимонным наполнителями и обезжиренные йогурты, содержащие кусочки фруктов или фруктовое пюре.

 ЙОГУРТЫ БЕЗ ДОБАВОК И АРОМАТИЗИРОВАННЫЕ ЙОГУРТЫ БЕЗОГОВОРОЧНО ДОПУСКАЮТСЯ.

НЕЖИРНЫЕ ЙОГУРТЫ С КУСОЧКАМИ ФРУКТОВ РАЗРЕШЕНЫ, НО В УМЕРЕННОМ КОЛИЧЕСТВЕ (2 РАЗА В ДЕНЬ). ОДНАКО ТЕМ, КТО ЖЕЛАЕТ ДОСТИЧЬ МАКСИМАЛЬНЫХ РЕЗУЛЬТАТОВ НА ПЕРВОМ ЭТАПЕ «АТАКА» (ЧТОБЫ ПЕРВЫЙ ЭТАП БЫЛ КАК МОЖНО БОЛЕЕ ЭФФЕКТИВНЫМ), ЛУЧШЕ ИЗБЕГАТЬ ИХ.

## Обязательная категория — 1,5 литра жидкости в день

Это единственная обязательная для всех категория из списка. Все остальные являются взаимозаменямыми и целиком зависят от вашей воли. Как я уже подчеркивал раньше, прием жидкости в рамках моей диеты имеет очень большое значение и не подлежит обсуждению.

Без интенсивной очистки организма, даже если добросовестно следовать диете, похудение остановится, так как отработанные вещества будут накапливаться, и в конечном счете это сведет на нет всю эффективность диеты.

Допускаются все виды воды, особенно хорошо подходят родниковые виды воды с легким мочегонным эффектом: «Контрекс», «Виттель», «Эвиан» или «Вольвик».

Однако избегайте минеральных вод «Виши» и «Бадуа», которые, безусловно, превосходны по другим своим качествам, но являются слишком солеными для первого этапа плана диеты.

> **!** ХОЧУ ПОВТОРИТЬ, ЧТО ИЗ РОССИЙСКИХ МАРОК МОЖНО ПОРЕКОМЕНДОВАТЬ «ТРОИЦУ», «МОСКОВИЮ», «ВАШЕ ЗДОРОВЬЕ», «КРИСТАЛЬНУЮ», «МАЛЫШКУ», «ЖИВУЮ ВОДУ» И «ДОМБАЙ», «СВЯТОЙ ИСТОЧНИК», «ГОРЯЧИЙ КЛЮЧ», ТРУСКАВЕЦКУЮ ВОДУ «НАФТУСЯ», «ЛЕГЕНДУ ГОР» («АРХЫЗ») ИЗ КАВКАЗСКОГО ИСТОЧНИКА, ГОРОДЕЦКУЮ ПИТЬЕВУЮ ВОДУ «НИКОЛА КЛЮЧ», СОЧИНСКУЮ ВОДУ «АГУРА» И Т.Д.

Если вы не любитель обычной питьевой воды и предпочитаете пить газированную воду, то я рекомендую «Вителуаз» или «Перье». Российским аналогом этих вод может выступить грузинская вода «Боржоми», если вы еще сумеете ее найти в каком-либо супермаркете. Газ, содержащийся в ней, не оказывает никакого влияния на диету.

Если вам не нравятся холодные напитки и вы предпочитаете кофе, чай или травяные отвары, то все эти напитки готовятся на воде и, соответственно, **их можно учитывать в установленные 1,5 л воды.**

Наконец, «Кока-Кола лайт» и другие подобные напитки содержат не более 1 калории на стакан и, конечно же, допускаются на всех этапах моего диетического плана.

Не у всех диетологов одинаковое мнение по поводу напитков с искусственными заменителями сахара. Некоторые думают, что обманное ощущение сладости распознается организмом и тотчас им компенсируется. Другие же считают, что их потребление поддерживает вкус и потребность в сахаре.

Я на практике убедился, что воздержание от сладкого, независимо от того, сколько времени вы отказываете себе в нем, само по себе не способно убить потребность в сахаре. Поэтому я не вижу причин отказывать себе в этой сладкой иллюзии, тем более что там нет калорий.

С другой стороны, я заметил, что потребление этих напитков облегчает соблюдение диеты, их сладкий вкус, аромат, цвет, радостное шипение создают приятную праздничую атмосферу, а их потребление воспринимается как награда и подавляет у любителя пожевать желание съесть что-нибудь более существенное.

Настало время поговорить о сахарном суррогате, *аспартаме*. Чтобы расставить все точки над «i», я не буду скрывать, что ходят слухи о том, что его молекулы канцерогенны, то есть могут вызвать раковое заболевание.

> 66 *Если все продукты из перечисленных категорий можно включать или выключать из рациона по желанию, то это не касается воды. 1,5 литра воды в день — это обязательное условие диеты!* 99

Понимаю, что есть повод для беспокойств. Но, на мой взгляд, это надуманная проблема. Этот заменитель сахара использовался и используется миллиардами людей по всему миру вот уже в течение 25 лет, и он никогда не был предметом жалоб и тем более причиной рака, не вызывал побочных эффектов.

Я не вижу никаких причин, по которым французские, европейские власти, а также власти всех других стран должны запрещать аспартам, тем самым лишая людей, сидящих на диете и так привязанных к сладкому, этого удовольствия. Его отсутствие не приведет к исчезновению потребности в сладком. Наоборот, она может перерасти в депрессию и рано или поздно принесет еще больший ущерб организму.

# 1,5 СТОЛОВОЙ ЛОЖКИ ОВСЯНЫХ ОТРУБЕЙ

Долгое время первые два этапа, ориентированные именно на потерю веса, не включали ни крахмалосодержащих, ни злаковых, ни мучных продуктов, и это ни в коей мере не уменьшало его эффективности. Однако многочисленные пациенты, поэтапно соблюдающие диету, в конце концов начинали требовать углеводов.

Овсяные отруби стали для меня настоящим открытием благодаря Американскому конгрессу, посвященному кардиологии, где обсуждалось их благотворное влияние как на содержание сахара в крови, так и на холестерин. Так, с конгресса я привез коробку отрубей, которые пригодились мне однажды утром, за неимением муки, чтобы состряпать для моей дочери Майи блинчик. Для этого я взял немного овсяных отрубей, жидкий творог и одно яйцо, смешал и подсластил получившуюся массу сахарозаменителем (аспартамом).

Этот простой рецепт неожиданно имел успех у моей дочери: ее голод был легко и приятно утолен. Это подтолкнуло меня на дальнейшие эксперименты: я предложил его моим пациентам, и они с энтузиазмом приняли его. Так постепенно овсяные отруби вошли в мою методику похудения и заняли в ней свое место, став единственным углеводом, допускаемым в рамках первого этапа похудения. Почему?

 ПО КЛИНИЧЕСКИМ ПОКАЗАТЕЛЯМ ИСПОЛЬЗОВАНИЕ ОТРУБЕЙ ДАЛО СКОРЕЙШИЕ РЕЗУЛЬТАТЫ, ИХ ПОЛЬЗА СРАЗУ СТАЛА ОЧЕВИДНОЙ: БОЛЕЕ СТРОГОЕ СОБЛЮДЕНИЕ ДИЕТЫ, СНИЖЕНИЕ АППЕТИТА И ПОЯВЛЕНИЕ ЧУВСТВА БЫСТРОГО НАСЫЩЕНИЯ НА ПРОТЯЖЕНИИ ВСЕЙ ДИЕТЫ, ЗАМЕТНОЕ ОСЛАБЛЕНИЕ ЧУВСТВА ЛИШЕНИЯ.

Стремясь понять принцип действия овсяных отрубей, я использовал уже существующие исследования по этой теме. Овсяные отруби — это защитные волокнистые оболочки овсяных зерен.

Из овса, богатого быстрыми углеводами, производят овсяные хлопья типа «Геркулес». А вот отруби, наоборот, бедны быстрыми углеводами и отличаются высоким содержанием протеинов и растворимых волокон. Эти волокна обладают двумя важными физическими свойствами, что и обеспечивает овсяным отрубям неоспоримую лечебную роль:

● благодаря высокой адсорбционной способности волокон, овсяные отруби подобно губке впитывают в себя большие объемы жидкости. Поэтому, как только они попадают в желудок, они набухают и занимают там значительное место, вызывая ощущение сытости;

● растительные волокна обеспечивают отрубям невероятную клейкость. Попадая в тонкую кишку вместе с другими измельченными питательными веществами, они «работают», как клейкая лента, прилипая ко всем окружающим ее питательным веществам, задерживая их попадание в кровь и унося с собой небольшое количество к толстой кишке, где формируются каловые массы.

Именно чувство насыщения и потеря калорий делают овсяные отруби особо ценным диетическим продуктом и незаменимым помощником в моей борьбе с избыточным весом. Я повторяю — моей борьбе, так как использование овсяных отрубей не лишает мою методику одного из ее самых важных преимуществ: употребления 100 продуктов без всяких ограничений. Очевидно, что диетологи, рекомендующие низкокалорийные диеты, которые включают в рацион ограниченное количество крахмало- и даже сахаросодержащих продуктов, не видят большой пользы в применении овсяных отрубей.

> 66 *Не превышайте дозу в 1,5 столовой ложки овсяных отрубей в день на первом этапе атаки* 99

Для проверки принципа действия волокон, содержащихся в овсяных отрубях, я провел копрологические исследования, сравнивая калорийное содержание каловых масс одних и тех же пациентов при наличии и отсутствии овсяных отрубей в их рационе.

> Овсяные лепешки — прекрасный инструмент борьбы с голодом, многие мои пациенты их обожают, так как употребление этого продукта создает впечатление, что можно есть и углеводы, и десерт

Лабораторные анализы доказали, что не все овсяные отруби одинаково полезны, и способ их приготовления оказывает влияние на их эффективность. Первыми странами-производителями овсяных отрубей являются Канада и Финляндия. У меня была возможность сотрудничать с финскими инженерами-агрономами, и мы пришли к совместному выводу о том, что в производстве овсяных отрубей имеются два ключевых момента: **помол и просеивание**.

Помол — это процесс измельчения овсяных зерен и формирования отрубяных частиц.

Просеивание — это процесс отделения отрубяных частиц от овсяной муки.

Слишком тонкий помол может полностью лишить отруби их полезных качеств, а недостаточно размолотые, крупные отруби утрачивают свою клейкость.

То же самое можно сказать и о просеивании. Недостаточное просеивание ведет к производству отрубей с высоким содержанием муки. Слишком же тщательное просеивание обходится очень дорого.

Ориентируясь на эти два основных процесса производства — помол и просеивание, а также опираясь на данные лабораторных анализов, нам с финскими агрономами удалось определить, при каком производстве лечебные свойства овсяных отрубей проявляются в наибольшей степени.

**!** САМЫМ ОПТИМАЛЬНЫМ ВАРИАНТОМ ОКАЗАЛОСЬ ПРОИЗВОДСТВО ОТРУБЕЙ СРЕДНЕГО РАЗМЕРА И ДВОЙНОГО ПОМОЛА. ЧТО ЖЕ КАСАЕТСЯ ПРОСЕИВАНИЯ, ИМЕННО ШЕСТИКРАТНОЕ ПРОПУСКАНИЕ ЧЕРЕЗ СИТО ДАЕТ ОТРУБИ С МИНИМАЛЬНЫМ СОДЕРЖАНИЕМ БЫСТРЫХ УГЛЕВОДОВ.

Большинство производителей овсяных отрубей, в частности англичане, выпускают их в продажу только в кулинарных целях, как в случае с овсяной кашей, которая стала национальным достоянием англосаксонских стран. Поэтому они предпочитают очень тонкий помол и пренебрегают процессом просеивания для достижения нежной текстуры и сладкого вкуса своих овсяных каш, тем самым лишая себя всех полезных свойств этого замечательного продукта.

Чтобы сообщить о результатах наших исследований и постараться объединить эти два аспекта — кулинарный и диетический, предусмотрено организовать собрания в рамках конгрессов и коллоквиумов, посвященных диетологии. В настоящее время я работаю с изготовителями и дистрибьюторами овсяных продуктов, чтобы убедить их в преимуществах вышеуказанного способа производства овсяных отрубей.

## Овсяные лепешки

Во время первого этапа похудения я часто рекомендую своим пациентам 1,5 столовой ложки овсяных отрубей в день в виде сладкой или соленой овсяной лепешки, очень простой в приготовлении:

- смешайте 1,5 столовой ложки овсяных отрубей с 1,5 столовой ложки жидкого творога или йогурта в небольшой миске;

- добавьте туда же белок или целое яйцо (при нормальном уровне холестерина);

- все тщательно перемешайте и выложите получившуюся массу на тефлоновую сковороду, предварительно смазанную двумя каплями растительного масла;

- обжаривайте с обеих сторон в течение 2–3 минут.

Такая лепешка, завернутая в полиэтиленовую пленку или фольгу, чтобы она не зачерствела, может целую неделю храниться в холодильнике. Вы также можете ее заморозить, она сохранит свой вкус, консистенцию и пищевые характеристики.

Большинство моих пациентов едят такие лепешки на завтрак, что позволяет им избежать приступа голода между завтраком и обедом.

Другие же используют их для приготовления бутерброда на обед, с ломтем копченого лосося или мяса гризон.

Некоторые имеют обыкновение съедать ее на полдник между обедом и ужином, когда неожиданно может проснуться навязчивое, непреодолимое желание съесть что-нибудь. Или же после ужина, когда внезапно захочется порыться в шкафу в поисках чего-нибудь вкусного на ночь.

> 66 *Овсяные отруби помогут вам не чувствовать голод, они способствуют выведению жидкости и излишков калорийной пищи из организма* 99

Если вы хотите узнать другие рецепты с овсяными отрубями, зайдите на сайт www.dukan.ru или просто наберите в поисковике Google «овсяные отруби», «рецепты Dukan» или «рецепты с овсяными отрубями», и вы найдете множество рецептов блинчиков, сдобы, пряников, теста для пиццы, хлеба с овсяными отрубями.

Необходимо отметить, что лепешки из овсяных отрубей являются превосходным инструментом в борьбе с приступами голода, особенно для страдающих булимией (безудержным поглощением пищи). Конечно, моя методика похудения не обращается к данной категории людей, но вполне возможно, что некоторые из них после прочтения моей книги осознают, что использование овсяных отрубей, которые я постоянно рекомендую своим пациентом, может оказаться эффективным и для них.

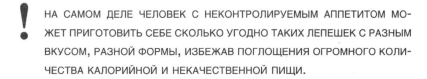

НА САМОМ ДЕЛЕ ЧЕЛОВЕК С НЕКОНТРОЛИРУЕМЫМ АППЕТИТОМ МОЖЕТ ПРИГОТОВИТЬ СЕБЕ СКОЛЬКО УГОДНО ТАКИХ ЛЕПЕШЕК С РАЗНЫМ ВКУСОМ, РАЗНОЙ ФОРМЫ, ИЗБЕЖАВ ПОГЛОЩЕНИЯ ОГРОМНОГО КОЛИЧЕСТВА КАЛОРИЙНОЙ И НЕКАЧЕСТВЕННОЙ ПИЩИ.

Даже если вы не предрасположены к булимии, в какой-то момент может наступить трудный период, когда практически невозможно сопротивляться неудержимым порывам съесть что-нибудь, противоречащее диете, и это может полностью свести на нет даже самый тщательно разработанный и сбалансированный этап похудения. В этих редких случаях, в порядке исключения, вы можете увеличить количество овсяных лепешек до 3, но лишь на короткий срок, максимум на 1–2 дня.

## ДОБАВКИ, ПРИПРАВЫ И ЗАПРАВКИ

- **Обезжиренное свежее или сухое молоко** допускается и даже рекомендуется, чтобы улучшить вкус или консистенцию чая или кофе, или для приготовления соусов, кремов и других приправ к блюдам.

- **Сахар запрещен**, но синтетические подсластители (аспартам) разрешены без ограничений, в том числе беременным женщинам. Их употребление безопасно.

- Также рекомендуется употребление **уксуса, тмина, чеснока, петрушки, ароматических трав и других специй**. Используйте их для обогащения вкуса пищи, улучшения вкусовых впечатлений и, соответственно, более легкого обеспечения сытости.

- **Корнишоны и лук** допускаются, но только в качестве приправы к блюду, а не как овощи, сопровождающие блюдо.

- **Лимон** может быть использован для улучшения вкуса и аромата рыбы или морепродуктов, но ни в коем случае не в виде лимонада, даже без сахара, потому что тогда он уже выступает не как приправа, а как фрукт — хоть и кислый, но все же содержащий сахар, что не согласуется с принципами первых двух этапов диеты.

- Можно также использовать **соль и горчицу**, но в умеренном количестве, особенно тем, кто предрасположен к задержке воды в организме, молодым девушкам с нерегулярным менструальным циклом, женщинам в периоде пременопаузы или при гормональной терапии. Для тех, кто предпочитает соленое и горькое, существуют виды горчицы без добавления соли или пищевая соль с низким содержанием натрия.

- **Обычный кетчуп не допускается**, поскольку он не только содержит много сахара, но и очень соленый. Однако существуют диетические кетчупы без сахара, которые можно в умеренных количествах употреблять в пищу.

- **Жевательные резинки** занимают значительное место среди приведенных категорий добавок. На мой взгляд, они представляют особый интерес преимущественно на первых двух этапах диеты. Я лично не большой любитель жевательных резинок, так как сам процесс жевания не добавляет элегантности, но даже мне иногда случается их жевать, когда я нахожусь в состоянии стресса. Дантисты называют этот феномен *бруксизмом*[8]. А так как многие люди, страдающие избыточным весом, имеют привычку есть, находясь в стрессовых ситуациях, жевательная резинка может затормозить этот механический процесс обращения к пище. А рот, занятый процессом жевания, не может содержать в себе ничего другого. Кроме того, существуют жевательные резинки БЕЗ САХАРА с разнообразными вкусами, иногда даже очень выразительными и тонизирующими. Многочисленные научные исследования доказали неоспоримую пользу жевательной резинки в борьбе с избыточным весом, диабетом и даже кариесом.

**Какую жевательную резинку выбрать?** Совершенно очевидно, что речь может идти только о жевательных резинках без сахара. То есть без столового сахара, сахарозы или подсластителей, которые по своей калорийности приближаются к обычному сахару. Нужно выбрать жевательную резинку с подсластителем, практически не содержащим калорий. И, к счастью, такие подсластители придают в сотни раз больше сладости, чем обычный сахар, их кишечное поглощение очень медленное, и их действие на инсулин ограничено. Выбирайте жевательные резинки без сахара в зависимости от их вкуса, но предпочитайте вкус, который длится дольше.

● Употребление в пищу **растительных масел не допускается**. Даже оливковое масло, хотя оно имеет заслуженную репутацию полезного для сердца и сосудов продукта питания, — но и оно содержит чистые жиры, равно как и любое

---

[8] Это «ночная причуда», заключающаяся в скрежетании зубами во время сна вплоть до разрушения эмали.

другое растительное масло, и, соответственно, не подходит для чистобелковой диеты. С другой стороны, вазелиновое масло[9] может служить приправой для салата, но не для приготовления пищи. Используйте его в небольших количествах, разбавляя минеральной водой, что смягчит его маслянистость и смазочный эффект, который может ускорить кишечный транзит.

> **!** ПОМИМО ВЫШЕИЗЛОЖЕННЫХ 9 КАТЕГОРИЙ ДОБАВОК И ПРИПРАВ, ВЫ НЕ ИМЕЕТЕ ПРАВА НА ЧТО-ЛИБО ДРУГОЕ. ВСЕ ОСТАЛЬНОЕ, ЧТО НЕ УПОМЯНУТО В СПИСКЕ, ЗАПРЕЩЕНО В ТЕЧЕНИЕ ОТНОСИТЕЛЬНО КОРОТКОГО ПЕРИОДА ЭТАПА АТАКИ.

Необходимо сосредоточиться на разрешенных продуктах и забыть все остальные. Разнообразьте свой рацион, ешьте все, что угодно из списка, и никогда не забывайте, что он является вполне исчерпывающим и не может быть дополнен.

## НЕСКОЛЬКО ОБЩИХ СОВЕТОВ

- **Ешьте так часто, как вам этого хочется.**
  Не забывайте, что секрет этой диеты заключается в том, что есть можно в том количестве, которое позволит контролировать момент наступления такого голода, когда вы можете поддаться искушению и съесть что-нибудь не из списка разрешенных продуктов.

- **Никогда не пропускайте прием пищи.**
  Пропуск еды — большая ошибка, часто совершаемая с благими намерениями. Однако это легко может дестабилизировать процесс похудения. Пропуск пищи компенсируется

---

[9] Вазелиновое (парафиновое) масло является слабительным, если его употреблять в чистом виде более двух ложек в день. — *Прим. ред.*

во время следующего, более обильного приема пищи, и, соответственно, организм при этом будет стремиться извлечь из него максимум калорий. Кроме того, сдерживаемый голод постоянно усиливается и вызывает тягу к более тяжелой и калорийной пище, таким образом подвергая тяжелым испытаниям решимость, которая рано или поздно может пошатнуться.

● **Пейте воду во время еды.**
По необъяснимым причинам раньше, когда-то в 80-х годах, считали, что нельзя пить воду во время приема пищи. Этот запрет, который не представляет ни малейшего интереса для большинства, может оказаться особо вредным для человека, сидящего на диете, особенно на белковой диете. Потому что принцип «не пить во время еды» приводит к потере привычки пить вообще. Кроме того, питье воды во время еды увеличивает объем содержимого желудка, и ощущение сытости появляется намного раньше. Наконец, вода растворяет пищу, поступающую в желудок, замедляет процесс ее поглощения, тем самым продлевая чувство насыщения.

● **Наслаждайтесь всеми категориями продуктов из моего списка.**
Всегда имейте под рукой в холодильнике продукты из 8 ранее определенных категорий, чтобы разнообразить ваше диетическое питание. Они станут вашими верными помощниками во время диеты. Берите их с собой в поездки, потому что большинство белковых продуктов требует термической обработки и их трудно найти в продаже в готовом виде, в отличие от углеводов и жиров, представленных в виде печенья и шоколада, которые можно купить в любом магазине.

● **Перед тем как съесть какой-либо продукт, убедитесь, что он включен в список.**

Чтобы быть полностью уверенным, держите список разрешенных продуктов при себе, особенно в первую неделю диеты, — он очень прост и сводится к нескольким основным категориям: постное мясо и субпродукты, рыба и морепродукты, мясо птицы, ветчина, яйца, молочные продукты и вода.

● **Не забывайте про завтрак.**

С завтраком часто возникают проблемы, потому что французы, в отличие от англосаксов, делают все, чтобы избежать белковой пищи в первой половине дня. Но речь идет о чистобелковой диете. Кофе или чай — с подсластителем или без — можно разводить обезжиренным молоком. К завтраку можно добавить обезжиренные молочные продукты, яйца, ломтики индейки или постной ветчины, питательная ценность которых гораздо выше, чем выпечки и кукурузных хлопьев в шоколадной глазури, которые, бесспорно, более сытные и стимулирующие.

## Блинчики для завтрака

Для почитателей зерновых культур, обжор и тех, кто сопротивляется диете, я изобрел рецепт — что-то вроде блинов, которые могут быть включены в чистобелковую диету.

● Возьмите 1 столовую ложку пшеничных отрубей, 2 столовые ложки овсяных отрубей, желток или целое яйцо — в зависимости от силы аппетита и уровня холестерина в крови, а также 1 столовую ложку обезжиренного жидкого творога;

● смешайте все и вылейте на сковороду с тефлоновым покрытием, предварительно смазанную каплей растительного масла.

В результате получается нечто вроде блина, чрезвычайно богатого растворимой клетчаткой. Многие новые исследования показали, что, впитывая воду, растворимые волокна образуют в пищеварительном тракте гель, который захватывает питательные вещества и, увлекая их за собой, выводит вместе с каловыми массами. Однако, несмотря на огромную пользу этих волокон, эти блинчики нельзя есть чаще, чем один раз в день, не нарушая при этом действие чистого белка.

 ВНИМАНИЕ! ВО ВРЕМЯ ПЕРВОГО ЭТАПА ПЛАНА ДИЕТЫ НЕЛЬЗЯ ПРЕВЫШАТЬ ДОЗУ 1,5 СТОЛОВОЙ ЛОЖКИ ОВСЯНЫХ ОТРУБЕЙ.

Завтрак — идеальный момент дня для приготовления вашего овсяного блинчика. Если вас поджимает время, можете просто съесть столовую ложку овсяных отрубей, смешав ее с теплым молоком и подсластителем типа аспартама, приготовив таким образом нечто вроде овсяной каши (английского порриджа), или смешать отруби с йогуртом, чтобы придать ему злаковый вкус и более плотную консистенцию.

- **Как вести себя в ресторане.**
  Ресторан — это место, где соблюдать белковую диету проще всего. После вареного яйца или кусочка копченой семги на закуску вы можете продолжить свою трапезу бифштексом, приготовленном на гриле, филе телятины, рыбы или птицей. Трудности ждут вас, особенно любителей сладкого или сыров, позже, после основного блюда, когда может возникнуть соблазн заказать такой же десерт, как у собеседника. Лучшая оборонительная стратегия — заказать кофе или дополнительную его порцию, если разговор все еще продолжается. Некоторые рестораны сейчас предлагают легкие молочные продукты с нулевым содержанием жира. Если же вы не в таком ресторане, хорошо иметь в

офисе или в автомобиле баночку обезжиренного йогурта с фруктовым наполнителем, которая позволит вам закончить обед или ужин невредным десертом.

● **Надо ли принимать витамины на этапе атаки?**
Я рекомендую пить витамины, но это не обязательно в течение короткого периода этапа «Атака», который длится от 2 до 7 дней. Однако если второй этап, ввиду более значительной потери веса, должен длиться дольше, он должен быть дополнен поливитаминами, но избегайте больших доз и длительного приема. На практике зачастую предпочтительнее потреблять продукты, содержащие витамины. Например, 2 раза в неделю готовить телячью печень или же каждое утро съедать ложку пивных дрожжей, готовить вкусные салаты с красным перцем, латуком, помидорами и морковью, как только вы сможете включить их в свой рацион.

## ДЛИТЕЛЬНОСТЬ ЭТАПА АТАКИ

Это один из **самых важных моментов** диеты, потому что воздействие чистого белка для достижения заветной цели молниеносно, и именно на основе первого чистобелкового этапа строятся три других этапа диеты, приводящие к окончательной стабилизации веса.

Кроме того, белковая пища является исключительно питательной и факт ее длительного пребывания в пищеварительной системе создает несомненный эффект сытости. К тому же расщепление белков в процессе метаболизма производит *кетоны* — вещества, обеспечивающие чувство сытости. Эти два свойства позволяют чистому белку предотвратить неумеренное поглощение пищи и навести порядок в несбалансированном питании.

Наконец, благодаря своей эффективности данная диета дает немедленные результаты, которые поощряют пациентов и укрепляют их волю.

Из всего вышесказанного вы можете судить, насколько важно определить оптимальную продолжительность первого этапа.

**!** СРЕДНЯЯ ПРОДОЛЖИТЕЛЬНОСТЬ ЭТАПА АТАКИ — 5 ДНЕЙ. ИМЕННО ТЩАТЕЛЬНЫЙ ПОДБОР ПРОДОЛЖИТЕЛЬНОСТИ ПОМОГАЕТ НА ПЕРВОМ ЭТАПЕ ПОЛУЧИТЬ САМЫЕ ЛУЧШИЕ РЕЗУЛЬТАТЫ БЕЗ СОПРОТИВЛЕНИЙ И ДРУГИХ ДОСАДНЫХ ОСЛОЖНЕНИЙ. В КОНЦЕ ГЛАВЫ ПРИВЕДЕНЫ ОЖИДАЕМЫЕ РЕЗУЛЬТАТЫ В ЦИФРАХ. ЧАЩЕ ВСЕГО 5 ДНЕЙ ЭТАПА АТАКИ ЛУЧШЕ ВСЕГО ПОДХОДЯТ ТЕМ, ЧЕЙ ЛИШНИЙ ВЕС СОСТАВЛЯЕТ ОТ 10 ДО 20 КГ.

## Цель — потеря веса менее 10 кг

Для таких менее амбициозных целей лучшая продолжительность этапа атаки — 3 дня, после чего можно спокойно переходить к следующему этапу.

## Цель — потеря веса менее 5 кг

Если мы хотим избежать слишком резкой потери веса, одного чистобелкового дня может быть достаточно. Один день такой диеты оказывает весьма заметный эффект на организм, служит хорошим началом диеты и в достаточной мере поощряет пациентов к ее продолжению.

## При ярко выраженном ожирении

Когда желаемая потеря веса более 20 кг или пациент неоднократно и безуспешно подвергался различным диетам, первый этап после консультации с врачом и с непременным условием постоянного употребления воды может быть продлен до 7 и даже 10 дней.

# ВОЗМОЖНЫЕ РЕАКЦИИ ОРГАНИЗМА

- **Эффект неожиданности и необходимости адаптации к новому виду питания.**

В первый день этапа атаки организм борется и настраивается на нужный лад. Естественно, на этом этапе двери остаются открытыми для многих вкусных и часто употребляемых продуктов питания. Однако многие высококалорийные и привычные вкусности оказываются в списке запрещенных.

Наилучший способ борьбы с чувством ограничения, которое как минимум может возникнуть в начале соблюдения диеты, — в полной мере воспользоваться возможностями, предоставляемыми диетой.

А именно: есть столько, сколько душе захочется, таких продуктов, как говядина или телятина, рыба, в том числе копченый лосось, консервированный тунец, крабовые палочки «сурими», устрицы, креветки; омлеты различных способов приготовления с низким содержанием жира; обезжиренные молочные продукты; постная ветчина; не забывая, конечно, о фланах[10] с обезжиренным молоком. То есть замените недостающие вкусовые ощущения количеством.

 СДЕЛАЙТЕ ТАК, ЧТОБЫ ВСЕГДА ИМЕТЬ ПОД РУКОЙ ВСЕ РАЗРЕШЕННЫЕ ПРОДУКТЫ ПИТАНИЯ — В ШКАФУ ИЛИ ХОЛОДИЛЬНИКЕ.

Кроме того, питье воды создаст ощущение наполнения желудка и быстрого наступления сытости. Вы будете достаточно часто ходить в туалет, так как, не имея привычки пить столько, ваши почки будут вынуждены трудиться, чтобы вывести выпитую жидкость и вредные вещества.

---

[10] Испанский вариант крем-брюле — *Прим. ред.*

Такой дренаж осушит мышечную ткань у женщин, которые часто склонны к задержке воды, особенно в ногах, бедрах, лодыжках, пальцах рук и лице.

Взвесившись на следующее утро, вы будете приятно удивлены первыми результатами.

> 66 *Из всех видов мяса наиболее предпочтительной является конина из-за наименьшего содержания жира в ней, далее следуют говядина и телятина* 99

Взвешивайтесь как можно чаще, особенно в течение первых трех дней. Результаты могут меняться ежечасно. Кроме того, **сохраните привычку взвешиваться каждый день,** потому что если весы — это враг для полнеющего человека, то для худеющего они являются другом и вознаграждением за ограничения.

В течение первых двух дней вы можете чувствовать себя немного усталыми и даже неспособными на продолжение диеты.

Это всего-навсего обычная реакция организма на новое, когда он сжигает жиры без встречного сопротивления. Так что на этом этапе не рекомендуется вводить любые новые нагрузки. Избегайте тяжелых физических упражнёй, спортивных соревнований и катания на лыжах, особенно горных. Но не отказывайтесь от гимнастики, плавания, бега трусцой или других своих регулярных физических тренировок.

 ЕСЛИ ВЫ ПРИВЫКЛИ ЗАНИМАТЬСЯ ЕЖЕДНЕВНО, ПРОДОЛЖАЙТЕ, НО ПОМНИТЕ: КАКИМ БЫ ВИДОМ СПОРТА ВЫ НИ УВЛЕКАЛИСЬ, КАЖДЫЙ ДЕНЬ 20 МИНУТ ПОСВЯЩАЙТЕ ХОДЬБЕ, КОТОРАЯ ЯВЛЯЕТСЯ НЕОТЪЕМЛЕМОЙ ЧАСТЬЮ ДИЕТЫ.

20 минут ходьбы в день вам не просто рекомендуются, а предписываются как лекарство и в силу этого не являются предметом для обсуждения.

На третий день усталость проходит и обычно сменяется чувством эйфории и приливом жизненных сил, увеличивающихся по мере отклонения стрелки весов в сторону уменьшения.

● **Одышка, ощущение сухости во рту.**

Эти симптомы не являются характерными только при белковой диете, они общие для всех методов похудения. Во время этапа атаки они проявляются более ярко, чем на других этапах диеты. Это означает, что вы теряете вес, и поэтому должны принимать их со смирением и даже радостью. Чтобы смягчить эти симптомы, пейте больше воды.

● **После четвертого дня появляется запор.**

Это более заметно у тех, кто предрасположен к запорам или пьет мало жидкости. Действительно, стул становится более редким, но нет никаких оснований для беспокойства. Сокращение количеств дефекации свидетельствует всего лишь о том, что белковая пища почти не содержит волокон, а пищевые продукты, в которых находится больше всего волокон, то есть фрукты и овощи, на этом этапе не допускаются. Если отсутствие стула вас беспокоит, купите пшеничные отруби и смешивайте их с йогуртом, чтобы придать ему вкус, приготовьте блины с овсяными отрубями, обезжиренным творогом и яйцами. Если и этого окажется недостаточно, выпивайте в конце еды ложку вазелинового масла. И главное — пейте воду, поскольку вода не только очищает почки, но также смягчает стул и улучшает кишечный транзит.

В случае настоящего запора надо принять соответствующие меры. Ваш доктор, возможно, подскажет вам натуральный препарат на основе волокон фруктов, например чернослива.

> 66 *Если вы чувствуете, что хочется чего-то сладкого, и не можете сопротивляться этому желанию, пойдите на хитрость: вы можете использовать газированные диетические напитки, такие как «Кока-Кола лайт»* 99

Если этого недостаточно, надо попросить помощи у вашего врача. Попытайтесь обойтись без сильнодействующих слабительных, к которым так легко привыкнуть и преходящий эффект которых заставляет увеличивать дозы.

● **После третьего дня чувство голода исчезает.**

Исчезновение голода связано с увеличением количества кетонов — наиболее мощных природных регуляторов аппетита. У тех, кто не любит мясо и рыбу и быстро от них устает, такое однообразие сильно влияет на аппетит. Таким образом, значительное количество белка, съедаемого в первые дни диеты, постепенно снижается.

# КАКИХ РЕЗУЛЬТАТОВ ОЖИДАТЬ НА ЭТАПЕ «АТАКА»

## Факторы, которые могут помешать или облегчить прохождение диеты

Потеря веса за такой короткий срок, вызываемая чистобелковой диетой, сопоставима с той, которую можно достичь с помощью диеты, использующей белковые порошки или голодание, но без их побочных эффектов.

Однако потеря веса зависит от количества лишних килограммов. Очевидно, что человеческое тело весом более 100 кг легче и быстрее откажется от лишнего веса, чем тело уже довольно худой молодой женщины, которая стремится потерять 1–2 кг перед отпуском на море.

Немаловажную роль играют также ранее предпринятые неудачные попытки диет и возраст. Для женщин важно учитывать период полового созревания, последствия беременности, прием противозачаточных таблеток и различных гормональных препаратов и период пременопаузы.

## Если атака длится 5 дней

В течение этого самого эффективного этапа обычно теряют от 2 до 3 кг. Иногда потеря веса может достигать 4–5 кг, но это характерно для очень полных людей, в основном активных мужчин. В худшем случае потеря веса может составить всего лишь 1 кг в период менопаузы у женщин, которые начали гормональную терапию.

Вы также должны знать, что в течение 3–4 дней до менструации женский организм начинает удерживать жидкость. Это уменьшает выделение отработанных веществ и сжигание жиров, тем самым временно тормозя потерю веса.

Важно помнить, что потеря веса при этом не остановится, а только лишь задержится из-за удержания воды и снова проявится на второй или третий день менструации. Чтобы избежать эффекта задержки, начало диеты следует отложить до окончания менструации.

> 66 *Яичные белки являются стопроцентным чистым белком, вы можете есть их без ограничений. Но это не распространяется на желтки, с ними нужно быть осторожными* 99

Пременструальный период, когда он не понят и неправильно интерпретирован, может привести в отчаяние женщин, ждущих справедливого вознаграждения за свои усилия, поколебать твердость их решения и, в конце концов, побудить к прекращению диеты. Прежде чем принять такое решение, нужно подождать окончания менструации. Иногда после предменструальной задержки жидкости, когда организм начинает интенсивную фильтрацию, стрелка весов за одну ночь может указать 1 или даже 2 потерянных килограмма.

# Если атака длится 3 дня

Когда этап атаки длится 3 дня, ожидаемая потеря веса составляет от 1 до 2,5 кг.

# Если атака длится 1 день

При продолжительности первого этапа в 1 день потеря веса чаще всего составляет 1 кг.

### РЕЗЮМЕ. Памятка этапа «Атака»

1) В течение этого этапа, продолжительность которого может варьироваться от 1 до 10 дней, вы должны использовать продукты из 11 категорий, перечисленных ниже. Эти продукты вы можете есть в любом количестве без каких-либо ограничений и в любое время суток. Попробуйте смешивать их друг с другом.

Все рекомендации просты и не подлежат обсуждению: используйте только то, что перечислено в списке ниже, забудьте об остальных продуктах. Однако помните о том, что скоро вся пища, которую вы любите, будет снова вам доступна.

**Список доступных продуктов на этапе «Атака»:**

- нежирные сорта мяса: телятина, говядина, конина (за исключением антрекота и филейной части говядины), кролик, приготовленные на гриле или жаренные без добавления масла;

- внутренности (субпродукты): печень, почки, телячий язык и конечная часть говяжьего языка;

- любая рыба — жирная и нежирная, в сыром виде или приготовленная;

- все морепродукты (ракообразные и моллюски);

- вся птица (кроме уток и гусей) без кожи;

- постная ветчина из индейки, курицы и нежирной свинины;

- яйца;

- молочные продукты 0 %-ной жирности;

- 1,5 литра несоленой воды;

- блинчик или лепешка из 1,5 столовой ложки овсяных отрубей, или добавьте отруби в молоко или другие обезжиренные молочные продукты;

- **добавки и приправы**: кофе, чай, травяные настои, уксус, ароматические травы, специи, корнишоны, лимоны (не есть их как фрукты), соль, горчица (умеренное потребление).

2) Не забывайте об обязательных 20 минутах ходьбы в день!

# Глава 5

# ВТОРОЙ ЭТАП «ЧЕРЕДОВАНИЕ»

В от вы уже и внедрились в план диеты, прошли ее этап атаки, и сейчас вас можно сравнить с человеком, сидящим за рулем бульдозера, готовым снести все на своем пути для достижения своей цели — потери веса.

Этот этап заключается в чередовании белковых дней с белково-овощными. Он длится до тех пор, пока вы не достигнете желаемого веса.

В течение долгого времени моделью, которую я использовал чаще всего, было **чередование 5/5**, т.е. 5 белково-овощных дней сменяются 5 белковыми днями. Со временем, и особенно в целях потери веса больше 10 кг, я постепенно перешел к **чередованию 1/1**: один белково-овощной день, за которым следует один белковый день.

Используя данные собственной статистики, я пришел к выводу, что к концу первого месяца показатели потери веса обеих сравниваемых групп были одинаковыми, так как к исходу 30 дней каждая группа осуществила 15 белковых дней и 15 дней белков с овощами, но в двух разных моделях (5/5 и 1/1). Совершенно очевидно, что модель чередования 5/5 более длительная и утомительная, чем модель 1/1.

Встречаясь с читателями или читая их письма, я понял, что в подавляющем большинстве они выбирают наиболее радикальные решения, такие, как модель 7–10 дней этапа «Атака» и 5/5 этапа «Чередование». Это подтверждает одно из моих наблюдений: когда человек, страдающий избыточным весом и долго откладывавший свои планы на похудение, наконец с рвением берется за диету и с первыми положительными результатами чувствует прилив новых сил, столь же мощных, как и зыбких, он осознает, что лучшее средство их поддержать — следовать крайне точным, простым, согласованным, конкретным и необсуждаемым инструкциям.

 Я ПРОШУ ВАС ДОВЕРИТЬСЯ МНЕ И ПРИДЕРЖИВАТЬСЯ БОЛЕЕ ГИБКОЙ МОДЕЛИ ЭТАПА «ЧЕРЕДОВАНИЕ»: 1ЧБ/1БО[11].

В конце этапа атаки, в течение которого вы употребляли только продукты с высоким содержанием белка, и особенно если он длился 5 дней, отсутствие одной категории продуктов питания ощущалось особенно остро. Речь идет о зеленых и других сырых овощах. Сейчас настало время ввести их в рацион нашей диеты.

Для полной ясности: все, что было разрешено в период чистого белка, можно есть и после него, в любых пропорциях и соотношениях. **Не делайте большой ошибки — не ешьте только овощи, отказываясь от белков.**

## РАЗРЕШЕННЫЕ И ЗАПРЕЩЕННЫЕ ОВОЩИ

С этого момента у вас также есть право на сырые или отварные овощи, которые можно потреблять в любом количестве, в любое время дня и в любом сочетании с другим продуктом из списка разрешенных.

---

[11] ЧБ — чистые белки, БО — белки с овощами — *Прим. ред.*

**Допускаются** помидоры, огурцы, редис, шпинат, спаржа, лук-порей, спаржевая фасоль, капуста, грибы, сельдерей, укроп, все виды листовых салатов, эндивий (салатный цикорий), баклажаны, кабачки, перец и даже морковь и свекла (при условии не употреблять последние при каждом приеме пищи).

**Запрещаются** крахмалосодержащие продукты: картофель, рис, кукуруза, горох, фасоль, чечевица, бобы. Не следует забывать о том, что авокадо не входит в список зеленых овощей и является фруктом с весьма маслянистой текстурой.

Артишоков и козлобородника (испанский козелец, сладкий корень), которые занимают промежуточное положение между зелеными и крахмалосодержащими овощами, также следует избегать.

> 66 *Используйте следующую схему чередования белковых и белково-овощных дней: 1/1. Психологически он более комфортный, чем 5/5* 99

# КАК ГОТОВИТЬ ОВОЩИ
## В сыром виде

Если ваш желудок (кишечник) переносит сырые овощи, всегда лучше употреблять в пищу свежие овощи без предварительной термической обработки, чтобы получить больше витаминов.

**Проблема заправки салатов.** Несмотря на свой невинный внешний вид, салатная заправка, включающая растительное масло, является одной из самых больших проблем в рамках диеты для похудения. Действительно, для многих сырые овощи и салаты, бедные калориями и богатые клетчаткой и витаминами, составляют основу диеты. Легко согласиться с этим замечательным сочетанием качеств. Рассмотрим простой пример: в салатнице, содержащей салат-латук или пару эндивий и 2 столовые ложки растительного масла, 20 калорий поставляются салатом и

280 оставшихся — растительным маслом, что и объясняет провал многих диет, основывающихся на свежих салатах.

В данном контексте будет целесообразным развеять некоторые заблуждения, связанные с оливковым маслом. Этот овеянный мифами продукт, символ средиземноморской цивилизации, был единогласно признан покровителем сердечно-сосудистой системы, но это качество ни в коей мере не делает его беднее калориями, чем другие виды растительных масел.

 ПО ВСЕМ ВЫШЕПЕРЕЧИСЛЕННЫМ ПРИЧИНАМ НА ЭТАПАХ «АТАКА» «ЧЕРЕДОВАНИЕ» ОЧЕНЬ ВАЖНО НЕ ДОБАВЛЯТЬ НИКАКОГО МАСЛА В ВАШИ САЛАТЫ.

**Заправка для салатов на основе вазелинового масла** — это лучшее решение, при условии, что у вас нет предрассудков насчет вазелинового масла и вас не беспокоит хронический понос. Вазелиновое масло имеет два основных преимущества: оно не содержит никаких калорий и облегчает кишечный транзит. Не обращайте внимания на то, что вы слышали о нем ранее, — его использование, даже продолжительное, не создаст вам проблем. Единственный недостаток — слабительный эффект. Будьте осторожны с дозой! Чтобы разбавить его консистенцию, немного более плотную, чем у растительного масла, готовьте соус для салата следующим образом:

- 1 кофейная ложка вазелинового масла;
- 1 столовая ложка газированной воды;
- 1 столовая ложка горчицы;
- 5 столовых ложек бальзамического уксуса.

Если вы любитель чеснока, добавьте зубчик чеснока и 7–8 листочков свежего базилика. Отдавайте предпочтение газированной воде, которая хорошо разбавляет вазелиновую эмульсию.

Досадно, если вы не любите **бальзамический уксус**, так как он наиболее богат вкусом. Вы с успехом можете использовать другой уксус, но сократите порцию до 4 столовых ложек для винного, малинового или уксуса типа херес, а также до 3 столовых ложек спиртового уксуса.

Вы должны знать, что выбор уксуса для салатной заправки может сыграть важную роль в процессе похудения. Как известно, человек может распознавать 4 вкуса: сладкий, соленый, горький и кислый; и уксус — это один из редких продуктов, дающих человеку кислый привкус.

С другой стороны, последние исследования показали его огромное значение для насыщения.

Сегодня всем известно, что некоторые пряности и специи очень богаты вкусом: гвоздика, имбирь, женьшень, бадьян (анис звездчатый), кардамон дают мощные вкусовые ощущения, которые регистрируются в гипоталамусе — мозговом центре, ответственном за ощущение сытости. Очень важно использовать максимально широкий круг пряностей, желательно в начале еды, и попытаться привыкнуть к ним, даже если вы не являетесь их поклонником.

> 66 *Введение овощей после этапа чистых белков вносит свежесть и разнообразие в диету, а благодаря оригинальным вкусовым сочетаниям облегчает соблюдение диеты и делает ее более приятной* 99

**Соус из йогурта или жидкого творога.** Тем, кто не решается использовать вазелиновое масло, можно готовить другой вкусный соус из натуральных обезжиренных молочных продуктов. Выберите натуральный йогурт с минимальным содержанием жиров, не обезжиренный, но низкокалорийный. Добавьте столовую ложку горчицы и перемешайте, взбивая, как майонез, до получения однородной массы. В конце добавьте немного уксуса, соли и перца.

### Вареные овощи

Сейчас самое время использовать спаржевую фасоль, шпинат, лук-порей, все виды капусты, грибы, сельдерей.

Эти овощи можно варить или, что лучше, готовить на пару, сохраняя максимальное количество витаминов.

Вы можете **запекать овощи в духовке,** в мясном или рыбном бульоне — например, приготовить следующие блюда: окунь с укропом, дорада с помидорами или капуста, фаршированная говядиной.

Наконец, **запекание мяса и рыбы в фольге** позволяет сохранить аромат и питательную ценность, особенно это касается рыбы. Например, если протушить лосось на слое лука-порея или баклажанной икры, то он останется нежным и сочным.

Введение овощей на смешанном этапе очень уместно и после этапа чистых белков вносит свежесть и разнообразие в диету, а благодаря оригинальным вкусовым сочетаниям облегчает соблюдение диеты и делает ее более приятной. Отныне вы можете начинать вашу трапезу с салата, насыщенного разными цветами и вкусами, а вечером или в зимний период баловать себя супом, перед тем как переключиться на мясное или рыбное блюдо с тушеными и ароматными овощами.

> 66 *Замените растительное масло на вазелиновое, но помните о его слабительном эффекте* 99

# ДОПУСТИМОЕ КОЛИЧЕСТВО ОВОЩЕЙ

В целом количество овощей не ограничено. Однако я рекомендую не выходить за рамки здравого смысла только потому, что я не устанавливаю ограничений. Я знаю пациентов, которые удобно устраивались перед тазиком с чудовищным количеством листового салата и, не будучи голодными, просто жевали его, как жевательную резинку. Остерегайтесь этого соблазна.

> **!** ОВОЩИ НЕ ТАК БЕЗОБИДНЫ, КАК ВАМ КАЖЕТСЯ, — ЕШЬТЕ ИХ, ПОКА НЕ УДОВЛЕТВОРИТЕ ЧУВСТВО ГОЛОДА, НО НЕ БОЛЕЕ ТОГО.

Это предупреждение не влияет на принцип неограниченного количества, лежащего в основе моей диеты. Даже злоупотребляя салатом и овощами, вы продолжите терять вес, но в более медленном темпе.

В связи с этим я должен предупредить вас об одной закономерной реакции организма, которая развивается к моменту перехода от чистобелкового этапа к белково-овощному.

Очень часто в ходе первого этапа пациенты бывают приятно удивлены столь головокружительной потерей веса, а вот с введением на втором этапе овощей стрелка весов как будто застывает, или даже иногда может немного переместиться вперед. Не беспокойтесь, вы на правильном пути. Но вам, наверное, интересно узнать, почему же так происходит.

Этап атаки, ограничивающийся лишь чистыми белками, дает **мощный гидрофобный эффект**, не только сжигая жиры, но и удаляя запасы застоявшейся в организме воды. Именно это двойное действие объясняет значительное снижение веса.

Однако с добавлением к белкам овощей искусственно потерянные запасы воды снова насыщают ткани, тем самым объясняя непонятный застой веса в начале этапа. Правда, остается потеря веса, связанная со сжиганием жиров, хотя и она сокращается с введением овощей. **Проявите немного терпения** — когда вы вернетесь к чистому белку, вода снова будет выведена из организма и вы увидите свой истинный вес.

Знайте, что на этом этапе, который будет продолжаться до тех пор, пока вы не достигнете желаемого веса, главная роль всегда принадлежит чистобелковому этапу. Так что не удивляйтесь, заметив, что ваш вес падает с переходом на чистые белки и останавливается, как только вы переключаетесь на белково-овощные дни.

**ОВСЯНЫЕ ОТРУБИ**

ВО ВРЕМЯ ВТОРОГО ЭТАПА ОВСЯНЫЕ ОТРУБИ ДОЛЖНЫ ИСПОЛЬЗОВАТЬСЯ В ДОЗЕ 2 СТОЛОВЫЕ ЛОЖКИ В ДЕНЬ И СТАТЬ ЧАСТЬЮ КАК БЕЛКОВЫХ, ТАК И БЕЛКОВО-ОВОЩНЫХ ДНЕЙ.

## КАКОЙ РИТМ ЧЕРЕДОВАНИЯ ВЫБРАТЬ

После сильного первоначального импульса, заданного чистобелковым этапом, ответственность за достижение желаемого веса лежит на втором этапе «Чередование».

Введение в рацион овощей значительно снижает похудательный эффект чистого белка и придает второму этапу прерывистую структуру в плане организации питания и достижения результатов. Действительно, **во время белковых дней вес будет уменьшаться**, так как организм не может противостоять силе чистых белков, а в белково-овощные дни тело будет стремиться восстановить контроль над ситуацией, и вы заметите его сопротивление, выражаемое в замедлении процесса потери веса. В результате этап «Чередование» будет состоять из серий передышек и побед, но все они, вместе взятые, приведут вас к вашей основной цели — **потере веса**.

Так каким же должно быть чередование? Я уже упоминал 2 варианта чередования, напомню их:

- наиболее эффективным и в наибольшей мере соответствующим психологии толстого человека является ритм 5/5, то есть 5 белковых дней и 5 — белково-овощной диеты. Это не самое простое решение, но характерное для темперамента толстого человека, который любит самые парадоксальные трудности. Правда, такой ритм может оказаться утомительным;

● еще одним решением является ритм 1/1, то есть 1 белковый день, сменяемый одним белково-овощным днем. Этот ритм является наиболее подходящим для человека, страдающего избыточным весом. Даже если он не такой эффективный в начале, после 20-дневного применения ему удается догнать по эффективности ритм 5/5. К тому же он более легок в применении и соблюдении и помогает избежать ощущения лишения.

Но существуют и другие эффективные модели:

● третье решение идеально подходит для минимального излишнего веса, это **ритм 2/7**. Речь идет о двух белковых днях в неделю (понедельник и четверг) и пяти белково-овощных днях;

● **вариант 2/0**, то есть 2 белковых дня (понедельник и четверг) в неделю и 5 обычных дней без всякой диеты, но с умеренным питанием без излишеств. Это ритм лучше всего подходит женщинам, предрасположенным к целлюлиту, часто худым в верхней части тела, бюсте, плечах, лице, но с пышными бедрами.
Этот ритм идеален в сочетании с мезотерапией (лечение инъекциями в мезодерму) с использованием препарата «Цинтелла азиатская» (южно-азиатское растение, экстракт которого оказывает антиоксидантное, противовоспалительное, регенерирующее действие, стимулирует кровообращение, укрепляет стенки капилляров и поэтому является незаменимым в мезотерапии целлюлита) в достаточных дозах. Можно получить неплохие результаты, щадя верхнюю часть тела.

**ФИЗИЧЕСКАЯ ДЕЯТЕЛЬНОСТЬ**

СЕЙЧАС ВАМ УЖЕ ТРЕБУЕТСЯ 30 МИНУТ ХОДЬБЫ КАЖДЫЙ ДЕНЬ. ВО ВРЕМЯ ОСТАНОВКИ ПОТЕРИ ВЕСА ПЕРЕЙДИТЕ НА 60 МИНУТ ХОДЬБЫ КАЖДЫЙ ДЕНЬ В ТЕЧЕНИЕ 4 ДНЕЙ.

## КАКУЮ ПОТЕРЮ ВЕСА МОЖНО ОЖИДАТЬ

Если избыточный вес является очень высоким — 20 кг и более, не так легко определить, сколько килограммов уходит за одну неделю, но мой опыт показывает, что в среднем потери составляют 1 кг в неделю.

В ПЕРВОЙ ПОЛОВИНЕ ЭТАПА «ЧЕРЕДОВАНИЕ» ПОТЕРЯ ВЕСА ДОСТИГАЕТ 1 КГ И ВЫШЕ ЗА НЕДЕЛЮ, ТАК ЧТО ПЕРВЫЕ 10 КГ УХОДЯТ ЧУТЬ МЕНЬШЕ, ЧЕМ ЗА 2 МЕСЯЦА.

Спустя 2 месяца вес теряется очень медленно из-за защитных метаболических процессов, которые будут подробно описаны в главе о третьем этапе диеты. В течение некоторого времени темп потери веса 1 кг в неделю сохраняется, а затем из-за психологического барьера снижается в моменты отклонения от диеты или у женщин во время предменструального синдрома.

Необходимо знать, что тело **без особого сопротивления принимает потерю первых килограммов**, но бьет тревогу, когда запасы ресурсов начинают истощаться.

Теоретически создается благоприятная обстановка для дальнейшего следования диете. Но на практике часто бывает наоборот. Длительное подавление желаний и соблазнов, настойчивые приглашения на праздничные обеды и ужины — даже железная воля может дать осечку. Однако реальная угроза исходит извне. Потеря первых 10 кг приводит к очевидному улучшению общего состояния: улучшается внешний вид, восстанавливается гибкость, исчезает одышка, коллеги и друзья начинают делать комплименты, и к тому же становится возможным носить ранее запрещенную одежду.

Все это, наряду с классическим аргументом «только разок», приводит к неоднократным отклонениям от диеты и повторным возвращениям к ней, что создает хаотическую и весьма опасную ситуацию для желающего похудеть.

Именно в таких условиях человек, уже потерявший свои лишние килограммы, может почить на лаврах и, наконец, сдаться. Вы должны знать, что в середине дороги, еле живой от усталости и волнения, довольный самим собой и первыми успешно достигнутыми результатами, каждый второй человек, достаточно долго сидящий на диете, попадает в эту ловушку.

В таком случае существуют три возможных способа действия:

- **отвергнуть диету** и предаться гастрономическим удовольствиям, но с глубоким чувством неудачи, ведь это приведет к очень быстрому возврату веса и даже превышению его первоначальных показателей;

- **взять себя в руки** и, приобретя второе дыхание, с твердостью вернуться к диете, пока вы не достигнете своей цели;

- вы сочтете себя неспособным продолжать диету и начнете делать все возможное, чтобы по крайней мере **сохранить плоды своих усилий**. С этой целью вам следует прервать второй этап и сразу перейти на третий этап плана — более разнообразный в плане питания, продолжительность которого легко определяется (10 дней на закрепление каждого потерянного килограмма). И наконец, вы окажетесь на последнем этапе окончательной стабилизации, который позволяет вам есть все, что вы хотите, при условии одного белкового дня в неделю.

# КАК ДОЛГО ДОЛЖЕН ДЛИТЬСЯ ЭТАП «ЧЕРЕДОВАНИЕ»?

Этап «Чередование» — основа моей диеты. Именно этот стратегический этап приведет вас **к правильному весу**.

В случае выраженного ожирения и избыточного веса, превышающего 20 кг, можно, при отсутствии препятствующих факторов, потерять лишние килограммы в течение 20 недель. В следующих, более тяжелых случаях, потеря лишнего веса замедляется и требует специальных мер:

● по **психологическим причинам** — слабая воля, отсутствие мотивации;

● по **физиологическим** причинам — генетическая предрасположенность к ожирению;

● по причинам, связанным с многочисленными **«диетными» неудачами в прошлом**;

● у девушек-подростков **в период полового созревания** с появлением труднопереносящихся и нерегулярных менструаций, женщин во время беременности, пременопаузы и менопаузы и особенно женщин, начинающих гормональную терапию.

Между тем даже в этих трудных случаях первый этап диеты остается таким же эффективным: преодолевая сопротивление организма в течение первых 2–3 недель, можно потерять от 4 до 5 кг.

На втором этапе нужно особо опасаться возвращения к старым гастрономическим привычкам, которые сведут на нет все достигнутые результаты.

**Люди с сильной предрасположенностью к ожирению** будут терять примерно 1 кг в неделю, поддерживая темп потери в 3 кг в месяц, и так — на протяжении 2–3 месяцев, что приведет к общей потере 15 кг, если учитывать первоначальную потерю во время этапа атаки. После 2–3 месяцев применения этапа «Чередование» ежемесячные потери веса будут сокращаться и в дальнейшем будут составлять 1,5–2 кг в месяц. Возникает очень простой вопрос: а стоят ли они того? Чаще всего ответ будет отрицательным. За

исключением особых случаев — в случае тяжелого заболевания диабетом или артритом или по какой-нибудь другой серьезной личной причине — желательно не упорствовать из опасения подорвать достигнутые результаты. Я рекомендую в таких случаях

> 66 *На этапе чередования ежедневно употребляйте уже 2 столовые ложки овсяных отрубей* 99

перейти к третьему этапу — закреплению веса и ждать лучших времен, пока организм успокоится и будет готов к продолжению смешанного этапа. Итог ваших стараний будет не таким уж и незаметным: 15 кг за 4 месяца второго этапа. **Недостаточно мотивированные или слабовольные пациенты** тоже находятся не в легкой ситуации. Они могут потерять до 4–5 кг, но соблазны и желание отклониться от соблюдения диеты сделают свое дело. В лучшем случае, при поддержке близких и главным образом благодаря помощи врача, они могут надеяться на дальнейшие потери веса, достигающие 5 кг за 5 недель. После достижения этой цели они должны немедленно перейти на третий этап — закрепление веса, а после — на этап окончательной стабилизации, не забывая об одном белковом дне в неделю до конца жизни. Перспективы, открывающиеся перед такой категорией пациентов: 10 кг за 2,5 месяца соблюдения второго этапа диеты.

**Те, кто уже привык к соблюдению диет,** не всегда удачно выбранных и правильно соблюдаемых, могут найти в моем плане диеты именно то, что они так долго искали. На этапе атаки, подобно движению бульдозера, их организм не встретит никакого сопротивления для потери веса. И через 3 недели такие пациенты будут радоваться первым потерям в 5 кг. А строго придерживаясь принципов моего плана и его 4 основных звеньев, последовательно связанных между собой, они продолжат худеть дальше и могут потерять 20 кг за 6 месяцев следования этапу «Чередование». Эти показатели почти не отличаются от показателей потери веса в самых легких случаях, так как выработавшаяся привычка к диетам касается только второго белково-овощного этапа, но ни в коем случае — этапа чистого белка «Атака».

**Женщины в период менопаузы**. Они последовательно проходят период пременопаузы, затем саму менопаузу, таким образом, попадая в период своей жизни, когда им больше всего угрожает избыточный вес, особенно если до этого женщина уже была предрасположена к излишнему весу. Проходя этот длинный туннель, который может иногда длиться десяток лет — от 42 до 52, ее организм подвергается чрезмерному гормональному воздействию, которое иногда гаснет под внезапной лавиной приступов жара — «приливов».

> **Продолжайте ходить каждый день, но увеличьте свои ежедневные занятия до 30 минут в день**

Парадоксально, но именно среди таких женщин, утомленных в физиологическом смысле этого слова, встречаются самые решительные, отважные и примерные в соблюдении диеты пациентки, о которых с уверенностью можно сказать, что они пойдут до конца и ни при каких обстоятельствах не отступятся от своего начинания.

Женщины с гормональными проблемами, упомянутые выше, находятся в наиболее неблагоприятной ситуации. Получается так, что даже первый вес на этапе атаки им не так уж легко потерять. Так что для них крайне важно до начала этапа атаки навести порядок в своем гормональном статусе. А это уже является задачей врачей — гинеколога и терапевта. Во всяком случае, они должны знать, что увеличение веса во время менопаузы не является фатальным. Это просто сложный период, который длится только от 6 месяцев до 1 года. При этом гормональное лечение, если оно осуществляется в правильных дозах, часто является лучшим средством для эффективного похудения. Из всего вышесказанного можно сделать такой вывод: при отсутствии специализированной помощи для достижения гормонального баланса потеря 20 кг может растянуться на целый год, а жить, соблюдая диету круглый год, не очень легко, хотя, надо признать, есть женщины, которым это удается.

 С ПОМОЩЬЮ СПЕЦИАЛИСТОВ, ТЩАТЕЛЬНО ПОДБИРАЯ ПРИРОДНЫЕ ГОРМОНЫ И ИНОГДА ИСПОЛЬЗУЯ АНТИАЛЬДОСТЕРОН, КОТОРЫЙ ВЫВОДИТ ИЗ ОРГАНИЗМА ВРЕДНЫЕ ВЕЩЕСТВА, 20 КГ МОЖНО ПОТЕРЯТЬ В ТЕЧЕНИЕ 6—7 МЕСЯЦЕВ ЭТАПА «ЧЕРЕДОВАНИЕ».

## РЕЗЮМЕ.
## Памятка этапа «Чередование»

1) Сохраните в своем рационе все те же продукты, что и на этапе атаки, но **добавьте сырые или вареные овощи**, которые можно будет есть в неограниченном количестве в любое время дня, по отдельности и смешивая их каким угодно образом: помидоры, огурцы, редис, шпинат, спаржа, лук-порей, зеленая фасоль, капуста, грибы, сельдерей, все виды листовых салатов, в том числе эндивий, баклажаны, кабачки, перец и даже морковь и свеклу (при условии не употреблять их при каждом приеме пищи).

2) Не забывайте, что на смешанном этапе **нужно чередовать белковые дни с белково-овощными**, пока не достигнете желаемого веса.

**!** ВНИМАНИЕ!
ЕСЛИ, СЛЕДУЯ МОИМ УКАЗАНИЯМ, ВЫ ДОШЛИ ДО ЭТОГО ПЕРЕЛОМНОГО
МОМЕНТА ДИЕТЫ И ДОСТИГЛИ ЖЕЛАЕМОГО ВЕСА — БРАВО! ЗНАЙТЕ,
ЧТО СЕЙЧАС НАСТУПАЕТ РЕШАЮЩИЙ МОМЕНТ ДЛЯ ВАШЕГО БУДУЩЕГО
ВЕСА.

3) Опираясь на данные моей статистики, я должен вам сообщить, что:

- 50% читателей останавливаются именно здесь, так
  как считают, что достигли своей цели. Они забывают
  о двух других этапах, которые закрепляют и стабилизируют вес на длительный — даже на очень длительный — срок. Все эти нетерпеливые пациенты,
  без исключения, повторно поправляются или снова
  начинают с этапа атаки, но соблюдают его уже более
  хаотично, что, естественно, может закончиться только провалом. **Я вас предупредил, поэтому будьте
  бдительны;**

- другая половина читателей не останавливается, а
  переходит на третий этап закрепления веса. 85% из
  них доходят до конца и получают желаемый закре-
  пленный вес. Это уже лучше, но, к сожалению, этого
  не достаточно. Только те, кто заканчивает четвертый
  этап стабилизации, достигает поставленной цели
  «вылечиться от избыточного веса».

**Я от всего сердца надеюсь, читатель, что вы не остановитесь
на половине пройденного пути и пойдете до конца.** Иначе моя
диета ничем не отличалась бы от других, известных уже 60 лет
и которые можно сравнить с безответственным проводником,
оставляющим путешественников одних на пути в оазис.

# Глава 6

# ЭТАП «ЗАКРЕПЛЕНИЕ»: НЕОБХОДИМОЕ ЗВЕНО ДЛЯ ПЕРЕХОДА К НОРМАЛЬНОМУ ПИТАНИЮ

Н а этом этапе вы уже достигли идеального веса или того, который был высчитан и точно определен в начале диеты, или же компромиссного веса, к которому вы пришли после двух предыдущих этапов, понимая, что если бы вы продолжили, то рисковали поставить под угрозу весь достигнутый успех.

Время огромных усилий и ограничений прошло, и вы, наконец, на нейтральной территории. Ваш организм и вы сами приложили много стараний, и, конечно же, вы вознаграждены, но будьте осторожны, ведь перед вами еще одна немалая опасность — **слишком большая уверенность в успехе и переоценка собственных сил**. Теперь вы весите столько, сколько хотите, но этот вес еще не принадлежит вам. Отныне вас можно сравнить с путешественником, поезд которого сделал короткую остановку в незнакомом городе. Даже если путешественнику понравится город, и он решит там обосноваться, то наверняка это будет не так уж легко: ведь нужно будет вытащить из поезда чемоданы, найти в этом городе дом, работу и друзей. То же самое с весом, который вы только что приобрели. Он станет действительно вашим, только если вы потратите время, чтобы привыкнуть к нему, и приложите хотя бы минимум усилий для его сохранения.

НЕ ВВОДИТЕ СЕБЯ В ЗАБЛУЖДЕНИЕ, ДУМАЯ, ЧТО ОТНЫНЕ ВЫ НАКОНЕЦ ИЗБАВИЛИСЬ ОТ ПРОБЛЕМ С ЛИШНИМ ВЕСОМ И МОЖЕТЕ СПОКОЙНО ВЕРНУТЬСЯ К СВОИМ СТАРЫМ ПРИВЫЧКАМ.

Возврат к старым привычкам будет иметь катастрофические последствия. В скором времени все ваши килограммы снова вернутся. Но успокойтесь, речь не идет о точно таком же питании, как на протяжении первых двух этапов. Ни один, даже самый ярый, последователь моей диеты не согласится на это.

В любом случае, увеличение веса, которое и привело вас к знакомству с моим планом похудения, не произошло само по себе, случайно. Неважно, чем лишний вес был вызван, генетикой или какой-либо другой причиной, бороться с ним будет проблематично. Поэтому **в будущем вам придется найти какое-то средство, которое вы включите в ваш повседневный образ жизни, для борьбы с тенденцией к полноте и повторному набору веса.**

В этом смысл четвертого этапа моей диеты — этапа окончательной стабилизации.

Но вы еще не на четвертом этапе, поэтому ваш организм продолжает находиться под воздействием рациона, который вы соблюдали в последние месяцы.

На этой стадии кандидаты на похудение еще более предрасположены к набору веса, так как их организм, лишенный запасов, включает двойную защиту.

ПОЭТОМУ ВНАЧАЛЕ НЕОБХОДИМО НАЙТИ СОГЛАСИЕ СО СВОИМ СОБСТВЕННЫМ ОРГАНИЗМОМ, КОТОРЫЙ ТОЛЬКО И ЖДЕТ БЛАГОПРИЯТНОГО СЛУЧАЯ, ЧТОБЫ ПОПОЛНИТЬ СВОИ ЗАПАСЫ.

Именно с этой целью я ввел третий этап закрепления достигнутого веса, в конце которого открывается дверь в мечту любого желающего похудеть — окончательную стабилизацию веса. Но об этом в следующей главе.

Для успешного перехода к третьему этапу вы должны сначала понять, почему вы так уязвимы в этот момент, почему ваш организм так раздражен, подвержен *«эффекту йо-йо»* и не может сразу перейти на этап окончательной стабилизации.

После необходимых теоретических объяснений мы в деталях увидим, как на практике закрепить свой вес, какие новые продукты можно есть и как долго будет длиться этот этап.

## «ЭФФЕКТ ЙО-ЙО»

Когда вы потеряли достаточное количество лишних килограммов, ваш организм еще находится под воздействием эффективной диеты, и, как следствие этого, наблюдается ряд реакций, направленных на компенсацию этой потери.

Чтобы разобраться в них, мы должны сначала понять, что значит для нормального организма формирование жировых запасов. Если в рационе накапливается больше жиров, а соответственно, больше энергии, чем нужно затратить на переваривание пищи, организм сохраняет определенное количество калорий, не нужных в данный момент, которые впоследствии послужат нам, когда пищевые источники будут исчерпаны.

> 66 *Третий этап самый сложный с психологической точки зрения, так как многие, достигнув желаемого веса, расслабляются и забывают, что килограммы могут вернуться* 99

Это самый простой способ, изобретенный природой для поддержания и хранения энергии в ее наиболее концентрированной форме (9 калорий / 1 грамм).

В современном мире, где еда стала легкодоступной, мы можем задаться вопросом, почему такие механизмы до сих пор работают. Они были созданы в тот момент, когда доступ к продовольствию был случайным и всегда результатом напряженной работы или ожесточенного сражения.

Лишние жиры, которые так раздражают нас сегодня, представляли собой ценный инструмент для выживания первобытного человека. Иными словами, **наш организм**, биологическая программа которого не изменилась, **вырабатывает защитные меры, если покушаются на его запасы**.

Организм человека, сидящего на диете, рискует оказаться полностью беззащитным перед любым сбоем в рационе питания.

Это его нормальная биологическая реакция, следовательно, все действия нашего организма будут направлены только на одну цель: как можно быстрее вернуть жировые запасы, которых его лишили.

Для этого у него есть три высокоэффективных защитных механизма:

- первый состоит в **обострении чувства голода**, что и создает столь сильное ощущение потребности в еде во время диеты;

- второй заключается в том, что **организм стремится ограничить расход энергии**. Это совершенно нормальная реакция. Так, например, при снижении зарплаты служащий практически незаметно для себя станет тратить меньше на повседневные расходы. Такая же реакция наблюдается и на уровне организма. Например, многие пациенты, соблюдающие диету, жалуются на появившуюся чувствительность к холоду. Это нормальное следствие сокращения расходов организма на обогрев тела. То же самое касается усталости — ощущения, которое направлено на то, чтобы заставить нас отказаться от ненужных усилий. Таким образом, любая деятельность, требующая усилий, становится трудной и замедленной. Усталость влияет на память и умственный труд, которые являются крупными потребителями энергии. Обостряется необходимость во сне и отдыхе — способах экономии энергии. Замедляется рост волос и ногтей. То есть во время длительного процесса похудения организм пытается сберечь максимум энергии, погружаясь в состояние, напоминающее зимнюю спячку;

- наконец, третий, наиболее опасный для желающего похудеть, защитный механизм — это **способность использовать максимальное количество калорий из принимаемой во время диеты пищи.** Человеческий организм, который обычно извлекает 100 калорий из маленькой булочки, в конце диеты сможет извлечь из нее от 120 до 130 калорий. Он будет буквально выжимать максимум из каждого приема пищи. Извлечение калорий происходит в тонком кишечнике, который является посредником между внешней средой и кровью.

> **!** УСИЛЕНИЕ АППЕТИТА, СНИЖЕНИЕ ПОТРЕБЛЕНИЯ ЭНЕРГИИ И УДИВИТЕЛЬНАЯ СПОСОБНОСТЬ ИЗВЛЕКАТЬ МАКСИМАЛЬНОЕ КОЛИЧЕСТВО КАЛОРИЙ ИЗ ПОТРЕБЛЯЕМОЙ ПИЩИ — ВСЕ ЭТИ 3 ЗАЩИТНЫХ МЕХАНИЗМА ОБЪЕДИНЯЮТСЯ, ЧТОБЫ СДЕЛАТЬ ИЗ ЧЕЛОВЕЧЕСКОГО ОРГАНИЗМА НЕЧТО ВРОДЕ ГУБКИ, ХОРОШО ВПИТЫВАЮЩЕЙ КАЛОРИИ.

Обычно на этом этапе диеты человек доволен результатами и решает, что можно наконец опустить руки и предаться своим старым привычкам. Это самая естественная и наиболее распространенная причина быстрого восстановления первоначальной массы тела.

Поэтому именно после успешного достижения желаемого веса надо быть особенно осторожным. Это самое подходящее время для проявления «эффекта йо-йо».

## Сколько может длиться «эффект йо-йо»?

В настоящее время нет никакого способа противостоять этому эффекту. Лучший способ защититься от него — знать, сколько времени он будет длиться, и в течение этого периода применять адекватное питание.

Я долго и терпеливо наблюдал за проявлением «эффекта йо-йо» у многих моих пациентов и обнаружил, что высокий риск прибавки в весе составляет около 10 дней для одного потерянного килограмма, 1 месяц для 3 кг и 3 месяца для 9–10 кг.

Следует придавать большое значение этому правилу, поскольку ситуация неопределенности и отсутствия информации на этот счет может привести похудевшего к повторному набору веса. Знание риска и его продолжительности может существенно помочь вам пройти через этот переходный период, без особых усилий преодолеть трудности и избежать повторного набора веса. Время позволяет успокоить взбудораженный и слишком реактивный организм после диеты. Однако не беспокойтесь: вскоре в бушующем море настанет мертвый штиль, вместе с наступлением последующего этапа, то есть окончательной стабилизации веса, включающей в себя один день белковой диеты в неделю.

> 66 *Организм человека, сидящего на диете, рискует оказаться полностью беззащитным перед любым сбоем в рационе* 99

Между тем вы должны перейти на следующий этап, который уже не приводит к потере веса, поскольку это уже не является для нас существенным вопросом. На этом этапе речь еще не идет о полной свободе в выборе продуктов питания. Его целью является контроль над чрезмерными реакциями организма, потерявшего килограммы, и предотвращение повторного набора веса.

## КАК ПРАВИЛЬНО ВЫБРАТЬ СООТВЕТСТВУЮЩИЙ ВЕС ДЛЯ ЗАКРЕПЛЕНИЯ

Трудно похудеть и затем поддерживать ваш новый вес, особенно если у вас нет четкого представления о том, какой вес для вас является правильным. Я считаю своим долгом поделиться с вами своим мнением, потому что я слишком часто в своей практике был свидетелем того, как мои пациенты выбирали неправильный вес для закрепления, и это было основной причиной их провала.

Есть много формул для определения идеального веса по росту, возрасту, полу и костной структуре. Все они теоретически применимы, но я не стал бы им доверять, потому что они ссылаются на статистику, а не на ваши реальные данные. Кроме того, они не учитывают основной особенности человека, страдающего ожирением, а именно его склонности к набору веса.

Так что лучше заменить этот теоретический идеальный вес более адекватным понятием *стабилизируемого веса*. Лучший способ определить свой стабилизируемый вес — это просто задать себе вопрос: сколько килограммов мне нужно потерять, чтобы хорошо себя чувствовать? Это нужно сделать по двум причинам:

- прежде всего, каждый человек, страдающий ожирением, заметил, что есть **вес, до которого ему достаточно легко добраться**; вес, к которому он подходит более медленными темпами; и наконец, вес, которого ему просто не достичь, какую бы диету он ни соблюдал. По своему опыту он знает, что в этом вопросе для него существует такое понятие, как «предельный уровень», и он не сможет достичь веса, ко-

135

торый находится за его пределами. А если он и достигнет этой планки, усилия, которые ему понадобятся, чтобы его сохранить, будут несоизмеримы с результатом;

● кроме того, в случае хронического избыточного веса я лично придаю гораздо **большее значение комфорту пациента**, а не какой-нибудь символической абстрактной численной величине, которая служит показателем «нормального» веса. Люди, предрасположенные к ожирению, отличаются от всех остальных. Не беспокойтесь, в моем высказывании нет ничего уничижительного. Это означает, что такому пациенту всего-навсего нужно рекомендовать вес, соответствующий его природе. Этот вес должен позволить ему нормально жить и комфортно себя чувстввовать. Закрепление и поддержание такого веса уже является немалым достижением.

Наконец, полный человек, сидевший на многочисленных диетах, должен всегда **помнить свой максимальный и минимальный вес**. Его максимальный вес, независимо от того, как долго он его сохранял, навсегда останется занесенным в память его организма. Рассмотрим конкретный пример.

Представьте себе женщину ростом 1 м 60 см, которая хотя бы один день в своей жизни весила 100 кг. Для нее не имеет никакого смысла надеяться на вес 52 кг, рекомендуемый некоторыми теоретическими таблицами, так как биологическая память ее организма навсегда сохранила память о ее максимальном весе. Поэтому такой пациентке следует предложить для достижения и поддержания вес не менее 70 кг, что кажется гораздо более реалистичным, при условии, что она будет комфортно чувствовать себя с этим весом.

Наконец, еще одно совершенно неправильное и достаточно часто встречающееся мнение, от которого надо избавиться. Большинство людей, страдающих ожирением, вбивают себе в голову мысль о том, что им будет легче сохранить вес, если вначале они потеряют на 2–3 кг больше желаемого веса, оставляя, таким образом, несколько килограммов в запасе. Например, вы хотите сохранить постоянный вес 70 кг, но похудели до 60 кг. В этом и заключается ваша ошибка, потому что в начале третьего этапа по закреплению веса вы ощутите, как вам будет жестоко не хватать тех сил, которые вы затратили на втором этапе. Главным образом ваш ослабленный и более чувствительный организм будет стараться накопить как можно больше килограммов, и третий этап будет намного менее эффективным.

> 66 Человеческий организм, который обычно извлекает 100 калорий из маленькой булочки, в конце диеты сможет извлечь из нее от 120 до 130 калорий 99

Наконец, необходимо выбрать тот вес, который будет достижимым для вас, вполне реальным для закрепления и удовлетворяющим пациента, чтобы только одна мысль о его закреплении приводила его в восторг.

Я назвал этот вес **правильным**. Он отличается от обычного ИМТ (индекса массы тела), который оценивает только соответствие массы человека и его роста и интересен лишь для выявления группы риска среди населения, он не может быть достаточным для подсчета индивидуального веса и составлять цель диеты.

## Как определить свой правильный вес

Правильный вес индивидуален для каждого, и чтобы правильно его подсчитать, необходимо учитывать пол и возраст. Так как мужчина и женщина обладают разными морфотипами, то их правильный вес будет разным. Что же касается **возраста**, известно, что каждые 10 лет вес должен увеличиваться на 800 г у женщины и на 1200 г у мужчины. Кроме того, нельзя забывать о различии между потребностями и главным образом возможностями похудеть в 20 и 50 лет. В поисках правильного веса также надо учитывать **наследственность**. Так, например, просить женщину, в роду которой преобладают полные люди, стремиться к тому же весу, что и женщину, в семейной линии которой доминируют люди щуплого телосложения, совершенно неуместно.

Более того, необходимо учесть причину избыточного веса человека, **когда, как и откуда возник этот сбой**: в детстве, в юности, при приеме первых противозачаточных средств, во время беременности, пременопаузного периода, стресса, медикаментозном лечении, депрессии? Каждый случай индивидуален и должен учитываться при определении правильного веса.

> 66 *Эффект йо-йо у многих длится около 10 дней для каждого потерянного килограмма, 1 месяц для 3 кг и 3 месяца для 9–10 кг* 99

Нельзя также оставить без внимания и то, что я назвал «*шкалой колебаний веса*», то есть расхождение между минимальным весом после 20 лет и максимальным весом, не учитывая вес во время беременностей. Вес, уже занесенный в биологическую память организма, навсегда останется в ней.

То же самое распространяется и на бесчисленное количество безрезультативных диет, среди которых есть и такие, от которых организм никогда не оправится. Речь идет о диетах, которые противоречат человеческой природе. Наиболее известной среди них является **порошковая диета**. Человек не приспособлен питаться порошками. Если он практикует такую диету слишком долго, то, может быть, он и похудеет, но у него может также развиться типичная в таких случаях реакция отвращения к еде, что сделает его невосприимчивым к другим, более естественным методам похудения. **Голодание**, смысл которого заключается в употреблении только одной воды, — настоящая катастрофа для мышц. При голодании организм стремится всеми способами найти белки, необходимые для его существования. Но голодание естественнее порошкового питания, так как иногда в отсутствие добычи даже хищным животным приходится голодать в течение нескольких дней.

Вы сами убедились, что существуют многочисленные параметры расчета правильного для человека веса, знание которых необходимо для того, чтобы выработать индивидуальные показатели веса. Их чересчур много, чтобы вычисление сводилось к примитивным подсчетам с помощью карандаша и бумаги.

Я рекомендую вам зайти на сайты www.dukan.ru и www.regimedukan.com или www.livredemonpoids.com, и на любом из них вы найдете бесплатную анкету с 11 вопросами. Заполните ее, и вы незамедлительно получите ваш правильный вес. Тогда вы будете точно знать, на какой цели вам надо сосредоточиться. Таким образом, вам станет известно расстояние, которое вам нужно преодолеть, а я, в свою очередь, вручу вам стрелу и лук, и у вас будут все шансы, чтобы точно попасть в мишень.

> 66 *Длительность этапа закрепления = 10 дней × 1 потерянный килограмм*  99

## ЕЖЕДНЕВНАЯ ПРАКТИКА ТРЕТЬЕГО ПЕРЕХОДНОГО ЭТАПА «ЗАКРЕПЛЕНИЕ»

Вы только что закончили последний день этапа «Чередование» моей диеты, в течение которого белковые дни чередовались с белково-овощными днями. И вот, наконец, весы в первый раз показывают, что вы достигли вашего желаемого веса или веса, установленного до начала применения плана диеты.

Как и многим другим, вам, воодушевленным этим достижением, захочется пойти дальше и потерять еще несколько запасных килограммов. Но дело сделано, вы достигли веса, который хотели изначально. Теперь вы должны приложить все свои силы, чтобы сохранить его. И это не простая формальность — каждому второму, кто следует моей диете, это не удается, и их постигает неудача в течение первых 3 месяцев после достижения желаемого веса.

Могу ли я вам сейчас дать рекомендации по окончательной стабилизации веса? Конечно, нет, вы же прекрасно знаете, что сейчас вы слишком уязвимы, подобно омару, меняющему панцирь. Пройдет не меньше месяца, пока его новый панцирь окрепнет и станет достаточно тверд. Так же и здесь необходим переходный этап, чтобы закрепить ваш новый вес.

## Продолжительность этапа закрепления

Продолжительность этого этапа зависит от количества потерянных килограммов. **На закрепление 1 потерянного килограмма понадобится 10 дней.** Таким образом, если вы потеряли 20 кг, вы должны следовать этой процедуре 200 дней, то есть 6 месяцев и 20 дней. На закрепление 10 потерянных килограммов уйдет 100 дней. Можете подсчитать, сколько времени у вас займет этап закрепления веса.

## Список продуктов для этапа закрепления

Но запомните, что все это время вам придется следовать строгим рекомендациям, исходя из которых вы сможете есть продукты питания из следующих категорий.

### Белки и овощи

Так как на втором этапе вы последовательно питались белками и белками с овощами, вы должны хорошо знать эти две категории продуктов. С этого момента процесс их чередования закончен, теперь вы можете употреблять их каждый день вместе и раздельно по вашему усмотрению.

Белки и овощи представляют собой прочную основу, на которой строится как этап закрепления веса, так и этап окончательной его стабилизации. Это показывает, насколько важны эти категории продуктов, которые вы можете свободно потреблять всю оставшуюся жизнь, без ограничений, в любое время и в любом сочетании.

Конечно, вы знаете все эти продукты питания, но все же я вкратце напомню вам о них, чтобы избежать всякого рода недоразумений. Для получения дополнительной информации вы можете периодически обращаться к полному списку в главах об этапах «Атака» и «Чередование». Это следующие продукты питания:

- нежирное мясо, большей частью говядина и конина;

- рыба и морепродукты;

- яйца;

- молочные продукты;

- 1,5 или 2 литра воды;

- овощи.

Эти основные продукты уже вам известны, на этом этапе мы добавим новые, которые улучшат ваше ежедневное меню и привнесут в него разнообразие. Вы сможете их употреблять в определенных количествах и пропорциях.

## Ежедневная порция фруктов

Вот и представился случай поговорить о фруктах — продукте, который мы привыкли относить к здоровому питанию. Частично это правда, так как речь идет о нетоксичной и натуральной пище.

Кроме того, фрукты являются одними из лучших источников витамина C и каротина.

Эти два качества приобрели для западной цивилизации еще большую актуальность в последнее время с возвращением моды на все натуральное, и с еще больше укрепившейся верой в магические свойства витаминов. Но натуральное не всегда является полезным, и витамины имеют не столь большое значение, как это утверждает мода, пришедшая из США. Действительно, только фрукты обеспечивают нас натуральным сахаром, то есть быстро усваиваемыми углеводами. Все остальные сладкие продукты являются результатом человеческой деятельности.

**Мед** — это не растительный продукт, он является продуктом жизнедеятельности пчел. Он представляет собой нечто вроде питательного молока для личинок пчел, и мы присваиваем себе это сладкое удовольствие. Рафинированный сахар не существует в природе в таком виде. Это синтетический продукт, полученный промышленным путем из сахарного тростника или из сахарной свеклы.

**Дикорастущие фрукты** достаточно редко встречаются в природе. Хотя создается впечатление, что фрукты легкодоступны, но необходимо знать, что плоды, которые мы едим, являются результатом длительного отбора и интенсивного культивирования. Наконец, большинство очень сладких фруктов, таких как апельсин, банан, манго, импортируемых из далеких экзотических стран, сравнительно недавно появились на нашем столе благодаря развитию транспортных и логистических средств. Некоторые экзотические фрукты могут вызвать серьезную аллергию, в некоторых случаях смертельную (аллергия на киви или арахис). На самом деле фрукты вовсе не имеют пометки «здоровая и натуральная

> 66 *На этапе закрепления вводятся фрукты, но строго в количестве одной порции: яблоко, груша, апельсин, грейпфрут, персик, нектарин и другие* 99

пища». Их потребление в больших количествах может оказаться опасным, особенно для больных сахарным диабетом, а склонные к полноте люди часто жуют фрукты между двумя приемами пищи.

**!** В РАМКАХ МОЕЙ ДИЕТЫ ДОПУСКАЮТСЯ ВСЕ ФРУКТЫ, ЗА ИСКЛЮЧЕНИЕМ БАНАНОВ, ВИНОГРАДА, ВИШНИ, СУХОФРУКТОВ, А ТАКЖЕ ОРЕХОВ (ГРЕЦКИЙ ОРЕХ, ФУНДУК, АРАХИС, МИНДАЛЬ, ФИСТАШКИ, КЕШЬЮ). ПОТРЕБЛЕНИЕ ФРУКТОВ БУДЕТ ОГРАНИЧЕНО РАЗМЕРОМ ПОРЦИИ. ОДНА ПОРЦИЯ СООТВЕТСТВУЕТ ОДНОМУ ЯБЛОКУ ИЛИ ОДНОЙ ГРУШЕ, ОДНОМУ АПЕЛЬСИНУ ИЛИ ОДНОМУ ГРЕЙПФРУТУ, ОДНОМУ ПЕРСИКУ ИЛИ ОДНОМУ НЕКТАРИНУ.

Для фруктов большего или меньшего размера — маленькая тарелочка клубники или малины и ломтик дыни или арбуза, 2 киви или 2 абрикоса, одно небольшое манго или половина большого.

Все эти фрукты отныне доступны вам, но при условии потребления одной порции в день.

Однако если вы не знаете, какому фрукту отдать предпочтение, я могу помочь вам, перечислив все фрукты в порядке убывания их пользы для похудения: приоритет я отдаю **яблокам**, богатым пектином, который полезен для фигуры. Затем идут **клубника и малина**, так как эти ягоды содержат малое количество калорий и всегда радуют глаз. **Дыня и арбуз** интересны из-за высокого содержания воды и низкой энергетической ценности (при условии, что вы съедаете не больше рекомендуемой порции), и наконец, **грейпфруты, киви, персик, груша, нектарин и манго**.

## Два ломтика цельнозернового или белково-отрубного хлеба в день

Если вы предрасположены к ожирению, вам необходимо избегать белого хлеба. **Отрубной хлеб** — это хлеб, тесто для которого было замешано не из муки, а из отрубей. Отруби — это измельченные внешние оболочки зерна, которые при изготовлении муки отделяются от него. Это отделение облегчает производство промышленной муки. Белый хлеб без отрубей слишком легко усваивается и к тому же является достаточно калорийным.

**Хлеб грубого помола** по вкусу не менее приятен и содержит большое количество отрубей. Отруби — ваш основной союзник, который защитит вас от рака толстой кишки, избытка холестерина, сахарного диабета и запора.

Растительная структура — волокнистая основа отрубного хлеба — достаточно прочна, чтобы сопротивляться огневой мощи вашего пищеварения. Поэтому отрубной хлеб ускоряет кишечный пассаж и создает в толстой кишке защитную пленку между кишечной перегородкой и опасными отходами, которые там застаиваются.

ВНИМАНИЕ! НЕ ПУТАЙТЕ ПШЕНИЧНЫЕ ОТРУБИ С ОВСЯНЫМИ, ТАК КАК ПШЕНИЧНЫЕ ОТРУБИ СОСТОЯТ ИЗ НЕРАСТВОРИМЫХ ВОЛОКОН, В ТО ВРЕМЯ КАК ОВСЯНЫЕ ОТРУБИ — ЭТО ПРЕИМУЩЕСТВЕННО РАСТВОРИМЫЕ ВОЛОКНА, ЧТО ПОЗВОЛЯЕТ ИМ НАБУХАТЬ В ЖЕЛУДКЕ И ЗАНИМАТЬ ТАМ ЗНАЧИТЕЛЬНОЕ МЕСТО, ТЕМ САМЫМ НАПОЛНЯЯ ЖЕЛУДОК И ВЫЗЫВАЯ ОЩУЩЕНИЕ СЫТОСТИ. И ГЛАВНОЕ, НАХОДЯСЬ В КИШЕЧНИКЕ, ОНИ ЗАХВАТЫВАЮТ ПИТАТЕЛЬНЫЕ ВЕЩЕСТВА И УНОСЯТ ИХ С СОБОЙ К ТОЛСТОЙ КИШКЕ, ГДЕ ФОРМИРУЮТСЯ КАЛОВЫЕ МАССЫ.

На протяжении этапа закрепления веса не забывайте, что вы все еще ограничены в употреблении хлеба. Но, достигнув заключительной стадии стабилизации, вы сможете потреблять какое угодно количество хлеба при условии, что он будет цельнозерновой и желательно с отрубями.

Но даже на этом этапе закрепления, если вы любите хлеб на завтрак, вы можете намазывать ваши 2 ломтика тонким слоем сливочного масла пониженной жирности. Или же использовать их в обеденное время для приготовления бутерброда с холодным мясом, ветчиной или сыром. Кстати, сыр является следующим продуктом, который добавляется в ваш список.

## Порция сыра в день

О каком сыре идет речь и в каком количестве он будет разрешен?

Предпочтительны вареные твердые сыры. Среди французских сыров так готовятся сыры вонбель, конте, гауда, голландский сыр, разные сорта савойского сыра и многих других. Избегайте таких сыров, как камамбер, рокфор и козий сыр.

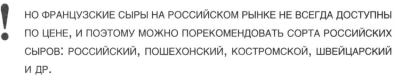

НО ФРАНЦУЗСКИЕ СЫРЫ НА РОССИЙСКОМ РЫНКЕ НЕ ВСЕГДА ДОСТУПНЫ ПО ЦЕНЕ, И ПОЭТОМУ МОЖНО ПОРЕКОМЕНДОВАТЬ СОРТА РОССИЙСКИХ СЫРОВ: РОССИЙСКИЙ, ПОШЕХОНСКИЙ, КОСТРОМСКОЙ, ШВЕЙЦАРСКИЙ И ДР.

Что касается количества, я рекомендую порции по 40 г в день. Я не сторонник взвешивания и тщательного подсчета граммов, но мы на переходном этапе, и он не продлится долго. Кроме того, 40 г — это стандартная порция, которая является достаточной для большинства людей с умеренным аппетитом. Выберите удобное для вас время, чтобы полакомиться ломтиком сыра: обед или ужин. Но не забывайте, что вы имеете право только на одну порцию.

### Что думать о сырах пониженной жирности?

Большая часть из них во Франции отвратительного качества, так как, потеряв свою жирность, они утрачивают большую долю своего вкуса. Единственно подлинным сыром, несмотря на 20%-ную жирность, остается савойский сыр «Том», который до начала 50-х годов готовился на основе наполовину обезжиренного молока. Это был традиционный рецепт этого горного сыра, но вкусы потребителей изменили рецепт, подняв жирность до 40%.

И только с возвращением моды на продукты с пониженной жирностью горный сыр вернул свои истинные традиционные вкус и рецепт. Сегодня его производители предлагают широкую гамму сыров пониженной жирности, среди которых замечательный «Том» 20%-ной жирности, другой — 30%-ной жирности, который не представляет для нас большого интереса, и наконец, самый нежирный — 10%-ной жирности — настоящая находка для желающих похудеть. Этот удивительный сыр — не просто действительно вкусный, мягкий сыр, с упругой текстурой, вовсе не напоминающей резину, он к тому же позволяет получать меньше калорий и жирных насыщенных кислот, которые вредно влияют на сердечно-сосудистую систему.

Единственная проблема — его трудно найти, так как непросвещенный потребитель считает, что речь идет об эрзац-сыре. Если вам удастся его найти, купите, попробуйте — и вы сразу же полюбите его. К тому же **вы сможете потреблять этот сыр в большем количестве, до 60 граммов в день**. Кроме того, когда вы будете на этапе окончательной стабилизации, подумайте о нем как о сыре с пониженной жирностью, а следовательно, более богатом белками. Он послужит вам продуктом для быстрого белкового перекуса, что актуально для людей с большим аппетитом.

Что касается настоящих сыров, произведений гастрономического искусства, которыми славится Франция, не волнуйтесь, они не запрещены для вас полностью, подождите еще немного, и вы будете вознаграждены за ваше терпение в следующем параграфе, когда речь пойдет о торжественных трапезах.

## 2 порции крахмалосодержащих продуктов в неделю

До настоящего времени введенные на этом этапе продукты были разрешены повседневно. С крахмалосодержащими продуктами, как и с праздничными трапезами, дело обстоит иначе. Для этих двух нововведений вам надо разделить этап закрепления на две равные части. Сделайте это, как только вы определите точный срок этапа закрепления из расчета 10 дней на 1 потерянный килограмм. **Во время первой части вы будете иметь право на 1 порцию крахмалосодержащих продуктов в неделю, во второй — 2 порции.**

В нашем случае на этапе закрепления веса мы должны оставаться благоразумными. Вам хорошо известно, что не все крахмалосодержащие продукты обладают одинаковыми пищевыми характеристиками, поэтому они представлены в порядке убывания интереса.

> **!** СНАЧАЛА КРАХМАЛОСОДЕРЖАЩИМ ПРОДУКТОМ НАЗЫВАЛИ ТОЛЬКО КАРТОФЕЛЬ, ВПОСЛЕДСТВИИ ДОБАВИЛИ К НЕМУ МУКУ И ВСЕ ПРОДУКТЫ, СОДЕРЖАЩИЕ ЕЕ, А ТАКЖЕ РИС И КУКУРУЗУ.

- **Макаронные изделия** являются наиболее подходящими во время этого этапа, потому что они приготовлены из твердых сортов пшеницы, волокна которой обладают более упругой текстурой, чем у обычной. Физическая устойчивость к расщеплению замедляет процесс переваривания и всасывания содержащегося в ней сахара. Кроме того, все любят макароны. Этот продукт очень редко ассоциируется с понятием диеты, что ободряет, успокаивает и придает сил человеку, прошедшему через длительный период ограничений. Наконец, макароны — очень сытный продукт. Их единственный недостаток заключается в способе их приготовления, который требует добавлять сливочное или растительное масло, сметану или сыр — как правило, грюйер, — что повышает их калорийность. **Я рекомендую вам обычные порции 220 г без добавления масла.** Лучше используйте соус из свежих помидоров с луком и специями. Если вы торопитесь, можете взять консервированные помидоры. Что касается сыра, лучше избегать грюйера, так как его пресный вкус заставит вас превысить допустимое на данном этапе количество сыра. Вы можете присыпать вашу порцию макаронов тонким слоем пармезана. Он не такой жирный и обладает пряным вкусом. На этот счет итальянцы не ошибаются.

- **Кускус, полента, пшеничный булгур и цельная пшеница** также допускаются порциями по 200 г 2 раза в неделю. Они изготовлены из твердых сортов пшеницы, поэтому обладают теми же свойствами, что и макароны. Эти продукты менее известны и используются реже, так как пришли к нам из других культур.

Кускус часто считается достаточно сложным для приготовления блюдом, которое в основном предлагают в ресторанах. Но это не значит, что мы должны полностью лишать себя этого ценного для закрепления веса продукта.

Чтобы быстро приготовить кускус, поместите его в любой неметаллический сосуд, залейте водой, приправленной кубиком говяжьего бульона, превышая уровень крупы минимум на один сантиметр. Подождите 5 минут, пока зерна размокнут и набухнут. После этого поместите на 1 минуту сосуд в микроволновую печь, затем достаньте его и перемешайте. Если образовались комки, разомните их вилкой и снова поставьте в микроволновую печь на 1 минуту — блюдо готово. Не добавляйте масло, бульона будет достаточно. И не ешьте кускус в ресторане, потому что обычно там всегда добавляют масло.

Итальянская или корсиканская полента, ливанский пшеничный булгур можно есть такими же порциями, готовя их аналогично.

- **Чечевица** — еще один подходящий в рамках этого этапа крахмалосодержащий продукт, потому что в ней есть некоторые медленные углеводы. К сожалению, она требует много времени на приготовление и не всем нравится. Что самое худшее, от нее часто образуется скопление газов в кишечнике (метеоризм). Но для тех, кто любит чечевицу, необходимо подчеркнуть, что это очень питательный продукт, который хорошо подходит для закрепления веса. Порция не должна превышать 220 г, и следует полностью исключить масло. Однако можно добавить свежие помидоры, лук и специи.

Другие бобовые также заслуживают упоминания и разрешаются такими же порциями без добавления жира. Фасоль, горох, нут принадлежат к одной большой семье, но у них мало сторонников, так как в целом они еще хуже усваиваются, чем чечевица, хотя в плане питательности являются превосходными продуктами.

- **Рис и картофель** также доступны вам на этом этапе, но, как вы заметили, я помещаю их в конец списка, поэтому и есть их можно только эпизодически. Рис следует употреблять в пищу без добавления жиров, желательно использовать сорта с выраженным вкусом, например басмати, дикий рис или неочищенный. Эти сорта медленнее усваиваются благодаря текстуре своих волокон. Порция не должна превышать 125 г обычного вареного белого риса и 220 г цельнозернового.

Что касается картофеля, он должен быть приготовлен неочищенным (в мундире) или завернутым в фольгу, без добавления жиров.

КАРТОФЕЛЬ ФРИ ИЛИ, ЕЩЕ ХУЖЕ, ЧИПСЫ ОТНОСЯТСЯ К ПРОДУКТАМ, О КОТОРЫХ Я СОВЕТУЮ ВАМ ЗАБЫТЬ, ПОТОМУ ЧТО ОНИ НЕ ТОЛЬКО СОДЕРЖАТ БОЛЬШОЕ КОЛИЧЕСТВО ЖИРА, НО ЯВЛЯЮТСЯ КАНЦЕРОГЕНАМИ И ВРЕДНЫМИ ДЛЯ СЕРДЕЧНО-СОСУДИСТОЙ СИСТЕМЫ.

## Новые виды мяса

До сих пор вам были разрешены нежирные говядина и телятина, а также конина. Отныне вы можете добавить в ваш рацион окорок ягненка, жаркое из свинины и обычную ветчину. Вы можете есть их раз или два в неделю без количественных ограничений.

- **Окорок** является самой нежирной частью ягненка. Избегайте, однако, верхнего слоя окорока по двум причинам. Во-первых, жир вокруг окорока трудно отделяется и всегда остается его частью, что значительно увеличивает содержание в верхнем слое жира и калорий. К тому же, если окорок большой и превышает несколько килограммов, температура в духовке при его запекании должна быть очень высокой, а при такой температуре жир обугливается (карбонизируется) и становится канцерогенным. Если вы любите хорошо пропеченные кусочки, то начинайте со второго слоя.

- **Жаркое из свинины** потребляется на тех же условиях, что и окорок ягненка, но необходимо выбрать кусок из филе, а не из шейной части, которая в 2 раза калорийнее. Не забывайте об этом.

- На данном этапе **ветчина** появляется вновь. Но мы уже не будем ограничиваться только нежирной ветчиной. Вы можете есть любую ветчину, за исключением сырокопченой, в любое время суток, когда и где хотите. Просто не забудьте удалить жирную оболочку, которая ее окружает.

Вот категории пищевых продуктов, которые составляют основу переходного этапа закрепления потерянного веса. Напомню, что он отнюдь не является окончательным, и на данном этапе не происходит потери веса. Он представляет собой здоровое и сбалансированное питание, входящее в план моей диеты этапом под номером 3, во время которого наш организм стремится закрепить уже потерянный на первых двух этапах вес.

**10 дней на закрепление 1 потерянного килограмма.** Время достаточное, чтобы осмыслить потерянные килограммы и принять свой новый вес. По истечении этого периода вы сможете есть практически все, что захотите, 6 дней в неделю. Такая перспектива должна вдохнуть в вас мужество и терпение. Во всяком случае, теперь вы знаете, куда идете и насколько долог будет ваш путь. Но это еще не все. В целях завершения переходного этапа я должен сообщить вам еще 2 важные новости, одну хорошую, другую очень злободневную. Давайте начнем с хорошей!

## Две праздничные трапезы в неделю

Как я уже упоминал ранее, во время первой половины этапа закрепления вы имеете право на 1 порцию крахмалосодержащих продуктов и на 1 праздничный ужин или обед в неделю, в то время как во второй половине третьего этапа вы можете перейти на 2 праздничные трапезы и 2 крахмалосодержащих продукта в неделю. Чтобы избежать ошибки, я приведу вам простой пример: если вы только что потеряли 10 кг, то ваш этап закрепления должен будет длиться 100 дней. Разделите эти 100 дней на 2 равные части по 50 дней. 50 первых дней вы будете иметь право на 1 крахмалосодержащий продукт и на 1 праздничную трапезу в неделю. 50 последних дней смело потребляйте 2 крахмалосодержащих продукта и устраивайте себе 2 праздничные трапезы в неделю.

Прежде всего, я настаиваю на словах «обед или ужин», поскольку всегда есть пациенты, которые думают, что это не 2 праздничных приема пищи в неделю, а 2 дня, в течение которых не надо будет ограничивать себя ни в чем.

## Из чего состоит праздничная трапеза?

Праздничным может стать любой из 3 приемов пищи, но советую вам отдать предпочтение ужину, чтобы в полной мере насладиться им и избежать излишней суеты и стресса деловых шумных обедов.

Праздничный ужин означает, что вы можете есть любую пищу, особенно ту, которой вам больше всего не хватало во время долгого периода лишений.

Но все это станет возможным при соблюдении двух главных условий — **никогда не подкладывать себе одного и того же кушанья и не просить добавки**, а довольствоваться предоставленной вам порцией, и не устраивать торжественные трапезы последовательно одну за другой. Таким образом, в течение одной праздничной трапезы вы имеете право на одно первое блюдо, одно второе блюдо, десерт или кусочек сыра, аперитив, вино — все в обычных количествах, но только 1 раз.

Между двумя приемами пищи нужно оставить достаточный промежуток времени, чтобы организм восстановился. Например, если вы решили устроить праздничный ужин во вторник, не стоит устраивать свою вторую законоположенную праздничную трапезу на следующий день. Лучший момент для праздничных приемов пищи — это выходные или вечера, когда вы приглашены на ужин.

ДЛЯ ТЕХ, КТО ДАВНО МЕЧТАЛ О ТУШЕНОЙ КИСЛОЙ КАПУСТЕ ИЛИ ПАЭЛЬЕ, КУСКУСЕ ИЛИ ЛЮБЫХ ДРУГИХ БЛЮДАХ, НАКОНЕЦ ПРИШЛО ВРЕМЯ. ТЕ, КТО ТАК ДОЛГО ЖДАЛ ВОЗМОЖНОСТИ ЗАКОНЧИТЬ ОБЕД ИЛИ УЖИН НАСТОЯЩИМ ДЕСЕРТОМ: ШОКОЛАДНЫМ ТОРТОМ ИЛИ МОРОЖЕНЫМ, — ТЕПЕРЬ МОГУТ СЕБЕ ЭТО ПОЗВОЛИТЬ. ДЛЯ ТЕХ, КТО ЛЮБИТ ХОРОШЕЕ ВИНО, ШАМПАНСКОЕ НА АПЕРИТИВ — ПУТЬ ОТКРЫТ. ТЕПЕРЬ ВЫ СПОКОЙНО — НО ТОЛЬКО 2 РАЗА В НЕДЕЛЮ! — МОЖЕТЕ ПРИНИМАТЬ ПРИГЛАШЕНИЯ ДРУЗЕЙ, НА КОТОРЫЕ ТАК ДОЛГО НЕ ОТВЕЧАЛИ.

Многие люди на данном этапе с опаской относятся к этим праздничным трапезам, и более того, некоторые даже не решаются начать применять их, боясь преступить запреты первых двух этапов.

Не волнуйтесь, эти 2 праздничные трапезы были хорошо продуманы. Они являются частью целой тщательно разработанной системы. Кроме того, это не простое предложение, а рекомендация, одна из многочисленных инструкций диеты, которым нужно **безукоризненно следовать**. Ибо моя диета — это план, который, лишившись одной из своих составляющих, даже самой минимальной, может потерять свою эффективность. Возможно, вы не понимаете, в чем заключается смысл такой щедрости и этих праздничных трапез. Очевидно, настало время рассказать вам о важной нематериальной части питания — ощущении радости и удовольствия, которую оно нам доставляет.

> 66 *Кроме фруктов на этапе закрепления вводятся и 2 кусочка цельнозернового хлеба, 40 г сыра ежедневно и 2 праздничные трапезы в неделю* 99

Питание — это не только обеспечение необходимым для выживания количеством калорий, но и удовольствие. **Биологическое удовольствие** — именно то, чего вы были лишены во время этапов, ориентированных на потерю веса. Сейчас настало время вернуться к нему.

Когда вы кушаете вкусную и питательную пищу, подумайте о том, что вы едите, сосредоточьтесь на том, что вы жуете, и на ощущениях, вызываемых этим процессом. Многие исследования доказывают **ведущую роль вкуса в появлении чувства сытости**. Вкус, каждое жевательное и глотательное движение, ощущения языковых рецепторов и слизистой оболочки полости рта собираются и анализируются в гипоталамусе, который является ответственным за голод и ощущение сытости. Накопление этих сигналов приводит к насыщению.

**Ешьте медленно**, с полным сознанием того, что находится у вас во рту. Избегайте употребления высококалорийной еды перед телевизором или при чтении, потому что таким образом вы вдвое сокращаете ощущения, поступающие в мозг при приеме пищи. Этим диетологи и объясняют эпидемию ожирения детей, вспыхнувшую в Соединенных Штатах, где дети жуют весь день, смотря телевизор, поэтому, даже становясь взрослыми, по-прежнему продолжают есть в любое время дня. Необходимо наслаждаться пищей и получать от нее максимум удовольствия. Для этого воспользуйтесь этими двумя возможностями, которые праздничные трапезы предоставляют вам.

Поэтому не стоит беспокоиться. Поверьте мне, эти 2 трапезы не будут иметь последствий. Но при соблюдении двух условий:

1) первое является чрезвычайно важным. Этот момент свободы имеет четко ограниченные временные рамки и частоту. **Сначала 1 праздничная трапеза 1 раз в неделю, а затем 2**. Если вы переступите через эти правила, то можете с легкостью сбиться с пути. Нельзя недооценивать эту опасность. Например, если вы выбрали для вашей первой праздничной трапезы вторник, закрепление вашего веса будет зависеть от вашего поведения в среду утром. Сможете ли вы после праздничного ужина, приоткрыв немного дверь в мир чревоугодия, вовремя остановиться и плотно закрыть ее или окажетесь среди тех, кто не станет сдерживать себя и на следующее утро намажет свой бутерброд толстым слоем варенья?

Эти праздничные трапезы призваны разбавить ваши серые гастрономические будни и помочь вам выдержать время, необходимое организму для закрепления нового веса. Они являются неотъемлемой частью переходного этапа. Если вы переступите за пределы рекомендаций этого этапа, то, вполне возможно, собьетесь и погубите то, что так терпеливо создавали на первых двух этапах;

2) **второе условие вполне логично. Праздничные трапезы предназначены для получения гастрономического удовольствия, а не реванша.** Если вы неправильно воспользуетесь предоставленной мною свободой, вы пожалеете об этом и о своих напрасно потраченных усилиях. Две праздничные трапезы необходимы, чтобы восстановить равновесие. Если вы переедите или слишком много выпьете во время одной из них, то завтра, даже на полосе возвращения, как ни в чем не бывало, на этап закрепления веса, ваше иррациональное поведение будет препятствовать окончательной стабилизации вашего веса.

Так что если вы хотите простой совет — ешьте что хотите, накладывайте себе хорошие порции, но ни в коем случае не подкладывайте еще. Придерживайтесь правила, что в ресторане или у друзей обычно не спрашивают добавки.

## 1 белковый день в неделю

Вот, наконец, у вас есть почти все элементы, которые составляют третий этап плана диеты — этап закрепления веса. Тем не менее отсутствует один из ключевых моментов обеспечения эффективности этого этапа. Дело в том, что на этом этапе наш организм особенно чувствителен, и я решил включить сюда еще один немаловажный элемент: **1 день белковой диеты в неделю**, чья эффективность уже подтвердила себя.

В этот день вы можете позволить себе мясо, рыбу и морепродукты, мясо птицы без кожи, яйца, постную ветчину, обезжиренные молочные продукты и 2 литра воды. Из этих семи категорий пищевых белков вы можете употреблять в пищу столько, сколько вы хотите, так часто, как вы хотите, и в любом сочетании, которое вам придется по вкусу.

1 день белковой диеты — это двигатель и защитник этапа закрепления веса. Не беспокойтесь, речь идет всего лишь об одном дне. Такова цена, которую вы должны заплатить за то, чтобы удержать с трудом отвоеванную вами позицию, пока не утихнет буря. Еще раз напоминаю, что это условие не подлежит обсуждению.

> **!** ПОСТАРАЙТЕСЬ ВЫБРАТЬ ДЛЯ БЕЛКОВОГО ДНЯ ЧЕТВЕРГ. ЕСЛИ ЭТОТ ДЕНЬ НЕ СОВМЕСТИМ С ВАШИМИ ПРОФЕССИОНАЛЬНЫМИ ИЛИ ОБЩЕСТВЕННЫМИ ОБЯЗАТЕЛЬСТВАМИ, ВЫБЕРИТЕ СРЕДУ ИЛИ ПЯТНИЦУ, НО ТОЛЬКО В ПОРЯДКЕ ИСКЛЮЧЕНИЯ. ЕСЛИ ВЫ НЕ МОЖЕТЕ СОХРАНИТЬ ЧЕТВЕРГ В КАЧЕСТВЕ БЕЛКОВОГО ДНЯ, ТО ПРОВЕДИТЕ ЕГО В СРЕДУ ИЛИ ПЯТНИЦУ, НО НА СЛЕДУЮЩЕЙ НЕДЕЛЕ СНОВА ВЕРНИТЕСЬ К ЧЕТВЕРГУ И НЕ ПРИВЫКАЙТЕ К ТАКИМ ИЗМЕНЕНИЯМ.

Не забывайте о вашей предрасположенности к ожирению. Я ввел этот белковый день не для своего удовольствия и не для того, чтобы помучать вас, а именно потому, что именно он сможет помочь противостоять легкому набору веса на этом переходном этапе. Не забывайте об этом.

**Соблюдайте правило одного белкового дня в неделю, даже если вы в отпуске или путешествуете.** Если вы находитесь в месте, где белки недоступны или их трудно приготовить, всегда есть возможность употреблять белок в виде порошка. Я расскажу вам о белковом порошке чуть позже.

## Овсяные отруби

На протяжении этапа закрепления веса овсяные отруби должны употребляться в дозе 2 столовых ложек в день. Эти 2 ложки вы можете добавить к 2 ломтикам хлеба. И если вы привыкли к вашему блинчику из овсяных отрубей по утрам, то оставьте хлеб с сыром на вечер или послеполуденное время.

# Физическая деятельность

Во время этапа закрепления вы можете возвратиться к **25 минутам ежедневной ходьбы**. Совершенно очевидно, что речь идет об обязательном минимуме, но если вы много ходите пешком, более того, вам это нравится и у вас достаточно времени, ходите больше. Ходьба — одно из наиболее полезных занятий как в плане растраты калорий, так и в плане физического и психического равновесия, так как это наиболее естественная человеческая деятельность, благодаря которой вырабатывается большое количество серотонина и эндорфина — двух химических веществ, которые лежат в основе ощущения удовольствия, комфорта и хорошего настроения.

Если вы находитесь под воздействием стресса или раздражены и ощущаете упадок сил, нервное переутомление, если вас обидели, вы чувствуете себя одиноко — тогда отправляйтесь в путь пешком, питайтесь тем, что вам встречается по пути, знакомьтесь с людьми, общайтесь, и я вам обещаю, что вы придете в одно из ваших лучших настроений.

## ЭТАП, КОТОРЫМ НЕ НАДО ПРЕНЕБРЕГАТЬ

Вот мы и подошли к концу описания этапа закрепления веса. Я считаю необходимым сформулировать 4 правила, которые предупредят вас об опасности игнорирования этого этапа диеты.

- **Необходимый этап**. В ходе третьего этапа диеты Дюкана у вас больше нет стимулов, так как стрелка весов уже не указывает на снижение веса. Вы можете задаться вопросом, в чем же заключается смысл этого переходного этапа, когда вы вроде бы не совсем свободны в вашем пищевом поведениии и в то же время не сидите на диете. Поэтому у вас, естественно, возникает соблазн нарушить рекомендации переходного этапа. Если вы проигнорируете содержание этапа закрепления веса, будьте уверены в одном: вы так же быстро вернете свои килограммы, как их потеряли. Вам просто повезет, если вы не прибавите больше, чем имели.

● **Сопротивление диете.** Кроме чувства неудачи и разочарования, вызванного увеличением веса, существует еще одна опасность для людей, которые часто соблюдали разные диеты и не доходили до конца, то есть не закрепляли достигнутый вес, таким образом вырабатывая у себя нечто вроде противодиетного иммунитета. Те, кто постоянно теряет вес и снова набирает его, уже привиты против похудения, поэтому после каждой неудачи им будет все труднее и труднее снова потерять накопившийся вес. Их организм будет хранить в памяти эти неудачные попытки и противостоять новым. Любая неудача открывает дверь для нового провала. Если вы тщетно пробовали неисчислимое количество диет, не следует ожидать, что вы быстро похудеете, используя новую диету, хотя, как я уже подчеркивал, моя диета встречает наименьшее сопротивление у тех, кто ее придерживается.

● **Память о весовых рекордах.** С другой стороны, ваш организм склонен фиксировать самый рекордный вес, который вы когда-либо имели, сохраняя его как ностальгическое воспоминание и постоянно стремясь его восстановить.

● **Потеря веса равнозначна обильному потреблению жира и холестерина.** Наконец, заключительное и, пожалуй, самое серьезное последствие потери веса — теряя вес, наш организм подвергается агрессии, о существовании которой многие даже и не догадываются. Потерю 10–20 кг можно сравнить с тем, как если бы вы потребили 10 или 20 кг масла или сала. Дело в том, что во время потери веса кровь, циркулирующая в ваших артериях, буквально насыщена холестерином и триглицеридами. При каждом сокращении сердца токсичная, богатая жирами кровь вторгается в ваши артерии, наполняет их и загрязняет их стенки. Похудение очень важно для вашего психического и физического благополучия, но нельзя забывать и о риске, которому вы подвергаетесь при циркуляции этих жиров в крови. Поэтому не нужно выполнять эту операцию более, чем 1 или 2 раза в своей жизни. Любой человек, 1–2 раза в год предпринимающий попытку потерять излишний вес, начинает страдать повышенным уровнем холестерина в крови.

> **!** Я ВОВСЕ НЕ ПЫТАЮСЬ ЗАПУГАТЬ ВАС, А ПРОСТО ПРЕДУПРЕЖДАЮ О РЕАЛЬНОЙ ОПАСНОСТИ, МАЛОИЗВЕСТНОЙ МНОГИМ ПАЦИЕНТАМ И ВРАЧАМ. НО С МОЕЙ ДИЕТОЙ У ВАС ПОЯВИЛСЯ ЗАМЕЧАТЕЛЬНЫЙ ШАНС ПОХУДЕТЬ ОДИН РАЗ И НАВСЕГДА.

## РЕЗЮМЕ. Памятка этапа «Закрепление»

1) Продолжительность этого переходного этапа зависит от количества потерянных килограммов. Если вы потеряли 20 кг, процедура закрепления веса будет длиться 200 дней, или 6 месяцев и 20 дней, на закрепление потерянных 10 кг вам понадобится 100 дней. В любом случае продолжительность этого этапа очень легко подсчитать.

2) Во время этого этапа вы будете иметь право на следующие продукты:

   ● вся белковая пища этапа «Атака»;

   ● все продукты из этапа «Чередование»;

   ● 1 порция фруктов в день, за исключением бананов, винограда, вишни;

- 2 ломтика цельнозернового хлеба в день;

- 40 г сыра в день;

- 2 порции крахмалосодержащих продуктов в неделю;

- окорок ягненка или жаркое из свинины;

- 2 столовые ложки овсяных отрубей.

3) Кроме продуктов на этом этапе крайне важно соблюдать следующие пункты программы:

- 25 минут ходьбы ежедневно;

- в качестве вознаграждения — 2 раза в неделю праздничный ужин;

- требование, не подлежащее обсуждению: еженедельный белковый день.

# Глава 7

# ЗАКЛЮЧИТЕЛЬНЫЙ ЭТАП ПОДДЕРЖАНИЯ ДОСТИГНУТОГО ВЕСА «СТАБИЛИЗАЦИЯ»

Итак, вы начали соблюдать мою диету с очень эффективного этапа атаки, на этапе чередования белков с овощами пришли к желаемому весу и на переходном этапе закрепили достигнутый вес.

На этом последнем четвертом этапе вы уже избавились от излишнего веса, и, более того, вы успешно прошли период, когда организм старался восстановить утраченные килограммы.

Вы достигли вашего правильного веса, и ваш организм больше не извлекает максимальную пользу из каждого грамма еды, и, наконец, вы весите столько, сколько хотите. Отныне ваш обмен веществ более сбалансирован, но остается, по сути, еще чувствительным к возможному набору веса. У вас есть все шансы на это, если вы не включите в свой образ жизни целый ряд мер, направленных на минимизацию такого риска.

Период предписаний и ограничений закончен, отныне нормальный ход вашей жизни снова вступает в свои права. Но необходимо помнить, что меры, которые потребуются для достижения окончательной стабилизации вашего веса, касаются всей вашей жизни. Это означает, что жесткие правила и ограничения больше вводиться не будут.

Раньше вы руководствовались набором строгих принципов и правил и для импровизаций не было места. Теперь вы выходите из прибрежных вод и направляетесь прямо в открытое море, где можно плавать одному, но, естественно, риск шторма и кораблекрушения неизбежен. Поэтому сейчас вам нужны простые, конкретные и безболезненные инструкции, которые с легкостью можно будет включить в повседневный образ жизни.

Для этого моя программа предлагает 4 простые меры в обмен на полную свободу питания. Эти меры избавляют нас от ощущения маргинальности, сопровождающего соблюдение любой диеты:

- первая мера достаточно проста: нужно **принять за основу питание третьего переходного этапа** закрепления веса. Все белковые продукты и овощи — по желанию, 1 порция фруктов, 2 ломтика цельнозернового хлеба, 40 г сыра в день, 2 порции крахмалосодержащих продуктов и 2 праздничные трапезы в неделю. Эти продукты в полной мере составляют фундамент здорового питания человека. Поэтому пользуйтесь ими как ориентиром, и они помогут вам избежать прибавки в весе;

- вторая мера, о которой вы уже знаете, так как использовали ее на третьем этапе, — это **белковый четверг**;

- третья — это просто контракт, заключенный между вами и мной, согласно которому вы даете мне обещание **не пользоваться лифтом и не забывать о 20 минутах ходьбы в день**;

● последняя мера — это просто настоящее лакомство: **ежедневный прием 3 столовых ложек овсяных отрубей** в любом виде, даже сырoм.

Все эти меры составляют, на мой взгляд, вполне приемлемый минимум для человека, страдающего ожирением, взамен на нормальную гастрономическую жизнь 6 дней в неделю. Мой профессиональный опыт доказал мне, что ни один разумный человек, склонный к ожирению, не откажется от подобной сделки.

Кроме того, в моей диете остается еще один немаловажный козырь, и его незримое присутствие сопровождало вас на протяжении первых трех этапов. В течение этого времени вы, сами того не осознавая, осваивали азы науки о правильном питании. Я говорю о воспитательном воздействии предлагаемой программы.

Я создал эту программу и годами ежедневно практиковал ее со своими пациентами, поэтому я знаю, что человек, потерявший 5, 10, 15, 20 или даже 30 кг в ходе 4 последовательных этапов диеты, вдобавок приобретает знания об истинной значимости каждого продукта и рефлексы, которые никогда полностью не утратятся. На-

> 66 *Питание для этого этапа таково: все белковые продукты и овощи — по желанию, 1 порция фруктов, 2 ломтика цельнозернового хлеба, 40 граммов сыра в день, 2 порции крахмалосодержащих продуктов и 2 праздничные трапезы в неделю* 99

чиная с чистобелкового этапа, желающие похудеть уже осознают, насколько белки эффективны для снижения веса. На втором этапе они понимают, что введение в рацион зеленых овощей, необходимых для сбалансированного питания, замедляет скорость потери веса, но не останавливает ее полностью. Именно на этом этапе они осознают опасность жиров и их добавления в процессе приготовления овощей.

Переходя к этапу закрепления веса, они постепенно включают в рацион такие необходимые продукты, как хлеб, фрукты, сыр и некоторые крахмалосодержащие продукты, а также праздничные трапезы, таким образом вновь открывая для себя удовольствие гастрономической роскоши, перед которой они уже не испытывают угрызений совести. Следуя указаниям и рекомендациям первых 3 этапов, пациенты запечатлевают в своей памяти классификацию продуктов питания в соответствии с их пищевой ценностью.

> 66 *В течение всей жизни применяйте одну простую профилактическую меру — 1 белковый день в неделю, и лишний вес вам не страшен* 99

Именно этот постепенный переход от жизненно необходимых продуктов к излишне питательным и не всегда нужным наряду с инстинктивно приобретаемыми знаниями о питании делает мою диету обучающей. Строгое соблюдение моих рекомендаций для стабилизации веса откроет вам доступ к навсегда закрепленному желаемому весу.

## БЕЛКОВЫЙ ЧЕТВЕРГ

Почему четверг?
Когда я разрабатывал различные детали моей будущей диеты, то почувствовал необходимость включения еще одного необходимого элемента заключительного этапа — 1 белкового дня в качестве предупредительной меры для возможных отклонений от диеты в течение недели. Поэтому вскоре в своих рецептах я стал предписывать: «Потребление чистого белка 1 раз в неделю».

На самом деле на эту мысль навела меня одна из моих пациенток. Она была очень довольна тем, что потеряла столько килограммов, не прилагая при этом много усилий. Поэтому на последнем этапе она слегка с недоверием относилась к возвращению к «нормальной жизни». Не желая полностью терять преимущества этапа атаки, который, на ее взгляд, смягчал возможные отступления от диеты, она нашла простое и остроумное решение: «А что, если мы оставим один белковый день в неделю?» Ее идея нашла свое применение, так как я несколькими неделями позже решил испытать ее на практике.

Через некоторое время это предписание стало строго соблюдаться, но со временем я заметил, что, придерживаясь этого принципа, многие из моих пациентов не доходят до конца. Тогда я решил установить точный день и без особых причин предложил четверг. И вдруг все чудесным образом изменилось.

> МОИ ПАЦИЕНТЫ ВСЕ БЕЗ ИСКЛЮЧЕНИЯ СТАЛИ ПРИДЕРЖИВАТЬСЯ ЭТОГО УКАЗАНИЯ И ДЕЛАЮТ ЭТО И ПО СЕЙ ДЕНЬ, ПРОСТО ПОТОМУ, ЧТО НЕ ОНИ ВЫБРАЛИ ЭТОТ ДЕНЬ, ВЕДЬ ДЛЯ ТОЛСТЯКА НЕТ НИЧЕГО ТРУДНЕЕ, ЧЕМ САМОМУ ВЫБРАТЬ ДЕНЬ ЗАПРЕТОВ.

Когда одна из пациенток спросила меня, почему четверг, а не какой-либо другой день, я ответил ей, что он находится в середине недели, и с тех пор придерживаюсь этой версии. Это, конечно, просто шутка, но она прекрасно объясняет и регламентирует это неподлежащее обсуждению указание, чья функция — исправлять возможные погрешности в питании, совершенные за неделю.

## Особенности белкового четверга

Чем этот белковый день отличается от других белковых дней этапа атаки?

В начале этой книги я подробно рассказал о различных продуктах, содержащих белки, которые во время второго этапа вы чередуете с овощами и которые появляются на смешанном этапе в виде белкового четверга. Но надо заметить, что на всех этих этапах потребление белков сопровождалось последовательной серией строгих правил, которые почти не оставляли места для личной инициативы.

Теперь пришло время работать без посторонней помощи. С этого момента вы можете свободно нормально питаться 6 дней в неделю, и белковый четверг будет чем-то вроде защитной решетки, способной удержать вашу тенденцию к ожирению. Это означает, что решетка должна оставаться в идеальном состоянии, поскольку одна-единственная погрешность может поставить под угрозу устойчивость вашего веса.

В этот очень ценный для вас белковый день вам придется выбирать и использовать продукты, содержащие максимальное количество белка, которые дадут наилучшие результаты, и ограничить или даже исключить из своего меню те, где есть пусть даже незначительное количество жиров или углеводов, так как их чрезмерное потребление может подорвать всю эффективность этого белкового дня.

## Белковые продукты для четверга на заключительном этапе

**НЕЖИРНОЕ МЯСО**. Вы уже знаете, что свинина и баранина слишком жирные, чтобы включать их в список продуктов для белкового дня.

Среди всех видов мяса **конина** заслуживает особого внимания. Это наиболее здоровое мясо, которое раньше без труда можно было найти в магазинах и мясных лавках. К сожалению, сейчас оно не очень популярно и становится редкостью. Но именно этот сорт мяса больше всего подходит для белкового четверга благодаря низкому содержанию жира.

Далее следует **говядина**, которая также является постным мясом, — например, шницель (от немецкого слова «говяжья вырезка») лучше всего подходит для белкового четверга. Жаркое

ЗАКЛЮЧИТЕЛЬНЫЙ ЭТАП ПОДДЕРЖАНИЯ ДОСТИГНУТОГО ВЕСА «СТАБИЛИЗАЦИЯ»

из говядины также допускается при условии, что будет хорошо прожарено.

**Телячью отбивную**, мясо достаточно жирное, можно есть в другие дни недели, но не в четверг. Необходимо помнить, что разные части телятины очень отличаются по содержанию жира.

Потребление **стейка и филейной части** возможно, но речь идет только о стейке, приготовленном из нежирной части говядины или телятины. Сегодня в магазинах без труда можно найти замороженные стейки 5%-ной жирности. Их вы без угрызений совести можете есть в белковый четверг.

**РЫБА И МОРЕПРОДУКТЫ.** На первом, втором и третьем этапах диеты я ввел все виды рыбы, включая рыбу из холодных морей — лосось, сардины, макрель и тунец, — несмотря на ее жирность, так как она чрезвычайно полезна для сердечно-сосудистой системы. **Но теперь в белковый четверг на заключительном этапе эта жирность не допускается.** За один прием пищи разрешается максимум 200 г сырого или 150 г копченого лосося. Однако белая нежирная рыба станет вашим лучшим лакомством в четверг.

Существует много классических способов приготовления рыбы, таких как запекание в фольге, на сковороде, на гриле, включая простой и оригинальный рецепт рыбы в сыром виде. Он особенно подходит для таких рыб, как мероу, мольва, дорада и сайда. Нужно замочить их на несколько минут в лимонном соке, нарезать тонкими ломтиками, посыпать солью, перцем и специями — и вот вам свежее и вкусное блюдо.

Палтус, кефаль, барабулька и скат — более жирные разновидности белой рыбы, но не жирнее самого диетического мяса. Это означает, что вы можете есть эту рыбу без опасений.

Крабы, креветки, мидии, устрицы, морские гребешки еще менее жирные, чем рыба из холодных морей и мясо. Поэтому ешьте их без колебаний.

КСТАТИ, БЛЮДО ИЗ МОРЕПРОДУКТОВ МОЖЕТ ОКАЗАТЬСЯ БОЛЬШИМ ПОДСПОРЬЕМ, ЕСЛИ В ЧЕТВЕРГ СВАЛИВАЕТСЯ, КАК СНЕГ НА ГОЛОВУ, НЕОЖИДАННОЕ ПРИГЛАШЕНИЕ В РЕСТОРАН. НО, ЕСЛИ ВЫ ЛЮБИТЕ МОРЕПРОДУКТЫ, ИЗБЕГАЙТЕ ЖИРНЫХ УСТРИЦ В БОЛЬШОМ КОЛИЧЕСТВЕ.

**ПТИЦА И ДИЧЬ**. Потребляемая без кожи, домашняя птица, за исключением гусей и уток, является одним из самых лучших белковых вариантов. Но я привнесу некоторые разъяснения в связи с белковым четвергом на заключительном этапе.

Куриное мясо допускается, но **избегайте кожи, крыльев, верхней части куриной ножки и копчика**. Оставьте их для других дней недели. Остальные части курицы могут потребляться без опаски. Цесарку и индейку можно есть свободно. Кролик является отличным источником чистого белка. Перепела и голуби могут разнообразить и придать вашему столу праздничный вид, делая ваш белковый четверг особенным.

Любая из этих птиц может быть приготовлена по-разному. Курицу лучше запечь в духовке или на гриле. В четверг ее лучше запекать на гриле, и не забывайте, что нужно немедленно убрать жирный сок, который она выделяет.

Индейка и цесарка идеальны для приготовления в печи, частые опрыскивания лимоном избавят их от излишнего жира. Для перепелов и голубей рекомендуется использовать гриль. А кролика в этот день лучше не приправлять горчичным соусом, рекомендуемым мною на первом этапе. Приготовьте для него соус из обезжиренного творога со специями.

> 66 *Хочу повторить, что отказ от лифта и 20 минут ходьбы в день — это моя настоятельная врачебная рекомендация каждому, желающему сохранить свой полученный результат* 99

**ЯЙЦА.** Яичный белок является наиболее распространенной белковой пищей, и он намного чище, чем белковые концентраты. Но белок является лишь частью яйца, не нужно забывать о желтке, содержащем комплекс жирных веществ. Наиболее известный белок в сочетании с желтком образуют единый прекрасно сбалансированный ансамбль, который можно потреблять в четверг.

> **!** ОДНАКО ЕСЛИ ВАМ ОСОБЕННО ТРУДНО СТАБИЛИЗИРОВАТЬ ВЕС, ИЛИ НЕДЕЛЯ БЫЛА ГАСТРОНОМИЧЕСКИ НАСЫЩЕННОЙ, И ВЫ ХОТИТЕ ИЗВЛЕЧЬ МАКСИМАЛЬНУЮ ПОЛЬЗУ ОТ БЕЛКОВОГО ЧЕТВЕРГА, ИСКЛЮЧИТЕ ЯИЧНЫЕ ЖЕЛТКИ ИЗ ВАШЕГО РАЦИОНА И ЕШЬТЕ ТОЛЬКО БЕЛОК.

Другое решение — просто приготовить омлет или яичницу с 1 желтком и 2 яичными белками, или, если вы очень голодны, можете добавить обезжиренное сухое молоко. Я думаю, вам не нужно напоминать, что эти меры окажутся напрасными и разрушат все ваши усилия, если вы добавите в яичницу даже самую малую толику сливочного или растительного масла. Купите себе хорошую сковородку с антипригарным покрытием и готовьте свой омлет или яичницу, предварительно сбрызнув ее несколькими каплями воды.

**МОЛОЧНЫЕ ПРОДУКТЫ 0 %-НОЙ ЖИРНОСТИ.** Огромное преимущество обезжиренного йогурта и творога в том, что они не содержат жиров. Их потребление, согласно статистике, возрастает с каждым годом. Но вот что же остается в этих продуктах после извлечения жиров? Остаются, конечно же, молочные белки, те, из которых и изготавливаются белковые порошки. Также присутствует в умеренных количествах лактоза или молочный сахар, который в вашем случае не нужен.

При длительном следовании программе наличие лактозы, как показывает опыт, не влияет на эффективность чистых белков, и к тому же обезжиренные молочные продукты являются единственным источником свежести, и их можно есть без ограничений или по крайней мере не превышая 700–800 г в сутки.

Однако на заключительном этапе, когда четверг становится единственным днем, помогающим удерживать ваш вес, вы должны быть начеку и с особой осторожностью выбирать продукты, где присутствует лактоза. Если сравнить состав обезжиренного йогурта и творога, мы увидим, что в твороге больше белков и меньше лактозы, чем в йогурте. Таким образом, в белковый четверг любители йогуртов должны выбирать творог, наслаждаясь своим любимым лакомством в оставшиеся шесть дней недели.

*Ежедневно употребляйте в пищу 3 столовые ложки овсяных отрубей, можно в виде блинчиков или лепешек, которые так всем нравятся*

**ВОДА.** 1,5 литра воды в день, используемые для снижения веса на первых трех этапах, и здесь мне кажутся наилучшим средством очищения организма, который сжигает свои собственные жиры. В четверг даже лучше увеличить дозу и перейти к 2 литрам воды в день. Это мера, благодаря которой тонкая кишка буквально наводняется, снижая аппетит. Чем больше продукты разбавлены, тем медленнее они усваиваются организмом.

Такое промывание кишечника в сочетании с максимальной концентрацией белка выступает в качестве ударной волны с целью не только парализовать усвоение питательных веществ в четверг, но и продлить этот эффект на ближайшие 2–3 дня, когда процесс извлечения питательных веществ достигает своего пика.

**СОЛЬ.** Соль является жизненно важным продуктом питания. Наш организм можно сравнить с соленым морем, так как кровь и лимфа по содержанию соли напоминают воду океанов. Но соль —

враг для тех, кто пытается похудеть, так как в больших количествах она способствует удержанию воды в организме, который и без того уже насыщен жировыми клетками.

С другой стороны, бессолевая диета снижает кровяное давление и очень утомительна. Таким образом, на протяжении всего периода снижения и поддержания веса я рекомендую сократить употребление соли в пищу, но не искоренять полностью. Поэтому сделайте ваш белковый четверг более бедным солью.

> СОКРАЩЕНИЕ СОЛИ В ТЕЧЕНИЕ ОДНОГО ДНЯ НЕ СТОЛЬ ЗНАЧИТЕЛЬНО, ЧТОБЫ ПОВЛИЯТЬ НА КРОВЯНОЕ ДАВЛЕНИЕ, НО ДОСТАТОЧНО, ЧТОБЫ ПОЗВОЛИТЬ ПОГЛОЩЕННОЙ ВОДЕ БЫСТРО ПРОЙТИ ЧЕРЕЗ ВЕСЬ ОРГАНИЗМ И ОЧИСТИТЬ ЕГО.

Это особенно важно для женщин, получающих гормональную терапию, подверженных удержанию воды в определенные моменты своей жизни. По тем же причинам потребление горчицы должно в этот четверг быть уменьшено. Уксус, черный перец, ароматические травы и специи компенсируют это ограничение.

## Белковый порошок

До этого момента мы рассматривали только природные белки. Но, кроме яичного белка, ни один из всех перечисленных ранее продуктов не является чистым белком в истинном смысле этого слова. Таким образом, наши усилия были сосредоточены на выборе продуктов, по своим характеристикам лишь приближающихся к чистым белкам.

Вот уже несколько лет пищевая индустрия предлагает пищевой белковый порошок, который представляет собой практически чистый белок. В теории эти порошки выглядят весьма соблазнительно, но на практике вы увидите, что у них есть свои преимущества и недостатки, которые вы должны тщательно взвесить, прежде чем решить, следует ли вам их использовать.

## ПРЕИМУЩЕСТВА И НЕДОСТАТКИ БЕЛКОВОГО ПОРОШКА

**Преимущества:**

- преимущество белкового порошка — это его **чистота**, хотя на практике эта особенность не играет большой роли при потере веса. С другой стороны, на третьем и четвертом этапах, когда соблюдается только один белковый день в течение недели, концентрированный белок может оказаться очень полезным, поскольку он усиливает эффективность белкового четверга;

- белковый порошок **можно брать с собой повсюду**, использовать в любой ситуации, что удобно, в частности, тем, кто ведет очень насыщенную профессиональную жизнь и не всегда может садиться за стол в привычные для приема пищи часы.

**Недостатки:**

- основным недостатком белкового порошка является то, что это яркий **пример неестественного искусственного питания**. В нормальных условиях человек биологически не приспособлен к порошковому питанию. Наши чувства — зрение, осязание, вкус, обоняние — и мозговые центры, контролирующие ощущение сытости и вкуса, побуждают нас выбирать продукты, которые имеют особый внешний вид, вкус, запах и текстуру. Просто человек привык к человеческим продуктам!

Представляется замечательная возможность коротко продемонстрировать вам анализ причин проблемы избыточного веса — бича современного общества, которые я извлек из своего 30-летнего опыта работы с пациентами.

Да, мы поправляемся, потому что слишком много едим и

недостаточно двигаемся. Но почему же так происходит? Оказывается, что мы все находимся в одинаковой ситуации: избыток предложения продуктов питания на рынке и всеобщее стремление к оседлому образу жизни. Как же 40 миллионам французов из 60 удается избежать проблемы избыточного веса, в то время как для оставшихся 20 миллионов она остается актуальной? Да, мы знаем, как человек поправляется, но почему? Почему же треть французов слишком много ест и недостаточно двигается, поправляясь из-за этого и ненавидя свой вес?

Я на практике убедился и практически каждый день констатирую, что **20 миллионов французов набирают вес лишь потому, что не умеют приспосабливаться** к незримым, но вполне реальным **трудностям современного образа жизни**. Быстрый, вполне обеспеченный и очень даже удобный образ жизни больше не доставляет трети французского населения достаточную для полноценной жизни дозу удовольствия и возможностей самореализации. Все эти трудности, какой бы характер они ни носили, временный или постоянный, затрагивают нас лично, и мы стремимся найти необходимую разрядку в питании. Неудовлетворенность жизнью и трудность приспособления к современному ее ритму заставляет нас удалиться от всего естественного, человеческого, инстинктивного. И вот мы снова глотаем белковые порошки, делая наше питание искусственным, тем самым лишая его изначальной эмоциональной окраски.

● Белый порошок, каким бы сладким и ароматным он ни был, **не является достаточным раздражителем**, способным взволновать наши органы чувств. Процесс приема пищи отождествляется не только с получением энергии и питательных веществ, но и с необходимостью компенсировать стрессы современной жизни, испытать вкусовые удовольствия. Известно, что продолжительное использование порошкового белка приводит со временем к приступам булимии — состоянию крайне нестабильному, которое исключает любую надежду на стабилизацию веса. Таким образом, этот тип питания может использоваться лишь изредка.

О других недостатках технического порядка я просто упомяну, в первую очередь обращаясь к безоговорочным сторонникам порошков, так как новички настолько покорены рекламой этих продуктов, что не обратят на мои слова ни малейшего внимания. Однако они вскоре убедятся, что их порошки эффективны лишь на короткий период времени:

- первый недостаток — **высокая цена**. Худеть с порошковыми пакетиками — очень дорогое удовольствие;

- второй недостаток — их **неодинаковые чистота и качество**. Надо избегать частого потребления неполных растительных белков и стараться есть молочные и яичные белки;

- третий недостаток заключается в **отсутствии в таких порошках волокон**. Без волокон желудочно-кишечный тракт не может правильно строить свою деятельность. Длительное применение порошков может послужить причиной запоров и других неудобств, иногда даже болезненных отеков.

В заключение можно сказать, что список недостатков белковых порошков оказался намного длиннее списка преимуществ, но если использовать их время от времени, они могут оказаться полезными. Их можно иногда съесть вместо бутерброда, если вы пропустили прием пищи, или для повышения эффективности белкового четверга.

# ОТКАЗ ОТ ЛИФТА

Эта инструкция является неотъемлемой частью последнего этапа плана диеты. Человеку, потерявшему большое количество килограммов и осознающему, как много усилий это ему стоило, я бы посоветовал принять еще одну важную рекомендацию: больше не пользоваться лифтом. Сегодня, когда степперы (тренажер, имитирующий подъем по лестнице) и другие спортивные тренажеры продаются по сумасшедшим ценам, когда абонемент на посещение спортзала может запросто опустошить бюджет, почему не рассматреть **поднимание по лестнице** как ежедневную и к тому же бесплатную спортивную деятельность? Я всегда рекомендую своим пациентам подниматься по лестницам и даже приобрел привычку предписывать это в своих медицинских рецептах.

Одним словом, тем, кто хочет стабилизировать достигнутый вес, нужно навсегда отказаться от использования лифта.

> **!** ПОДЪЕМ И СПУСК ПО ЛЕСТНИЦЕ ЯВЛЯЮТСЯ ДЕЯТЕЛЬНОСТЬЮ, ВОВЛЕКАЮЩЕЙ В РАБОТУ НАИБОЛЕЕ ВАЖНЫЕ МЫШЦЫ НАШЕГО ОРГАНИЗМА, В РЕЗУЛЬТАТЕ ЧЕГО ОН РАСХОДУЕТ БОЛЬШОЕ КОЛИЧЕСТВО КАЛОРИЙ ЗА НЕБОЛЬШОЙ ПРОМЕЖУТОК ВРЕМЕНИ. ПОДЪЕМ ПО ЛЕСТНИЦЕ ТАКЖЕ ПОЗВОЛЯЕТ СЕРДЦУ ОСЕДЛОГО ГОРОЖАНИНА ИЗМЕНИТЬ РИТМ, ЧТО ЯВЛЯЕТСЯ ОТЛИЧНЫМ СПОСОБОМ ИЗБЕЖАТЬ СЕРДЕЧНОГО ПРИСТУПА.

Однако эта рекомендация имеет и другой, скрытый смысл. Подъем по лестнице ежедневно подвергает испытанию мотивацию и решимость пациентов в стабилизации своего веса. Нужно просто энергично и с энтузиазмом взяться за поручень лестницы и стать на первую ступеньку. Эти простые и полезные ежедневные действия должны стать для вас автоматическими. Выбрать лифт под предлогом опоздания или тяжелой сумки в руках — это начало отступления от правил игры, которое со временем может только увеличиться. Поэтому в любом случае выбирайте лестницу.

# 3 СТОЛОВЫЕ ЛОЖКИ ОВСЯНЫХ ОТРУБЕЙ В ДЕНЬ

Я уже рассказывал о значимости овсяных отрубей в первой части книги, и информация, которую я вам дал о них, была достаточно полной. Сейчас я просто хочу, исходя из моего опыта, добавить несколько деталей. Я заметил, что пациентки, читательницы или пользователи Интернета, получающие инструкции онлайн, достигают наилучших результатов на длительный срок, регулярно **используя овсяные отруби и особенно лепешки и блинчики**, которые они с удовольствием готовят и потребляют 2 раза в день: утром и в середине дня.

Я думаю, что помимо влияния на насыщение овсяные отруби, как и отказ от лифта или белковый четверг, создают нечто вроде защитной решетки, которая оберегает вас от возможных отклонений от курса и напоминает, что у вас в руках есть хорошие козыри, чтобы противостоять опасности повторного набора веса.

 ОТНЫНЕ ВЫ ДОЛЖНЫ ВКЛЮЧИТЬ 3 СТОЛОВЫЕ ЛОЖКИ ОВСЯНЫХ ОТРУБЕЙ В ВАШ ЕЖЕДНЕВНЫЙ РАЦИОН. НИКТО И НИЧТО НЕ МЕШАЕТ ВАМ ИНОГДА ДОБАВИТЬ И ЧЕТВЕРТУЮ ЛОЖКУ, ЕСЛИ ВАМ ЭТОГО ВНЕЗАПНО ЗАХОЧЕТСЯ ИЛИ ЕСЛИ В ЭТОМ ВОЗНИКНЕТ ПОТРЕБНОСТЬ.

Однако необходима небольшая предосторожность. Поскольку овсяные отруби являются продуктом, тормозящим усвоение питательных веществ, то возникает вопрос: распространяется ли это не только на пищу, поступающую в организм, но и на витамины и принимаемые лекарства? Ответ утвердительный. Тем не менее их действие весьма и весьма ограничено, так как витамины вводятся в маленьких количествах, равно как и медикаменты. И при дозе, не превышающей 3 столовые ложки, нет причин опасаться, что принимаемые витамины или лекарства не будут усвоены организмом. Однако — и это я констатировал у многих пациентов —

некоторые могут с легкостью превысить эту дозу. В таких случаях желательно подождать один час после приема овсяных отрубей (только в случае, если вы употребили более 3 столовых ложек), прежде чем принять лекарства или витамины.

## РЕЗЮМЕ.
## Памятка для финального этапа «Стабилизация»

1) Устраивайте себе **один чистобелковый четверг в неделю,** выбирайте для этого продукты, содержащие максимальное количество белка, так как они дадут наилучшие результаты.

2) Продолжайте пить 1,5 литра воды в день.

3) Не пользуйтесь лифтом и не забывайте о 20 минутах ходьбы в день.

4) Ежедневно употребляйте 3 столовые ложки овсяных отрубей в любом виде.

# Глава 8

# МЕНЮ И РЕЦЕПТЫ ДЛЯ ЭТАПОВ «АТАКА» И «ЧЕРЕДОВАНИЕ»

Этап чистых белков «Атака» со своим сильным воздействием и белковый четверг третьего этапа закрепления веса вам должны быть хорошо известны. Если вы уже начали следовать им, то, вероятно, обнаружили, что это простой, но эффективный метод. Простота, которая исключает всякую двусмысленность и показывает совершенно ясно, какие продукты можно есть, — одна из его сильных сторон. Но она же одновременно очень уязвима — некоторые пациенты из-за нехватки времени или воображения вынуждены постоянно питаться все теми же стейками, сваренными вкрутую яйцами и обезжиренным йогуртом. Со временем, однако, меню начинает казаться однообразным и создается ложное впечатление, что такой тип питания утомительный и монотонный.

Однако очень важно, особенно тем, у кого значительный избыточный вес, приложить все необходимые усилия, чтобы сделать эту систему питания не только приемлемой, но и привлекательной.

Проводя консультации, я заметил, что по отношению к тому же списку разрешенных продуктов некоторые женщины проявляли себя изобретательнее, чем другие, и без труда могли создавать смелые и новаторские рецепты, которые обеспечивали им хорошо переносимую диету.

Так у меня появилась привычка записывать рецепты моих пациентов и предлагать их другим женщинам, у которых меньше времени и изобретательности. Это привело к созданию целой книги рецептов, которые оказались очень полезными для всех тех, кто выбрал мою диету. В этих рецептах используются только продукты из списков этапа атаки и этапа чередования.

Они, конечно, не являются обязательными и не исчерпывают возможностей изобретать новые блюда — моим пациенткам всегда удавалось вводить новшества и тем самым делать диету более разнообразной. Если кто-либо из вас относится к убывающему в наше время кругу кулинаров, я буду искренне благодарен, если вы пришлете мне ваши рецепты, они непременно будут включены в последующие издания этой книги.

Публикуя эти рецепты, я хочу помочь тем, кто их использует, чтобы успешно завершить начатую процедуру похудения.

> 66 *Предлагаемые рецепты — малая доля того, что можно приготовить из заявленного перечня 100 продуктов. На многочисленных форумах вы сможете найти еще больше рецептов. Кроме того, книга рецептов на русском языке планируется к выходу к концу 2011 года* 99

# РЕЦЕПТЫ ДЛЯ ЭТАПА АТАКИ
## Соусы

Большинство соусов невозможно приготовить без масла. Сливочное масло или сливки являются главными врагами желающего похудеть и, следовательно, полностью исключены из меню в течение двух первых этапов — этапов фактической потери веса.

Поэтому самая большая проблема, стоящая передо мной при составлении принципов первых двух этапов, заключалась в том, чтобы найти соусы, которые позволяли бы сделать вкуснее такие ценные продукты, как мясо, рыбу, яйца или домашнюю птицу.

> **!** ЧТОБЫ ЗАМЕНИТЬ ЖИРЫ И ПРИДАТЬ СОУСАМ СООТВЕТСТВУЮЩУЮ КОНСИСТЕНЦИЮ, МОЖНО ИСПОЛЬЗОВАТЬ ВАЗЕЛИНОВОЕ МАСЛО, ГУАРОВУЮ КАМЕДЬ И КУКУРУЗНЫЙ КРАХМАЛ.

Итак, рассмотрим каждый из перечисленных продуктов, которые можно использовать для приготовления соусов и заправок:

- **вазелиновое масло.** Как я уже упоминал, это один из видов минеральных масел, который не содержит калорий; проходя через пищеварительный тракт, не проникает в кровь, а просто смазывает кишечник, что делает его очень полезным в питании и профилактике запоров.
  Его недостатки — высокая плотность и слабительный эффект. Плотность можно уменьшить, разбавив минеральной водой. А если его слабительное действие слишком сильно для вас, уменьшите дозу или используйте другой загуститель. Одно маленькое, но важное замечание: **это масло нельзя использовать для жарки или приготовления горячих блюд;**

- **гуаровая камедь.** Этот малоизвестный ингредиент продается в аптеках в виде порошка. Она не содержит калорий и является естественным загустителем, позволяет сделать соусы гуще и придать им маслянистость. Используется в малых количествах — 1/4 чайной ложки на 150 мл жидкости — и загустевает при высокой температуре;

● **кукурузный крахмал.** Это прекрасный загуститель. Безусловно, это углеводы, но количество, используемое для соуса, ничтожно мало, поэтому им можно пренебречь — 1 чайная ложка на 125 мл жидкости. Как и гуаровая камедь, кукурузный крахмал обеспечивает маслянистость соусу типа бешамель без добавления жира. Перед употреблением кукурузный крахмал растворяют в небольшом количестве холодной жидкости — воды, молока или бульона, затем добавляют в теплую смесь. Он сгущается при варке;

● **кубики овощного бульона.** Они очень удобны для приготовления некоторых соусов не только в качестве загустителей и заменителей масла в салатах, но также смешанные с рубленым, жаренным до золотистого цвета луком, хороши как гарнир для жареного мяса и рыбы.

На основе этих компонентов предлагаю несколько рецептов для основных соусов.

## Приправа к зеленому салату

Этот соус будет иметь для вас большое значение, когда вы перейдете на второй этап «Чередование». Его роль — облегчить потребление салатов и сырых овощей.

Этот соус можно готовить следующими двумя способами, удовлетворяя таким образом запросы любителей совершенно разных вкусов.

● **Соус-винегрет с вазелиновым маслом**

Чтобы добиться хорошего вкуса соуса, нужно разбавить вазелиновое масло минеральной водой и добавить уксус и горчицу. Соблюдайте следующие пропорции:

- 1 кофейная ложка масла;

- 1 столовая ложка минеральной воды;

- 2 столовые ложки винного уксуса;

- 1 столовая ложка горчицы.

Добавьте соль и перец. Любители ароматических трав, табаско, соевого или вустерского соуса могут также добавить их.

- **Соус-винегрет с овощным бульоном**

Растворите в 2 столовых ложках горячей воды 1 кубик овощного бульона, затем добавьте 1 чайную ложку кукурузного крахмала, 2 столовые ложки уксуса и 1 столовую ложку горчицы.

## Классический майонез

Это классический майонез из вазелинового масла. Положите в пиалу яичный желток с солью и перцем и 1 кофейную ложку уксуса. Хорошо смешайте. Добавьте, помешивая, несколько капель вазелинового масла. Когда соус начнет загустевать, добавьте горчицу.

## Зеленый майонез

Готовьте таким же образом, как в предыдущем рецепте. Но добавьте рубленые кервель[12] и лук-порей.

## Майонез без вазелинового масла

Сварите яйцо вкрутую. Подавите его вилкой и смешайте с 50 г обезжиренного мягкого творога. Добавьте специи, соль и перец.

---

[12] Кервель — однолетнее растение, которое часто используют в европейский странах в качестве приправы — *Прим.ред.*

## Беарнский соус

Возьмите лук-шалот, эстрагон, уксус, 2 яйца. Сварите в уксусе тонко порубленный лук-шалот. Добавьте по вкусу порубленный эстрагон. Позвольте смеси остыть, затем добавьте 2 желтка, взбивая до консистенции майонеза.

## Соус с зеленью, чесноком, уксусом и яйцами (соус «Равигот»)

Возьмите 2 кофейные ложки вазелинового масла, посолите, поперчите, подогрейте на водяной бане и используйте с холодным или теплым мясом.

Добавьте сваренное вкрутую яйцо, 3 средних корнишона, головку лука и пучок трав. Смешайте все в пиале с 200 г обезжиренного йогурта, 1/2 чайной ложки горчицы, солью. Такой соус подается к рыбе, сваренным вкрутую яйцам, мясу и овощам.

> *Если вы хотите поделиться с худеющими своим рецептом полезного блюда, можете написать мне на сайтах* **www.regimedukan.com, www.dukan.ru**

## Белый соус

Вам понадобится 2 яичных желтка, 100 г обезжиренного йогурта и полстакана обезжиренного молока. Молоко посолите, поперчите и осторожно добавьте к 2 яичным желткам, хорошо перемешивая. Затем добавьте йогурт. Подогрейте смесь на водяной бане. Перед подачей к рыбе можно добавить мелко нарезанные корнишоны.

## Соус «Грибиш»

Рецепт рассчитан на 4 порции.

Разомните сваренное вкрутую яйцо. Добавьте 2 чайные ложки горчицы, 1 столовую ложку уксуса, 1 чайную ложку вазелинового масла, предварительно разбавленного минеральной водой, а затем 1 столовую ложку обезжиренного йогурта, соль, перец, петрушку.

Прекрасно подходит для тушеного мяса, колбасных изделий и особенно языка.

## Зеленый соус

Вам понадобится 25 г каждой из следующих свежих трав: щавель или кресс-салат по выбору, петрушка, эстрагон, шнитт-лук, сельдерей, листья мяты и молодой лук-шалот.

> 66 *Вы откроете для себя множество вкусных и, главное, диетических заправок и соусов, не используя растительного масла и майонеза* 99

Очень мелко порубите травы, затем добавьте молодой лук-шалот. Разомните 3 сваренных вкрутую яйца. Смешайте 200 г обезжиренного йогурта, уксуса, соль, перец с зеленью и луком. Перемешайте и дайте остыть. Зеленый соус вполне подходит к вареной говядине.

## Томатный соус

Рецепт рассчитан на 4 порции.

На сковородке с тефлоновым покрытием поджарьте до золотистого цвета лук, а затем добавьте 6–8 очищенных помидоров без зернышек или, если торопитесь, 300 мл томатного пюре. Посыпьте солью и перцем.

Закройте крышкой и варите на слабом огне 20 минут. Остудите и смешайте с помощью миксера. Приправьте для вкуса свежей мятой, базиликом и эстрагоном.

Используйте с рыбой или овощами.

## Соус с ароматными травами

Рецепт рассчитан на 4 порции.

Растворите кубик овощного бульона и 1 чайную ложку кукурузного крахмала в половине чашки теплой воды. Поставьте смесь на огонь и помешивайте до загустения. Остудите и добавьте 200 г обезжиренного творога, петрушку, тимьян, соль и перец.

Соус подходит к мясу и рыбе.

## Соус охотничий

Рецепт рассчитан на 4 порции.

Положите в миску две луковицы-шалот, залейте 3 столовыми ложками уксуса и 2 столовыми ложками воды.

Закройте и варите 10 минут.

Дайте остыть в течение 5 минут, а затем добавьте 1 яичный желток, 2 столовые ложки творога, соль, перец и мелко нарезанный эстрагон.

Загустите соус на водяной бане.

Подавайте с мясом и рыбой.

## Голландский соус

Рецепт рассчитан на 4 порции.

Смешайте яичный желток с 1 чайной ложкой горчицы и 2 столовыми ложками лимонного сока.

Нагревайте несколько минут на водяной бане до сгущения смеси, а затем медленно добавьте 50 мл теплого молока, постоянно помешивая.

Держите соус в тепле до момента подачи к столу.

Подходит для рыбы, а также спаржи, зеленых бобов, шпината.

## Бешамель

Смешайте 250 мл холодного обезжиренного молока и 1 столовую ложку кукурузного крахмала, затем добавьте кубик овощного бульона.

Готовьте смесь на медленном огне до загустения. Добавьте по вкусу соль, перец и мускатный орех.

Подавайте с овощами.

### Соус с хреном

Смешивайте в миксере 100 г творога с кофейной ложкой натертого хрена, солью и перцем до тех пор, пока смесь не станет воздушной.

Хорошо подходит для рыбы, а также для белого мяса.

### Тартар

Смешайте 75 г диетического майонеза (см. выше), 10 г нарезанного лука, огурцов и листьев петрушки. Посыпьте перцем.

Прекрасно сочетается с холодной рыбой, стейком, языком и ветчиной.

### «Божественный» соус

Перемешайте в миске 2 желтка, 1 столовую ложку горчицы, 150 г обезжиренного творога, 1 чайную ложку кукурузного крахмала, соль и перец.

Варите смесь на медленном огне, помешивая. Затем снимите с огня и добавьте нарезанные ароматические травы и лимонный сок.

Соус подается с горячей рыбой.

# Рецепты с говядиной

### Ростбиф

Возьмите 250 г говяжьего филе, положите в посуду для запекания, налейте немного воды и поставьте его в сильно нагретую духовку.

Выпекайте 15 минут. Посолите в конце запекания, иначе мясо будет пересушенным.

Подавайте в холодном виде с любым из описанных выше соусов.

## Говяжья вырезка на шампурах

Нарежьте большими кусками 400 г филе говядины и нанизывайте на шампуры вместе с кольцами лука, тимьяном и лавровым листом. Можно также нанизать помидоры и перец, но только для декоративного аспекта, в чистобелковый период их нельзя употреблять.

## Стейк с соусом тартар

Возьмите 200 г рубленого стейка и смешайте его со всеми ингредиентами соуса тартар (см. «Соусы») до получения однородной смеси. Этот рецепт подойдет для любителей сырого мяса.

## Стейк с перцем

Возьмите хороший стейк и запекайте его в тефлоновой сковороде. После запекания посыпьте его грубо помолотым черным перцем. Смешайте 50 г обезжиренного йогурта, 1 чайную ложку вазелинового масла, перец и вылейте половину смеси на горячий стейк. Дайте ему постоять в горячей духовке. Затем добавьте оставшийся соус.

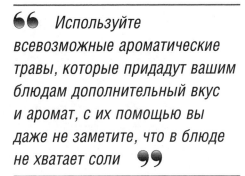

*66 Используйте всевозможные ароматические травы, которые придадут вашим блюдам дополнительный вкус и аромат, с их помощью вы даже не заметите, что в блюде не хватает соли 99*

## Рагу из говядины

Опустите 500 г нежирной говядины в пол-литра воды с тимьяном, лавровым листом и луком. Посыпьте солью и перцем.

Варите 75 минут после закипания, затем заправьте нарезанное мясо соусом «Равигот» и корнишонами.

После белкового периода, когда в меню появятся овощи, вы можете добавить бульон из лука-порея и подавать его с говядиной в томатном соусе.

### Ростбиф из рубленого мяса

*Ингредиенты:* 1,2 кг говяжьего фарша, 4 яйца, соль, черный перец, 1 луковица и 50 г творога.

Взбейте 2 яйца, порубите лук, добавьте творог, соль и перец и смешайте с мясом. Посыпьте сковороду мукой и выложите половину смеси.

Другие 2 яйца сварите вкрутую, нарежьте и выложите на фарш. Затем накройте их второй половиной смеси.

Разогрейте духовку до 180 °C и выпекайте около часа.

Подавайте вместе с теплым или холодным соусом из хрена, зеленым или томатным соусом.

# Рецепты с телятиной

### Фрикасе из телятины

Возьмите 1,2 кг нежирной телятины, порежьте ее на куски и сварите.

Вскипятите большой стакан обезжиренного молока, к которому вы добавите мелко нарезанный тимьян. Посыпьте солью и перцем. Дайте остыть и добавьте в молоко 3 сырых желтка. Хорошо перемешайте и залейте соусом телятину. Подогревайте без кипячения.

### Телячий шницель

Выложите дно тефлоновой сковороды мелко нарезанным луком, добавьте кубик овощного бульона, растворенного в небольшом количестве воды. Нагревайте на умеренном огне до начала карамелизации. Затем выложите шницель на лук и поджаривайте по 10 минут на каждой стороне. После выпечки уберите лук и на сильном огне готовьте шницель в оставшемся соке. Можете выжать на шницель немного лимонного сока.

## Телячья отбивная

Готовьте мясо, как и в предыдущем рецепте, но в конце варки вылейте 2 столовые ложки воды на эскалоп с луком и оставьте кипеть на огне в течение 1 минуты.

Подавайте с корнишонами, нарезанными кружками.

## Хлеб из телятины

*Ингредиенты:* 500 г телячьего фарша, 100 г говяжьего фарша, 4 взбитых яйца, 1 столовая ложка розового перца, соль и черный перец.

Смешайте розовый перец, соль и черный перец со взбитыми яйцами. Добавьте мясо и перемешайте. Смажьте сковороду каплей масла, посыпьте мукой и выложите на нее смесь. Разогрейте духовку до 160 °C и выпекайте 75 минут.

> 66 *Помните, что на первом этапе атаки лук можно использовать только в процессе готовки мяса, рыбы или морепродуктов. После того как блюдо будет готово, вам следует убрать его* 99

# Рецепты из субпродуктов

## Телячья печень с уксусом

Выложите дно тефлоновой сковороды нарезанным луком и залейте его растворенным в небольшом количестве воды кубиком овощного бульона. Варите на медленном огне, пока лук не начнет карамелизироваться. Выложите на лук печень и обжаривайте в течение 10 минут с обеих сторон. Затем уберите лук и запекайте печень на сильном огне, тщательно сбрызгивая ее уксусом.

## Говяжий язык с соусом «Равигот»

Удалите жир и залейте 1,5 литра воды, добавьте тимьян, лавровый лист и лук. Посыпьте солью и перцем. Выпекайте в духовке 75 минут. Нарежьте ломтиками и подавайте с соусом «Равигот» и корнишонами.

Используйте только переднюю часть языка, так как она менее жирная, чем основание языка.

### Сердце и почки на шампурах

Нарежьте кусочками по 200 г говяжьи или бараньи почки и сердца и нанизывайте их вместе с кружками лука, тимьяном и лавровым листом на шампуры. Для вкуса можно добавить помидоры и перцы, но не следует их есть во время этапа атаки.

## Блюда из птицы и дичи

### Цыпленок с эстрагоном

Натрите цыпленка чесноком и эстрагоном, затем нарубите эстрагон и посыпьте им внутреннюю часть цыпленка. Посолите и поперчите. Запекайте в духовке. Не ешьте кожу и крылья.

### Куриное суфле

Порежьте кусочками белое мясо цыпленка, добавьте черный перец и ароматические травы.
Смешайте маленькую чашку теплого обезжиренного молока с 2 сырыми яичными желтками. Добавьте в фарш. Затем взбейте 2 яичных белка в пену и добавьте их в смесь. Выпекайте полчаса в духовке при средней температуре.

### Куриный паштет с эстрагоном

*Ингредиенты:* около 1,5 кг курицы, 2 моркови, 2 помидора, 1 лук-порей, 1 стебель эстрагона, 1 белок, 1 чайная ложка дробленого розового перца, соль и перец.
Промойте курицу, затем разрежьте ее на кусочки. Очистите и нарежьте морковь, лук-порей. Положите эти овощи в кастрюлю, добавив 1 литр воды, и доведите до кипения. Добавьте курицу, по-

ложите соль и перец, удалите пену и варите на медленном огне в течение 1 часа. Затем отделите мясо курицы от костей. Удалите семена из томатов и порежьте их на кубики. Выложите кусочки курицы в форму для запекания, добавьте помидоры и десяток листьев эстрагона. Доведите бульон до кипения и оставьте на огне, пока не останется приблизительно 250 мл. Взбейте яичные белки в пену и осторожно добавьте в бульон, дайте остыть, пропустите смесь через марлю. Положите кусочки курицы и посыпьте все розовым перцем.

Разлейте в тарелки и поставьте в холодильник, чтобы охладить. Есть желательно на следующий день.

## Тушеное мясо в горшочке

Рецепт рассчитан на 8 человек.

*Ингредиенты*: 1,5 кг курицы, 400 г говядины, 1 кг кролика, 200 г обезжиренной ветчины, телячьи кости, тимьян, лавровый лист, розовый перец, соль, черный перец, уксус.

Нарежьте ветчину, курицу, кролика и телятину на куски. Смешайте мясо и поместите в кастрюлю. Посолите,

> 66 *Говяжий язык может содержать довольно много жира, поэтому старайтесь использовать его переднюю часть, жир тщательно вырезайте* 99

поперчите, добавьте тимьян, лавровый лист и розовый перец. Залейте смесью уксуса и воды (2 части воды на 1 часть уксуса). Добавьте телячьи кости для получения хорошего желе. Закройте и поставьте в духовку. Запекайте при температуре 200 °C 3 часа.

Подавайте холодным.

## Кролик с горчицей

Смажьте тушку кролика горчицей, посыпьте тимьяном и заверните в фольгу. Поставьте кролика в горячую духовку и выпекайте 1 час. Затем снимите фольгу.

Смешайте 1 чайную ложку вазелинового масла с 100 г обезжиренного йогурта, добавьте соль и перец и хорошо перемешайте смесь. Затем залейте этим соусом уже запеченного кролика.

Чтобы блюдо было горячим, оставьте его в духовке.

Подавайте с корнишонами, нарезанными кружками.

## Рыба

### Камбала в собственном соку на пару

Возьмите камбалу среднего размера. Промойте ее и хорошо высушите. Поместите рыбу в дуршлаг и закройте крышкой. Разместите эту конструкцию над кастрюлей, до трех четвертей наполненной кипящей водой или воспользуйтесь пароваркой.

Рыба будет готова через четверть часа.

Добавьте лимонный сок, соль, перец и нарезанную петрушку.

### Хек в белом соусе

Отварите хека в пряном бульоне.

Подавайте с белым соусом и рубленой зеленью петрушки.

### Хек в морской раковине

Залейте остатки холодной рыбы диетическим майонезом и положите его в розетки в форме морской раковины. Украсьте сваренными вкрутую яйцами, разрезанными на 4 части.

Или подогрейте остатки рыбы, залейте белым соусом с мелко нарезанной зеленью петрушки.

Кроме того, если вы торопитесь, можете заправить рыбу простым соусом из уксуса, масла и соли.

### Королевская дорада

Подготовьте хорошо очищенную дораду и 20 мидий. Промойте рыбу и поместите вместе с нарезанным луком в форму для выпечки.

Положите мидии в кастрюлю и поставьте на огонь, чтобы они открылись. Смешайте сок мидий и немного лимонного сока, пропустите через мелкое сито и залейте им рыбу. Посыпьте рыбу перцем и поставьте в духовку. Запекайте 45 минут, затем добавьте мидии и соль.

## Запеченная дорада

Выберите небольшую дораду, очистите ее от кожи, промойте и хорошо высушите. Запекайте на гриле или в духовке, затем поперчите и украсьте смесью ароматических трав, луком и эстрагоном.

Когда рыба будет готова, кожа приобретает золотистый цвет (примерно 45 минут). Соль добавьте в конце приготовления.

> 66 *Если вы совсем не можете обойтись без соли, то лучше солить блюдо в самом конце готовки или когда оно будет разложено по тарелкам. Вероятность пересолить в таком случае меньше* 99

## Лосось на гриле в фольге

Выберите хорошее филе лосося. Положите его на лист фольги. Посыпьте филе укропом, выжмите немного лимонного сока, посолите и поперчите. Добавьте лук, нарезанный кольцами, который вы затем уберете. Оберните фольгой и поместите рыбу в горячую духовку не более чем на 10 минут, даже меньше, чтобы сохранить всю сочность.

## Филе лосося, запеченное с одной стороны

Выберите хорошее филе лосося с кожей. Положите его на верхнюю полку в духовку, непосредственно под гриль, на поддоне, покрытом фольгой, посыпьте кожу солью.

Готовьте до тех пор, пока соль не промокнет от выделившегося сока, а кожа не потемнеет и не покроется трещинами. Вы получите полностью готовую часть филе под кожей — твердой текстуры и оранжевого оттенка, а нижняя часть останется сырой — едва теплая, светло-розовая и мягкая. Уберите кожу и подавайте.

## Маринованное филе сырого лосося

Замочите на ночь один большой кусок филе лосося в маринаде из лимонного сока, укропа, ароматических трав, соли и перца. На следующий день рыбу разрежьте на тонкие кусочки и подавайте, посыпав нарезанным укропом.

## Филе сырого лосося по-японски

Это наиболее практичный и быстрый способ приготовления рыбы. Порежьте филе на тонкие кусочки. Выложите на блюдо, полейте соевым соусом и подавайте.

## Филе лосося с соусом тартар

Возьмите 150–200 г филе рыбы и порубите на фарш, добавьте один за другим все ингредиенты соуса тартар (см. рецепт). Смешайте до получения однородной смеси.

## Пирог с начинкой из налима

*Ингредиенты*: 1 кг очищенного налима, 8 яиц, 1 чайная ложка соли, перец, 150 г томатной пасты, 1 пакетик пряностей, 2 литра воды и 1 стакан винного уксуса.

Приготовьте рыбу за день до подачи блюда: вскипятите воду с пряностями, добавьте уксус и рыбу. После приготовления дайте ей остыть и удалите большие кости. Возьмите филе, остальное измельчите на мелкие кусочки. Оставьте рыбу в холодильнике на всю ночь. Накануне взбейте яйца в блендере, посолите, поперчите, добавьте томатную пасту, смешайте все с кусочками рыбы (без филе). Блюдо для выпечки смажьте несколькими каплями масла, присыпьте мукой и залейте половиной смеси. Положите два кусочка филе рыбы и залейте сверху второй половиной смеси. Разогрейте духовку до 180 °C и запекайте на водяной бане от 30 до 60 минут. Дайте остыть и поставьте в холодильник на ночь.

# Морепродукты: мидии и крабы

## Мидии в собственном соку

Мидии должны быть очень свежими, от средних до крупных, хорошо очищенными и вымытыми в нескольких водах.

Положите их в кастрюлю, добавив стакан воды и 2 столовые ложки уксуса, порезанный ломтиками лук, мелко нарубленную петрушку, тимьян, лавровый лист, чеснок и перец. Поставьте кастрюлю на большой огонь. После того как мидии откроются, положите их в блюдо вместе с соком, а теперь можно и к столу.

> 66 *Помните, что никаких количественных ограничений в белковых продуктах нет. Наслаждайтесь ими и их разнообразием столько, сколько хотите* 99

## Розетки с мидиями

*Ингредиенты*: 2 кг мидий, сухое белое вино, петрушка, соль, черный перец, 1 столовая ложка обезжиренного творога.

Сварите мидии с белым вином в кастрюле на большом огне, пока они не вскроются. Просушите мидии, смешайте с творогом, петрушкой, солью и перцем. Положите их в кастрюлю и поставьте в не очень горячую духовку.

## Паштет из краба

Выберите живого краба, большого и тяжелого. Бросьте его в кипящий пряный отвар, и пусть варится 20 минут. Вскройте его и отделите съедобные части.

Приготовьте майонез (см. «Соусы») и смешайте его с кусочками краба. Подавайте в розетках в форме морской раковины, украшенных кружочками сваренных вкрутую яиц. Также можно украсить кружками помидоров и листьями салата, которые можно есть во время второго этапа.

## Запеченный краб

*Ингредиенты:* 2 банки краба (165 г без сока), 4 яйца, 5 ягод розового перца, 2 столовые ложки обезжиренного молока, 300 г обезжиренного творога.

Слейте сок из банок с крабом, удалите хрящи, просушите их, если это необходимо. Смешайте творог, молоко, розовый перец с кусочками краба. Смажьте каплей масла и посыпьте мукой форму для выпечки. Выложите смесь в форму. Разогрейте духовку до 160 °С и выпекайте 1,5 часа.

## Запеченные
## морские гребешки

*Ингредиенты*: 4 гребешка, десяток мидий, 100 г креветок, 2 яйца, лук-шалот, петрушка.

Поставьте мидии на сильный огонь, чтобы они открылись, а затем очистите их. Сохраните только белое мясо. Хорошо промойте, чтобы не оставалось песка, и положите их на четверть часа в 1 литр воды с 3 столовыми ложками уксуса.

Отварите яйца, смешайте их с мелко нарезанным луком-шалотом и петрушкой, добавьте мидии и креветки.

Нарежьте мясо морских гребешков кусочками и добавьте их в смесь. Выложите смесь в вымытые раковины и поставьте их в духовку на 20 минут.

## Лангусты с майонезом

Вымойте 500 г лангустов. Отварите их в пряном бульоне, как крабов. Дайте им остыть в соке варки. Подавайте с майонезом (см. рецепт).

## Ассорти морепродуктов

Красиво выложите на поднос со льдом и водорослями устрицы, мидии, креветки и морские гребешки. Немного сбрызните лимонным соком или уксусом с луком-шалотом.

# Яйца

Яйца очень полезны во время этапа атаки, поэтому желательно всегда иметь несколько сваренных в холодильнике вкрутую яиц.

## Яйцо в мешочек

Нужно варить около 3 минут, чтобы получить яйцо всмятку, и 4 минуты — яйцо в мешочек.

## Яичница-болтунья

Налейте в небольшую кастрюлю немного молока и поставьте на огонь. Взбейте 3 яйца, как для омлета, посолите, поперчите и постепенно добавляйте яйца в молоко, все время помешивая. Яичница должна оставаться мягкой. Некоторые готовят яичницу-болтунью на водяной бане.

Для вкуса можно добавить в яйца и несколько кусочков креветок или курицы, а во время второго этапа — спаржи.

> 66 *Печень отличается высоким содержанием холестерина, поэтому, если вы склонны к сердечно-сосудистым заболеваниям, ее нужно исключить из своего меню* 99

## Заливные яйца с ветчиной

Сварите несколько яиц в мешочек (4 минуты кипения) и нарежьте столько же ломтиков постной ветчины. Замочите желатин в холодной воде в течение 1–2 минут, отожмите его, подогрейте до полного растворения, приправьте солью, перцем и каплей коньяка. Яйца и ломтики ветчины положите на блюдо, залейте их желатином и дайте остыть.

### Яйца, фаршированные креветками

Они могут служить хорошей закуской.

Сварите яйца вкрутую и дайте им остыть. Разрежьте каждое яйцо на 2 равные части, удалите желток и смешайте его с нарезанными креветками. Добавьте немного диетического майонеза и заполните смесью яйца.

# Десерты

### Ванильный крем

*Ингредиенты*: 5 яиц, 375 мл теплого молока с низким содержанием жира, 1 стручок свежей ванили, 10 мл жидкой ванили, мускатный орех в порошке.

Взбейте яйца в миске. Подогрейте молоко без кипячения со стручком ванили, после чего стручок удалите, медленно залейте горячим молоком яйца, добавьте 10 мл жидкой ванили и 2 чайные ложки порошка мускатного ореха. Вылейте смесь в форму и поставьте в духовку (160 °C) на водяной бане. Время выпечки зависит от типа печи.

### Плавающие острова

Отделите белки от желтков 4 яиц. Взбейте белки в пену.

Вскипятите пол-литра молока с низким содержанием жира с маленьким стручком ванили. Большой ложкой сформируйте из взбитых белков несколько шаров и опустите их в теплое молоко. Когда шары хорошо надуются, переверните их, затем достаньте шумовкой на тарелку и дайте им стечь. Взбейте желтки в миске и залейте молоком, а затем варите на медленном огне, помешивая, пока крем не начнет густеть. Затем снимите с огня и добавьте заменитель сахара. Осторожно в крем выложите белковые острова. Подавайте охлажденными.

## Гоголь-моголь

Взбейте до однородной массы 1 яичный желток с небольшим количеством сахарозаменителя, добавьте 1 чайную ложку нероли (масло из цветов горького апельсинового дерева), стакан обезжиренного молока, помешивая, чтобы желток не свернулся.

# РЕЦЕПТЫ ДЛЯ ЭТАПА ЧЕРЕДОВАНИЯ

## Овощи

### Цветная капуста

Возьмите несколько больших кочанов цветной капусты. Хорошо промойте их и сварите в слегка подсоленной воде. Отжатую капусту заправьте белым соусом (см. раздел «Соусы»). Подавайте с яйцами, сваренными вкрутую.

### Суфле из цветной капусты

Отварите капусту, как в предыдущем рецепте, и отожмите ее. Подготовьте белый соус, добавив в него 2 желтка.
Взбейте 2 яичных белка в пену и добавьте их в белый соус. Смешайте капусту с соусом в блендере. Полученную смесь поставьте в духовку на 20 минут.

### Фрикасе с грибами

Выложите дно тефлоновой сковороды луком, полейте его кубиком овощного бульона, растворенного в небольшом количестве воды, и запекайте до золотистой корочки. Выложите на сковороду нарезанные толстыми пластинами грибы и готовьте на медленном огне. Добавьте измельченный чеснок, петрушку, соль и перец. Это блюдо может служить в качестве гарнира к мясным или куриным блюдам.

## Фаршированные грибы

Выберите большие грибы. Вымойте их и удалите ножки. Измельчите ножки, добавьте чеснок, петрушку, соль, перец и несколько чайных ложек молока пониженной жирности. Поджарьте эту смесь в горячей духовке или на тефлоновой сковороде.

Заполните шляпки грибов смесью и поставьте в горячую духовку. Когда грибы будут готовы, нанесите несколько капель вазелинового масла на каждый гриб.

## Шпинат с белым соусом

Вымойте листья шпината и варите их в соленой воде 10–15 минут. Дайте им стечь, после этого добавьте белый соус (см. «Соусы») и поставьте в духовку. Подавайте с разрезанными пополам яйцами, сваренными вкрутую, или в качестве гарнира для мяса или курицы.

## Зеленая фасоль

Зеленая фасоль является одним из наименее калорийных овощей на планете, что делает ее идеальной для всех диет. Она богата пектином, который дает чувство сытости, однако часто игнорируется желающими похудеть из-за предложенного метода готовки — на пару. Получается пресный вкус и не особенно привлекательный вид.

Готовя салат, не забудьте добавить кроме соуса из уксуса и соли нарезанные лук и петрушку и смешайте с другими овощами: помидорами и сладким перцем.

Подходит как гарнир для блюд из мяса или курицы, можно залить белым соусом.

## Помидоры с базиликом и йогуртом

Содержимое одной баночки йогурта с низким содержанием жира заверните в марлю и положите под пресс на ночь, чтобы получить консистенцию сыра моцарелла.

Выложите на тарелку нарезанные кружочками помидоры, на каждый кружок положите кружочки «моцареллы» и сверху листочки базилика. Посолите, поперчите и приправьте соусом-винегрет.

## Салат-латук (эндивий, цикорий)

Салат-латук очень ценен для женщин, которые соблюдают диету и не имеют много времени на приготовление обеда. Этот овощ чист и свеж, имеет слегка горьковатый вкус и очень низкую калорийность.

Вследствие его последнего свойства он может быть приготовлен в соусе с опасным для диеты ингредиентом — сыром рокфор. Смешайте 100–150 г обезжиренного творога с кусочком сыра рокфор величиной с лесной орех, добавьте 1 столовую ложку уксуса. Для вашего успокоения скажу, что такой кусочек рокфора содержит не больше жира, чем одна маслина.

## Горячие и холодные огурцы

**Горячие**: вымойте, очистите и нарежьте огурец. Варите 10 минут в воде с половиной стакана уксуса, посолите. Слейте образовавшуюся подливу, подавайте с белым соусом.

**Холодные**: вымойте, очистите и порежьте огурец кружками и поставьте под пресс на 1 час. Подавайте с соусом-винегретом и кольцами лука.

> 66 *Если есть возможность, используйте морепродукты. Они очень питательны и могут разнообразить любой стол, придав ему праздничный вид* 99

## Жареный цикорий (эндивий)

Промойте и отварите цикорий. Растворите кубик овощного бульона в небольшом количестве воды. Нарежьте лук кольцами и протушите его в бульоне до золотистого цвета. Добавьте туда же отжатый цикорий и готовьте блюдо на медленном огне около 10 минут. Подавайте холодным.

Подходит к блюдам из говядины и мяса индейки.

## Соус из спаржи

Возьмите несколько штук твердой спаржи. Тщательно очистите ее и варите 20–25 минут.

Приготовьте диетический майонез. Взбейте яичный белок в пену и добавьте его в майонез, тщательно перемешайте. После того как получится однородная смесь, добавьте немного уксуса для разжижения соуса и залейте им спаржу.

## Чудо-суп

Это суп, который выходит за рамки диеты, но результаты последних исследований доказывают его диетические качества.

*Ингредиенты*: 4 зубчика чеснока, 6 луковиц, 1 или 2 банки очищенных помидоров, 1 головка цветной капусты, 6 морковок, 3 зеленых перца, 1 головка сельдерея, 3 литра воды, 4–5 кубиков овощного бульона.

Очистите, а затем порежьте овощи на мелкие или средние кусочки. Положите их в кастрюлю и залейте водой. Прокипятите 10 минут, затем уменьшите огонь и продолжайте варить до мягкости.

*На этапе чередования разрешаются помидоры, огурцы, редис, шпинат, спаржа, лук-порей, капуста, грибы, сельдерей, укроп, все виды листовых салатов, баклажаны, кабачки, перец*

Этот суп одновременно твердый и жидкий. Сочетание кусочков овощей в бульоне и жидкости супа делает неоспоримыми его диетические качества. Дело в том, что твердые и жидкие компоненты с разной скоростью проходят через желудочно-кишечный тракт.

Твердые части остаются в желудке, пока полностью не переварятся, что генерирует *механическую* сытость.

Жидкий бульон проходит через желудок намного быстрее и всасывается в тонком кишечнике, где питательные элементы генерируют *метаболическую* сытость.

Сочетание сытости, доставляемой механическим растяжением желудка, и метаболической сытости тонкого кишечника на более долгий период утоляет чувство голода.

ЭТОТ СУП ОСОБЕННО РЕКОМЕНДУЕТСЯ ДЛЯ МНОГОЧИСЛЕННЫХ ЖЕЛАЮ-ЩИХ ПОХУДЕТЬ, У КОТОРЫХ ВО ВТОРОЙ ПОЛОВИНЕ ДНЯ ПОЯВЛЯЕТСЯ АППЕТИТ ИЗ-ЗА НЕДОСТАТОЧНОГО ОБЕДА, И ОНИ НЕ МОГУТ УДЕРЖАТЬ-СЯ ОТ ТОГО, ЧТОБЫ ЧЕМ-НИБУДЬ НЕ ПЕРЕКУСИТЬ. ГОРЯЧИЙ СУП ПО-ЗВОЛИТ ИМ СПОКОЙНО ДОЖДАТЬСЯ УЖИНА.

## Суп из тыквы

Возьмите четверть тыквы, очистите ее от кожуры и порежьте ее на крупные куски.

Положите их в скороварку, залейте водой и добавьте кубик овощного бульона. Готовьте 20–30 минут. В конце варки добавьте соль, перец, 100 г обезжиренного творога.

## Суп из кабачков

Чисто вымойте и порежьте на кубики 4 больших кабачка, лук, морковь и белый редис. Положите их в скороварку с кубиком овощного бульона и залейте водой. Варите 20–30 минут, подсолите, поперчите, а затем смешайте в миксере до однородной массы. Суп едят горячим.

## Салат «Короли моря»

*Ингредиенты:* копченый лосось, креветки розовые, краб, сурими, осьминог, копченая треска, икра лосося.

Подготовьте салатные листья и выложите на них копченый лосось, горсть розовых креветок, кусочки крабов, 2 крабовые палочки, кусочки осьминога и копченой трески. Посолите, поперчите, заправьте соусом-винегретом и украсьте икрой лосося.

# Овощи + мясо

### Телятина с цикорием

Выложите дно кастрюли луком, нарезанным кольцами, и залейте кубиком овощного бульона, растворенным в небольшом количестве воды. Готовьте лук на медленном огне, пока он не станет золотистым. Положите на лук шницели, котлеты или кусок мяса и поджарьте. Добавьте предварительно бланшированные листья цикория, посолите, поперчите и тушите на медленном огне в течение не менее одного часа. Подавайте блюдо горячим, остатки храните в холодильнике, чтобы съесть его холодным во время очередного приема пищи или теплым с горчицей.

### Курица с куриной печенью

Замените телятину из предыдущего рецепта на кусочки курицы и куриной печени. После варки подавите печень вилкой и смешайте с остальным куриным соком.

### Телячий эскалоп с грибами

Выложите дно сковороды луком, нарезанным кольцами, и залейте кубиком овощного бульона, растворенным в небольшом количестве воды. Готовьте лук на медленном огне, пока он не станет золотистым. Положите на лук кусок нежирной говядины, и пусть он варится. Когда мясо станет мягким, добавьте грибы и тушите блюдо около 15 минут в закрытой сковороде. Когда грибы выпустят весь сок, дайте выкипеть излишкам сока в открытой сковороде.

## Кролик с луком и помидорами

Приготовьте лук в сковороде, как в предыдущем рецепте. Когда лук станет золотистого цвета, положите на него несколько кусочков кролика. Добавьте помидоры, разрезанные на 4 части, несколько зубчиков чеснока, соль, черный перец и перемешайте. Перед подачей на стол посыпьте рубленой петрушкой.

> 66 *Овощи, в отличие от белков, не так безопасны, для них есть небольшое ограничение: ешьте их, только пока не удовлетворите чувство голода* 99

## Голубцы

Бланшируйте в кипящей воде большой кочан капусты, отожмите его. Удалите кочерыжку и вырежьте отверстие для заполнения начинкой.

Приготовьте начинку из 300 г говяжьего фарша, лука, петрушки, соли и перца. Поджарьте его на сковороде с 2 или 3 столовыми ложками томатной пасты.

Заполните начинкой отверстие в капусте и накройте крупными листьями, привязав их ниткой. Поместите кочан в кастрюлю с водой и дайте ему закипеть, тушите до готовности на медленном огне.

## Курица «Маренго»

Приготовьте лук в сковороде как в предыдущих рецептах. Когда лук станет золотистого цвета, добавьте несколько нарезанных помидоров, тимьян, перец и соль.

Туда же положите кусочки курицы, налейте полстакана воды, закройте крышкой и дайте протушиться. За полчаса до готовности добавьте хорошо вымытые и нарезанные грибы. Оставьте на большом огне при открытой крышке, чтобы излишки сока грибов испарились.

### Цикорий с ветчиной

Вымойте цикорий и приготовьте его на пару. После варки заверните в каждый листок цикория ломтик ветчины. Подготовьте соус бешамель (см. «Соусы»). Выложите листья с ветчиной в форму для выпечки, залейте соусом бешамель и поставьте в горячую духовку.

# МЕНЮ НА НЕДЕЛЮ ДЛЯ ЭТАПА АТАКИ

### Завтрак

В течение всей недели завтрак один и тот же:

- кофе или чай с сахарозаменителем; 100–200 г обезжиренного йогурта или творога;

- 1 кусочек индейки, курицы, ветчины, или вареное яйцо, или обезжиренный творог, или лепешка из овсяных отрубей.

### Ланч в 10–11 часов в случае необходимости

- 1 йогурт или 100 г творога.

### Полдник в 16 часов в случае необходимости

- 1 йогурт или 1–2 кусочка индейки.

### Обед и ужин

На обед и ужин во время чистобелкового этапа предлагается упрощенное меню из двух блюд: главного блюда и десерта. Однако если вы привыкли начинать с первого блюда, можно использовать любое из перечисленных: яйца, майонез или соус «Равигот» с ветчиной, несколько ломтиков говяжьей вырезки, ломтики копченой рыбы, куриной печени с соусом из зелени и морепродукты — креветки, мидии и т.д.

| ОБЕД | УЖИН |
|---|---|
| **Понедельник** | |
| Стейк Тартар<br>200 г йогурта или обезжиренного творога | Вареная рыба на выбор<br>100 г обезжиренного творога или йогурта |
| **Вторник** | |
| Сваренные вкрутую яйца с майонезом<br>200 г йогурта или обезжиренного творога | Фрикасе из телятины<br>100 г обезжиренного творога или йогурта |
| **Среда** | |
| Куриные ножки<br>Обезжиренный творог или лепешка<br>из овсяных отрубей | Кролик с горчицей<br>«Плавающие острова» или 200 г<br>обезжиренного творога |
| **Четверг** | |
| Телячья отбивная<br>200 г йогурта или обезжиренного творога | Курица с куриной печенью<br>100 г обезжиренного творога, крема<br>или йогурта |
| **Пятница** | |
| Половина жареного цыпленка<br>200 г йогурта или обезжиренного творога | Рыба на гриле в фольге<br>«Плавающие острова» или 200 г<br>обезжиренного йогурта |
| **Суббота** | |
| Куриное суфле<br>Обезжиренный творог или лепешка<br>из овсяных отрубей | Говяжий язык с соусом «Равигот»<br>100 г обезжиренного творога или йогурта |
| **Воскресенье** | |
| Фрикасе из телятины<br>«Плавающие острова» | Рыбное филе,<br>запеченное с одной стороны<br>Обезжиренный творог |

# МЕНЮ НА НЕДЕЛЮ ДЛЯ ЭТАПА ЧЕРЕДОВАНИЯ

На этом этапе в качестве первых блюд подходят:

- зеленый салат;

- цветная капуста под белым соусом;

- помидоры с базиликом и йогуртом;

- салат из огурцов с укропом;

- салат из зеленой фасоли и т.д.

Для любителей супов:

- суп из тыквы;

- суп из кабачков;

- пюре из кабачков, моркови и капусты;

- а также описанный выше чудо-суп.

| ОБЕД | УЖИН |
|---|---|
| **Понедельник** | |
| Тушеные овощи (баклажаны, кабачки, сладкий перец, помидоры, лук, чеснок, специи) 200 г йогурта или обезжиренного творога | Печень говяжья жареная с зеленым салатом из фасоли Обезжиренный творог |
| **Вторник** | |
| Печень говяжья жареная со шпинатом 200 г йогурта или обезжиренного творога | Голубец Обезжиренный творог или 100 г йогурта |

| ОБЕД | УЖИН |
|---|---|
| **Среда** | |
| Куриная печень, салат с помидорами Обезжиренный творог или лепешка из овсяных отрубей | Вареная рыба с морковным пюре «Плавающие острова» или 200 г обезжиренного творога |
| **Четверг** | |
| Яичница Обезжиренный творог | Курица с грибами 100 г йогурта или обезжиренного творога |
| **Пятница** | |
| Цикорий с ветчиной и соусом бешамель 200 г йогурта или обезжиренного творога | Рыбное филе, запеченное со шпинатом «Плавающие острова» или 200 г йогурта |
| **Суббота** | |
| Куриное мясо Обезжиренный творог или лепешка из овсяных отрубей | Жареная рыба с укропом Обезжиренный творог или 200 г йогурта |
| **Воскресенье** | |
| Кролик с луком и помидорами «Плавающие острова» | Жареная рыба с укропом 200 г обезжиренного творога |

Завтраки, ланчи в 10–11 часов или полдники в 16 часов такие же, как на этапе атаки.

# Глава 9

# ОЖИРЕНИЕ

П редложенная мною методика может быть использована всеми людьми, страдающими избыточным весом. Несмотря на большие различия между ними, их можно разбить на три основные категории.

## От избыточного веса до настоящего ожирения

**Первая категория** — это люди без каких-либо предрасположенностей к ожирению, вес которых всегда был нормальным и стабильным и которые по той или иной причине стали поправляться. Большинство этих случаев связано с резким сокращением физической активности.

Так обстоит дело у женщин, только что родивших первого ребенка. При этом у таких женщин наблюдается **естественный прирост аппетита и снижение активности**, что приводит к необычному увеличению веса. Это также относится к тяжело протекающим беременностям и беременностям после гормональной терапии.

Люди, пострадавшие в результате несчастного случая, прикованные к постели в больничной палате, которые едят просто от скуки.

Можно прибавить к этой категории людей, страдающих от ревматизма, и астматиков, принимающих кортизон, влияние которого на вес очень хорошо известно.

## Склонность к полноте

**Вторая категория** включает в себя женщин и мужчин, склонных к тучности. Что бы это ни было: генетическая предрасположенность или влияние плохого питания в детстве — результат один и тот же. Но характер и интенсивность предрасположенности различны. Обычно, в 90% случаев, предрасположенность умеренная и весом можно управлять.

Некоторые люди из этой категории благодаря активному образу жизни и правильному подбору питания могут замедлить и даже полностью предотвратить прибавку в весе. Для них **моя диета полностью безопасна и навсегда освободит их от избыточного веса**. Люди, предрасположенные к полноте и ведущие сидячий образ жизни или просто неспособные контролировать свое питание, медленно, но неумолимо набирают вес. Предлагаемая диета для них является наилучшим выходом. Способность их организма выделять калории из потребляемой пищи высока, но регулярное потребление

*Холодная пища способствует большему сжиганию калорий, так как организму требуется «подогреть» ее для переработки*

чистых белков в сочетании с овсяными отрубями вполне нейтрализует это затруднение и компенсирует безволие или неспособность рационально питаться.

## Ожирение

**Третья категория** — люди с сильной семейной предрасположенностью к ожирению, которое приводит к деформации тела. Этот тип ожирения является широко распространенным в США и сравнительно редко встречается в Европе.

У таких людей коэффициент полезного действия превращения пищи в калории максимален, что приводит в недоумение их окружение, в том числе и врачей.

У всех диетологов среди пациентов есть несколько таких, которые, кажется, питаются воздухом и опровергают все законы природы.

У меня были такие пациенты, которые взвешивались вечером перед сном и утром после пробуждения и обнаруживали, что за ночь они **набрали несколько сотен граммов**. Подобные явления действительно существуют и могут запутать врачей, но, к счастью, они встречаются редко.

Обычно такая сильная предрасположенность приводит к серьезному ожирению. К этой категории относятся люди, которые опробовали многие диеты, им почти всегда удавалось сбросить вес, но потом он снова возвращался.

Благодаря своему заключительному этапу моя диета является хорошей основой для стабилизации, но в наиболее тяжелых случаях ее может быть недостаточно.

В этой части книги будут предложены четкие дополнительные меры, направленные на стабилизацию веса этой категории людей.

 НО Я ОСТАНУСЬ ВЕРНЫМ СВОИМ ПРИНЦИПАМ НЕ ПРОПОВЕДОВАТЬ ПИЩЕВЫХ ОГРАНИЧЕНИЙ. ТО, ЧТО Я ОБЪЯВИЛ В НАЧАЛЕ ЭТОЙ КНИГИ, ОСТАЕТСЯ В СИЛЕ ДАЖЕ ДЛЯ САМЫХ ТАЛАНТЛИВЫХ УСВОИТЕЛЕЙ КАЛОРИЙ — ПИТАНИЕ ПОСЛЕ ПРОХОЖДЕНИЯ ПЕРВЫХ ТРЕХ ЭТАПОВ ДИЕТЫ БУДЕТ ОСТАВАТЬСЯ НОРМАЛЬНЫМ 6 ДНЕЙ В НЕДЕЛЮ.

Для людей с сильной предрасположенностью к ожирению я предлагаю 3 меры. Но они могут быть использованы и всеми остальными.

## Дополнительные меры для людей, страдающих ярко выраженными формами ожирения

**Первая мера: использование холода.** Давайте представим себе человека, который весит 70 кг при росте 1,70 м и не очень активен. В повседневной жизни этот человек потребляет в сутки 2400 калорий.

Давайте рассмотрим подробнее, каким образом и в каких областях он тратит эти калории:

- **300 калорий** в день уходит на обеспечение функционирования таких органов, как сердце, мозг, печень, почки и т.д. Эти расходы очень низкие и показывают, насколько хорошо наш организм приспособлен к жизни. Так что не в этой области следует заставлять тело потреблять больше;

- **700 калорий** служат для поддержания физической активности нашего организма. Речь идет о расходах, которые легко можно увеличить, и мы увидим, что в теории возможно активно сжигать калории с помощью физических упражнений. Но на практике чрезвычайно трудно заставить тучных людей заниматься спортом;

- **1400 калорий** — более половины общих расходов — идет на поддержание температуры тела около 37 °C – температуры, необходимой для нашего выживания. Именно в этой области мы можем и даже обязаны увеличить расходы калорий.

Для этого достаточно просто принять идею, что холод может стать другом и союзником толстяка.

Человек еще с давних времен окончательно победил холод посредством отопления и одежды, которые сегодня интенсивно и часто излишне используются. Таким образом, неприспособленность организма к холоду способствует тому, что, когда мы подвергаемся его воздействию, нашему организму приходится дорого платить, чтобы сохранить свою внутреннюю температуру, растрачивая при этом огромное количество калорий. А именно этот процесс, требующий активного потребления энергии, может быть использован в борьбе с ожирением. Исследования показывают, что средний житель Запада слишком уж защищается от холода, и это еще более актуально для людей, страдающих ожирением.

Техника, которую я предлагаю здесь для страдающих ожирением, поможет уменьшить накопление калорий за счет увеличения их расхода для обогрева тела.

Это ряд простых мер, которые не носят ограничительного характера и не связаны с продуктами питания, но которые являются чрезвычайно эффективными.

1. **Ешьте по возможности холодную пищу.** Когда вы питаетесь горячей пищей, вы поглощаете не только ее питательные вещества и калории, но и тепло, а это дополнительные калории, которые помогают поддерживать необходимую температуру тела — около 37 °C.

 ТАКИМ ОБРАЗОМ, ГОРЯЧИЙ СТЕЙК БОГАЧЕ КАЛОРИЯМИ, ЧЕМ ХОЛОДНЫЙ, ПОТОМУ ЧТО ПРИ ПОГЛОЩЕНИИ ТЕПЛОЙ ПИЩИ ЕГО ТЕПЛО БУДЕТ СЛУЖИТЬ ДЛЯ ПОДДЕРЖАНИЯ ТЕМПЕРАТУРЫ ТЕЛА И ТОРМОЗИТЬ СЖИГАНИЕ СОБСТВЕННЫХ КАЛОРИЙ ТЕЛА.

С другой стороны, когда вы потребляете холодную пищу, организм не может ее использовать и пропустить в кровь до тех пор, пока ее температура не поднимется до внутренней температуры тела. Эта операция не только будет стоить вам лишних калорий, но и имеет еще одно преимущество — медленное пищеварение и усвоение, следовательно, более позднее наступление чувства голода.

Очевидно, что не стоит есть холодную пищу постоянно, но если есть возможность выбора между горячей и холодной пищей, выбирайте холодную.

2. **Пейте прохладительные напитки.** Если холодную пищу не всегда легко и приятно есть, то холодные напитки любит большинство людей. Для толстяка эта простая и часто приятная мера может оказаться весьма выгодной. Действительно, выпитые 2 литра воды из холодильника с температурой 4 °C рано или поздно выйдут из организма в виде мочи, нагретой до 37 °C. Увеличение температуры воды на 33 °C потребует от тела расхода 60 калорий. Если воду из холодильника пить круглый год, то это позволило бы страдающим ожирением сжигать без каких-либо усилий 22 000 калорий, или чуть более 2,5 кг в год, что является большой удачей для людей с выраженным нарушением веса.

! НАПРОТИВ, ЧАШКА ГОРЯЧЕГО ЧАЯ, ПОДСЛАЩЕННОГО ИСКУССТВЕННЫМ САХАРОМ, НЕ СОДЕРЖИТ КАЛОРИЙ, НО НЕСЕТ В СЕБЕ ДОЛЮ ТЕПЛА, КОТОРОЕ ПОЗВОЛЯЕТ ТЕЛУ РАСХОДОВАТЬ МЕНЬШЕ ЭНЕРГИИ НА ОБОГРЕВ.

3. **Сосите лед.** Желаемый эффект будет еще больше, если сосать кусочки льда при отрицательной температуре (–10 °C). Консультируя своих пациентов, я рекомендовал им подслащать воду, добавлять ваниль или мяту, замораживать и в теплое время года сосать по 5–6 кусочков льда в сутки это позволяет без усилий растратить около 60 калорий в день.

4. **Принимайте чуть теплый душ.** Сделайте простой опыт — войдите в душ с термометром в руке. Включите воду и постепенно добейтесь ее температуры в 25 °C. Эта темпе-

ратура сравнима с температурой морской воды в летнее время. Оставайтесь в душе 2 минуты. Это заставит тело расходовать 100 калорий, просто чтобы предотвратить охлаждение, что эквивалентно расходу калорий при ходьбе на расстояние в 3 км. Такой освежающий душ дает лучший результат, будучи направленным на те участки тела, где теплая и густая кровь циркулирует по артериям, расположенным близко к поверхности кожи: подмышки, пах, шея и грудь, — что дает большую потерю тепла. Избегайте мочить спину и волосы: это не имеет смысла и к тому же может вам помешать в течение дня. Наиболее зябким можно применять эту процедуру на менее чувствительных частях тела: бедра, руки и ноги.

> 66 *Когда в помещении холодно, тело тратит калории на его обогрев — эту хитрость может использовать каждый худеющий, для того чтобы сделать диету еще более эффективной* 99

5. **Избегайте хорошо отапливаемых помещений.** Толстяку должно быть известно, что комнатная температура 25 °C в зимнее время повышает его склонность к увеличению веса. Каждому желающему похудеть необходимо снизить эту температуру на 3 °C, что заставит организм сжигать 100 дополнительных калорий в день.

6. **Носите более легкую одежду.** Эта мера подобна предыдущей, и их можно объединить. Зимой, а иногда и осенью, чаще всего в силу привычки, чем из необходимости, мы достаем из шкафа свитера и другую теплую одежду. Ночью многие люди заворачиваются в кучу одеял не столько из-за реальной потребности в тепле, сколько из-за удовольствия чувствовать себя уютно завернутым.

> **!** ОСВОБОДИТЕСЬ ОТ ОДНОГО ИЗ ЭТИХ ТРЕХ ИСТОЧНИКОВ ТЕПЛА: ТЕП-
> ЛОЕ БЕЛЬЕ, СВИТЕР ИЛИ ДОПОЛНИТЕЛЬНОЕ ОДЕЯЛО. ЭТА МЕРА БУДЕТ
> ЗАБИРАТЬ У ВАС ЕЩЕ 100 КАЛОРИЙ В ДЕНЬ.
>
> КРОМЕ ТОГО, СТРАДАЮЩИЕ ОЖИРЕНИЕМ ДОЛЖНЫ ЗНАТЬ, ЧТО
> ИМ НЕ РЕКОМЕНДУЕТСЯ НОСИТЬ ОБЛЕГАЮЩУЮ ОДЕЖДУ. ОДЕТОЕ
> ТЕЛО ВСЕГДА НЕМНОГО ПОТЕЕТ, И ЭТИ ИСПАРЕНИЯ, ПОНИЖАЮЩИЕ
> ТЕМПЕРАТУРУ ТЕЛА, СЛЕДУЕТ ПООЩРЯТЬ НОШЕНИЕМ СВОБОДНОЙ
> ОДЕЖДЫ.

Итак, сложим все эти энергетические затраты, чтобы лучше понять значение холода для стабилизации веса:

- питье 2 литров холодной воды (4 °C) растрачивает 60 калорий;

- рассасывание 6 кубиков подслащенного льда — еще 60 калорий;

- принятие душа с температурой воды 25 °C в течение 2 минут — 100 калорий;

- снижение комнатной температуры на 3 °C — 100 калорий;

- отказ от теплого нижнего белья, свитера или одеяла — 100 калорий.

**Всего — 420 калорий**.

Вышеприведенные данные наглядно показывают эффективность этих мер. Как можно усомниться, что поддержание температуры тела в 37 °C требует энергетических расходов, и что величина этих расходов варьируется в зависимости от окружающей температуры? Каждый по опыту знает, насколько увеличиваются расходы на отопление, когда двери и окна плохо закрыты. Наш организм функционирует по тому же принципу: расходы на обогрев тела могут быть использованы для противодействия крайне экономной природе толстяка.

В заключение следует отметить, что хотя одного холода недостаточно для обеспечения снижения веса, но он очень полезен, ведь иногда необходимо совсем немного, чтобы обратить эти тенденции вспять. Скромный расход калорий благодаря холоду может также способствовать успеху при потере веса.

> 66 *Еще одна хитрость для усиления эффекта диеты — 2 минуты под холодным душем помогают организму потерять 100 калорий!* 99

Наконец, есть еще один аргумент, более убедительный, чем любой другой, — **опыт применения этого метода**. Тот, кто прекрасно понимает сопротивляемость своего организма при потере веса и привык сопрягать этот процесс с более серьезными процедурами и у кого даже на последнем этапе стабилизации стрелка на весах еще не достигает желаемой отметки, должен в обязательном порядке в течение нескольких недель испытать эффект холода. После этого короткого периода им не нужно будет других доводов и третьего лица, чтобы подтолкнуть их на этот шаг.

Для людей, чья склонность к ожирению меньше, этот метод не является необходимым. Они иногда могут применять его, особенно во время опасного для их веса периода: отпуска, праздников и т.д., — или выбрать для себя один или два отдельных элемента.

 ЕЩЕ РАЗ ПОДЧЕРКИВАЮ, ЧТО ТЕПЛО И КОМФОРТ РАССЛАБЛЯЮТ НАС, А ХОЛОД МОБИЛИЗУЕТ, ПРИЗЫВАЯ К МЫШЕЧНОЙ ДЕЯТЕЛЬНОСТИ И ИНТЕЛЛЕКТУАЛЬНЫМ УСИЛИЯМ, И ПОВЫШАЕТ АКТИВНОСТЬ ЩИТОВИДНОЙ ЖЕЛЕЗЫ. Я ЗНАЮ МНОГО ГРУСТНЫХ ЛЮДЕЙ, КОТОРЫЕ НАУЧИЛИСЬ ПЕТЬ ОТ УДОВОЛЬСТВИЯ, ПРИНИМАЯ ХОЛОДНЫЙ ДУШ.

**Вторая мера: физическая деятельность.** Большинство теоретиков рекомендует для потери веса есть все в небольших количествах и повышать энергетические расходы, связанные с физическими упражнениями. Эти рекомендации кажутся логичными и рациональными, но, к сожалению, на практике они не подтверждаются. По данным Американской ассоциации специалистов по борьбе с ожирением, только 12% из тех, кто хочет похудеть, сбросили вес, следуя этим инструкциям, и только 2% смогли удержать достигнутый вес.

**Никогда не занимайтесь спортом во время интенсивного похудения.** В течение этапа атаки, во время быстрой потери веса, я особенно не рекомендую своим пациентам, страдающим ожирением, заниматься спортом и физическими упражнениями по трем причинам:

- они усилием воли должны соблюдать диету, что само по себе уже является испытанием. Если еще прибавить к этому занятия спортом, то мы рискуем загубить на корню все наши начинания;

- толстяк, который быстро теряет много килограммов, легко утомляется и нуждается в отдыхе и сне. Физические нагрузки могут увеличить усталость и уменьшить решимость придерживаться правил диеты;

- толстяк по сути своей является слишком неуклюжим, и навязывать ему физические упражнения для потери веса будет просто опасно. Кроме того, просить его заниматься спортом или участвовать в спортивных соревнованиях равнозначно недооценке его страха показа своего тела на публике.

**Физическая активность необходима на этапе закрепления веса.** Во время переходного этапа закрепления веса спорт является критически важным как для предотвращения увеличения веса, так и для укрепления ослабленных мышц и кожи. Опыт показывает, что регулярные физические упражнения — не самое любимое занятие страдающих ожирением. Отвращение к движению и физическим усилиям — одна из причин, способствовавших его избыточному весу. Для таких пациентов этап окончательной стабилизации является сложной задачей.

Я предлагаю 3 простые рекомендации, которые могут выполнить даже самые несговорчивые.

1. **Отказ от лифта**. Я уже описал эту меру в этапе окончательной стабилизации. Она была адресована всем, но для толстяка, который сумел достичь своей цели и который знает, что он сейчас уязвимее, чем человек с просто избыточным весом, **эта мера должна действительно стать неотъемлемой частью его новой жизни.** Он может подниматься по лестнице медленно, может остановиться на полдороге, чтобы немного отдышаться, он может делать это как хочет, но он должен обязательно выполнять это предписание. Самое главное — человек с большим излишним весом, который похудел, физически сильнее человека с нормальным весом, так как жить, постоянно нося 120 или 150 кг, — само по себе уже является спортом. Таким образом, когда он похудеет, у него останутся мышечная масса и сила, которые ему были необходимы, чтобы каждый день подниматься по лестнице.

> 66 *Если вы едете домой с работы в транспорте стоя, вы тратите больше калорий, чем если бы сидели. Введение такой простой меры ускорит потерю веса* 99

2. **Оставайтесь на ногах как можно больше**. Всякий раз, когда вам не нужно сидеть или лежать, стойте прямо. Распределите вес равномерно на обе ноги. Любые другие позиции задействуют в работу не мышцы, а связки, простое растяжение которых не влечет за собой потребления калорий.

Не стоит пренебрегать таким безобидным советом, как просто постоять, что приводит к сокращению наиболее крупных мышц: ягодичной, четырехглавой и ягодично-бедренной.

Если регулярно прямо и твердо стоять на ногах, то это, казалось бы, банальное действие, которым многие пренебрегают, приводит к потреблению достаточного количества энергии для того, чтобы не упускать его из виду.

3. **Полезная ходьба**. Хороший случай еще раз поговорить о ходьбе. Вы уже знаете, какую роль она играет в борьбе с избыточным весом.

   Вы знаете, что я предписываю ходьбу по 20 минут в день во время этапа атаки, по 30 минут во время смешанного этапа, по 60 минут в течение четырех дней, чтобы преодолеть период плато.

   Затем по 25 минут ежедневно в период закрепления веса, и наконец, минимум по 20 минут в день на заключительном этапе стабилизации.

> **!** НО ДЛЯ ЧЕЛОВЕКА, ПОБЕДИВШЕГО ОЖИРЕНИЕ, ЭТИХ 20 МИНУТ НЕДОСТАТОЧНО, ОН ДОЛЖЕН, ПОМИМО ЭТОЙ ХОДЬБЫ, ДОБАВИТЬ ПОЛЕЗНУЮ ХОДЬБУ, КОТОРАЯ ПО ОПРЕДЕЛЕНИЮ НЕСЕТ В СЕБЕ РАСХОД КАЛОРИЙ. ХОДИТЕ ЧАЩЕ ПЕШКОМ: ДОМОЙ, ЗА ПОКУПКАМИ, В ГОСТИ И Т.Д.

Похудевший толстяк должен повторно учиться использовать свое тело, которое он справедливо рассматривал как нетранспортабельный груз, препятствующий его свободе. Потеря веса и его стабилизация — это не волшебная палочка, а реабилитация, которая осуществляется у нас в голове и должна быть желаемой. Это работа над собой, приносящая такое удовлетворение, что оправдывает все усилия.

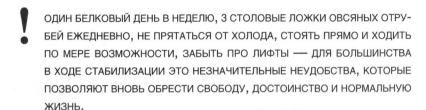

ОДИН БЕЛКОВЫЙ ДЕНЬ В НЕДЕЛЮ, 3 СТОЛОВЫЕ ЛОЖКИ ОВСЯНЫХ ОТРУБЕЙ ЕЖЕДНЕВНО, НЕ ПРЯТАТЬСЯ ОТ ХОЛОДА, СТОЯТЬ ПРЯМО И ХОДИТЬ ПО МЕРЕ ВОЗМОЖНОСТИ, ЗАБЫТЬ ПРО ЛИФТЫ — ДЛЯ БОЛЬШИНСТВА В ХОДЕ СТАБИЛИЗАЦИИ ЭТО НЕЗНАЧИТЕЛЬНЫЕ НЕУДОБСТВА, КОТОРЫЕ ПОЗВОЛЯЮТ ВНОВЬ ОБРЕСТИ СВОБОДУ, ДОСТОИНСТВО И НОРМАЛЬНУЮ ЖИЗНЬ.

## Три изменения в структуре питания

1. **Ешьте медленно и хорошо пережевывайте.** Сегодня научно доказано, что слишком быстрое поглощение пищи приводит к увеличению веса. Английские ученые сняли скрытой камерой две группы женщин — страдающих от ожирения и с нормальным весом. Выяснилось, что женщины с нормальным весом пережевывали пищу в 2 раза дольше, чем полные, быстрее достигали насыщения и меньше нуждались в крахмалосодержащих и сладких продуктах в течение нескольких часов после еды.

Есть два типа насыщения — **механическое**, когда заполняется желудок, и **истинное**, которое возникает, когда продукты питания перевариваются и всасываются в кровь, подавая сигнал в головной мозг. Те, кто едят очень быстро, могут рассчитывать только на растяжение желудка для удовлетворения своего голода. И наоборот, чем человек медленнее ест и дольше пережевывает пищу, тем больше калорий и питательных веществ достигают мозга и вызывают насыщение. Этот человек начинает насыщаться к середине обеда и зачастую отказывается от сыра и десерта.

> 66 *Совет есть медленно, тщательно пережевывая пищу, не теряет своей актуальности и для моей диеты. Он действительно помогает улучшить результаты* 99

Я знаю, что от привычки есть быстро непросто отказаться, и знаю, что это пытка — есть со скоростью черепахи, когда вы голодны как волк!

Тем не менее похудевшие толстяки, которым трудно стабилизировать свой вес, не должны легкомысленно относиться к скорости пережевывания.

Они должны понять, что эта простая мера во многом им поможет. Кроме того, следует знать, что волевые усилия, чтобы есть медленнее, не так велики, как кажется. Это займет всего несколько дней и быстро станет привычкой.

> **!** ВОТ ИНТЕРЕСНЫЕ РЕКОМЕНДАЦИИ, КОТОРЫЕ ДАЮТ ЧЕЛОВЕКУ С ИЗБЫТОЧНЫМ ВЕСОМ ИНДИЙСКИЕ ГУРУ: «ВО ВРЕМЯ ПРИЕМА ПИЩИ ЕШЬТЕ И ЖУЙТЕ, КАК ВЫ ПРИВЫКЛИ, НО, ПРЕЖДЕ ЧЕМ ПРОГЛОТИТЬ КУСОЧЕК ЧЕГО-НИБУДЬ, ВЕРНИТЕ ЕГО С ЯЗЫКА К ЗУБАМ И ПРОЖУЙТЕ СНОВА. ЧЕРЕЗ 2 ГОДА ВЫ ВОССТАНОВИТЕ НОРМАЛЬНЫЙ ВЕС». СОВЕТ ДОКАЗАЛ СВОЮ ЭФФЕКТИВНОСТЬ.

2. **Пейте много воды во время еды.** Благодаря заявлению неизвестного происхождения и его проникновению в коллективное сознание возникло неоправданное мнение, что пить воду во время еды вредно. Это клише не только смешно и необоснованно, но и неверно. Пить во время еды, особенно тучным людям, очень полезно по трем причинам:

● вода дополнительно наполняет желудок и вызывает чувство сытости;

● вода на некоторое время останавливает поглощение твердой пищи. Эта пауза дает время для химической реакции насыщения, питательные вещества попадают в кровь и мозг, и появляется чувство утоления голода;

- наконец, холодная или даже прохладная вода снижает общую температуру пищи в желудке, которая должна быть нагрета до начала всасывания. А это дополнительный расход калорий.

!   НА ПРАКТИКЕ, ЧТОБЫ В ПОЛНОЙ МЕРЕ ВОСПОЛЬЗОВАТЬСЯ ПРЕИМУЩЕСТВАМИ ВОДЫ, ЖЕЛАТЕЛЬНО ВЫПИВАТЬ БОЛЬШОЙ СТАКАН ХОЛОДНОЙ ВОДЫ ПЕРЕД ЕДОЙ, ВТОРОЙ — ВО ВРЕМЯ ЕДЫ И ТРЕТИЙ — ПРЕЖДЕ ЧЕМ ВСТАТЬ ИЗ-ЗА СТОЛА.

3. **Не берите добавки.** Во время периода закрепления потерянного веса, который является переходным между периодом снижения веса и его окончательной стабилизацией, я разрешаю 2 праздничные трапезы в неделю, но при этом рекомендую никогда не брать вторую порцию одного и того же блюда.

Те, у кого после похудения вес, что называется, «гуляет» на стадии стабилизации, заинтересованы соблюдать это правило, которого остальные придерживаются спонтанно. Достаточно осознать, что добавки не будет, и вы будете есть с аппетитом и без спешки. Когда вас будут соблазнять новым кусочком, вы должны помнить, что находитесь на опасном рубеже. Оставьте вашу тарелку на месте и думайте о следующем блюде.

## РЕЗЮМЕ

1) Используйте силу воздействия трех простых мер: холода, использования любой возможности для простой физической активности и ходьбы. Ваш вес будет планомерно падать, когда вы станете их использовать.

2) Что может быть проще, чем пить воду во время еды, пережевывать медленно пищу и никогда не просить добавки!

Просто и эффективно, поскольку, когда эти меры будут приняты, они медленно, но безусловно изменят ваши привычки. Связанные с другими мерами, такими как холод и полезная ходьба, они не носят ограничительного характера и являются чрезвычайно полезными.

3) Подверженные ожирению должны знать, что они никогда не смогут надеяться на длительную стабилизацию, если не откажутся от той части своих привычек, которые препятствуют успеху дела.

# Глава 10

# РЕАЛИЗАЦИЯ МЕТОДИКИ
# С ДЕТСТВА И ДО МЕНОПАУЗЫ

Основной принцип, лежащий в основе плана Дюкан, говорит, что в настоящее время трудно иметь нормальный вес и поддерживать его без специальной методологии.

Я пишу эти строки, а в офисах и лабораториях крупных агропромышленных предприятий гении маркетинга, профессора психологии, эксперты по глубокой мотивации поведения человека создают целые гаммы продукции различных форм и цвета, а способы их распространения и рекламы настолько разнообразны и привлекательны, что противостоять им становится настоящим испытанием.

В то же время в других лабораториях не менее талантливые исследователи и техники разрабатывают и запускают новые продукты и способы, предназначенные для устранения любого физического усилия со стороны человека. Так, начиная с изобретения паровой машины, появились автомобиль, электричество, телефон, стиральные машины, одноразовые пеленки и даже электрические зубные щетки — все новшества, которые освобождают нас или лишают — в зависимости от точки зрения — многих движений и жестов, выполняя которые, мы сжигаем калории.

Все это свидетельствует о том, что в так называемом потребительском обществе люди, если не считать последних оставшихся рабочих и профессиональных спортсменов, будут сталкиваться с трудностями в регулировании веса тела, а по медицинским соображениям и по соображениям моды и культурных факторов лишний вес неприемлем.

Моя методика предназначена именно для того, чтобы предложить лекарство от этой новой болезни цивилизации.

До сих пор я представлял свою диету как метод коррекции веса. Теперь мы посмотрим, как этот инструмент может быть адаптирован для использования в зависимости от возраста и общественного статуса.

> 66 *Фастфуд стал проблемой нашего века: пицца, мороженое, газировка, шоколад, попкорн и кукурузные хлопья в сочетании с малоподвижным образом жизни постепенно увеличивают количество полных детей во всем мире* 99

## ПРИМЕНЕНИЕ ДИЕТЫ ДЛЯ ДЕТЕЙ

Совокупность чрезмерного питания и отсутствия физических упражнений особенно интенсивно действует на детей. В течение всего лишь одного поколения появились телевидение, электронные игры, Интернет, которые приковывают детей к экрану, так же как и различные сладости: конфеты, вафли, шоколад — с неповторимым вкусом и привлекательной оберткой благодаря рекламе.

Эпидемия ожирения в США началась в 60-е годы и в основном ударила по детям. В настоящее время вчерашние толстые дети — это сегодняшние страдающие ожирением взрослые, чья доля в США бьет все рекорды.

227

Педиатры уже заметили признаки этого культурного вторжения и во Франции. Пицца, мороженое, газировка, шоколад, попкорн и кукурузные хлопья в сочетании с малоподвижным образом жизни постепенно увеличивают количество полных детей во Франции.

Когда речь заходит об избыточном весе у детей, следует различать детей с наследственной предрасположенностью к ожирению и детей с приобретенным ожирением.

 НИКОГДА НЕ ЗАБЫВАЙТЕ, ЧТО ПРОФИЛАКТИКА ВАЖНА, ПОТОМУ ЧТО КОГДА-ТО ПОПОЛНЕВШИЙ РЕБЕНОК БУДЕТ ИМЕТЬ НА ПРОТЯЖЕНИИ ВСЕЙ СВОЕЙ ЖИЗНИ ТРУДНОСТИ В УПРАВЛЕНИИ ВЕСОМ.

## Дети группы риска

Это малоподвижные дети с хорошим аппетитом и полными родителями, которые с раннего детства проявляют тенденцию к полноте.

В детстве не может быть и речи о какой либо диете, тем более о такой эффективной методике, которую я разработал. Но родители должны знать, как справиться с этой ситуацией.

Ответ очень прост:

- избегайте покупок и наличия конфет в доме, за исключением тех, которые подслащены аспартамом;

- исключите из питания такие продукты, как чипсы, жареный картофель и масличные растения (фундук, арахис);

- наполовину или две трети сократите использование жира (растительное масло, сливочное масло, сливки) при приготовлении соусов и блюд.

С помощью этих трех простых, но очень эффективных мер, осуществляемых ежедневно, вы можете избежать наибольшей опасности. И они не подлежат обсуждению, так как речь идет о здоровье — физическом и умственном — вашего ребенка.

Предусмотрительный родитель не должен покупать конфеты, торты, пирожные, шоколад, мороженое. Эти продукты могут быть использованы только в качестве награды или в праздничные дни. Тем более что сегодня существует множество менее калорийных, но не уступающих по вкусу продуктов: варенье без сахара, ароматизированные обезжиренные молочные продукты, заварные кремы без сахара, сливочное мороженое и т.д.

Вам нужно будет также проявить творческий потенциал и снизить содержание жира в соусах, добавляемых в макаронные изделия, различные блюда из мяса, рыбы или птицы (см. рецепты соусов).

> 66 *Если ваш ребенок имеет склонность к полноте, не покупайте и не держите дома такие вредные для него продукты, как конфеты, торты, пирожные, шоколад и мороженое* 99

**До достижения ребенком 10 лет**, если существует реальная опасность ожирения, следует применять стратегии, направленные на стабилизацию веса. Так что начните с использования 3 вышеуказанных мер в течение 3 месяцев. Если вес продолжает расти, несмотря на эти меры, перейдите к третьему этапу моей диеты — закреплению веса с его двумя праздничными обедами в неделю, но без белкового четверга, который является слишком опасным для такого возраста.

**В возрасте после 10 лет** при угрозе ожирения следует начать непосредственно с третьего этапа диеты, заменив белковый четверг белково-овощной диетой. Целью является снижение веса, но при этом нельзя забывать, что ребенок должен расти, и этот рост является его верным союзником в борьбе с весом.

# ДИЕТА
# ДЛЯ ПОДРОСТКОВОГО ВОЗРАСТА

В подростковом возрасте у мальчиков угроза избыточного веса уменьшается. Этот период характеризуется усиленным ростом и активной физической деятельностью, в ходе которой энергетические расходы делают полноту почти невозможной.

Иначе обстоит дело с девочками, которые гормонально неустойчивы и склонны к набору веса, особенно в наиболее женственных частях тела — бедрах, коленях.

### Девушки группы риска

В случае **умеренной тенденции** к полноте при нерегулярных менструациях с ярко выраженным предменструальным синдромом следует обратиться к врачу, чтобы определить степень зрелости и стадию роста костей.

Если **рост костей продолжается**, то для того, чтобы сдерживать эту умеренную тенденцию, лучше всего подходит этап закрепления веса — при условии его выполнения в полном объеме, не забывая про белковый четверг.

> 66 *В подростковом возрасте девочки, в отличие от мальчиков, становятся подверженными полноте из-за гормональной перестройки организма, особенно в бедрах* 99

Когда **рост завершен** или третий этап диеты не смог должным образом контролировать ситуацию, вы можете переключиться на второй смешанный этап, но адаптированный для девочки-подростка: белки + овощи без чередования.

Если **набор веса продолжается**, то, начиная с 17 лет, следует переключиться на второй этап «Чередование», но уже с ритмом чередования для взрослых: 1 белковый день следует за 1 днем белков и овощей, пока ребенок не достигнет оптимального для этого возраста веса.

НЕ СЛЕДУЕТ ГОНЯТЬСЯ ЗА ИДЕАЛЬНЫМ ВЕСОМ, ТАК КАК ЭТО ПОТРЕБУЕТ МНОГО ВРЕМЕНИ И ПОСТАВИТ ДЕВОЧКУ-ПОДРОСТКА В СЛИШКОМ ОГРАНИЧИВАЮЩИЕ РАМКИ ПИТАНИЯ, ЧТО НЕ РЕКОМЕНДУЕТСЯ.

**Девушки, склонные к ожирению.** В случае ожирения, если у девушки регулярные менструации, нет гормональных расстройств и она не страдает булимией, с 18 лет желательно использовать мою диету в полной мере.

Сначала следует пройти этап чистых белков от 3 до 5 дней, затем — смешанный этап по формуле 1/1, в случае необходимости — 5/5, с тем чтобы ускорить снижение веса и повысить мотивацию.

Для девочек еще более важно закрепить достигнутый вес на третьем этапе, при строгом соблюдении формулы: 10 дней диеты на закрепление 1 потерянного килограмма. А затем перейти к четвертому этапу окончательной стабилизации: 1 белковый четверг в неделю и 3 столовые ложки овсяных отрубей в день. Последние 2 этапа имеют особое значение при потере веса, когда ожирение является наследственным.

## ДИЕТА
## И ПРОТИВОЗАЧАТОЧНЫЕ ТАБЛЕТКИ

Новое поколение противозачаточных средств с низкими дозами сильно уменьшили риск ожирения, который существовал с таблетками старого поколения.

Тем не менее при любой дозировке в течение первых месяцев приема противозачаточных существует возможность набрать лишний вес. Эта тенденция очевидна в начале лечения и в течение 3–4 месяцев постепенно исчезает, и на этот короткий период неплохо принять определенные меры.

**Меры предосторожности для профилактики:**

● если существует склонность к ожирению, приобретенная или наследственная, или используется большая дозировка таблеток, наиболее простой и эффективной мерой является белковый четверг и 3 ложки овсяных отрубей ежедневно;

● в случае неудачи или недостаточных результатов перейдите на третий этап.

**Меры предосторожности после увеличения веса:**

● для умеренного похудения примените второй этап с ритмом чередования 1/1 (1 белковый день, 1 день «белки + овощи»). Достигнув оптимального веса, не забудьте перейти к третьему этапу — 10 дней на закрепление 1 потерянного килограмма и четвертому — не менее 4 месяцев;

● в более серьезных случаях пройдите весь план с первого по четвертый этап, а белковый четверг сохраните на один год.

## ДИЕТА И БЕРЕМЕННОСТЬ

В идеальном случае во время беременности женщина набирает от 8 до 12 кг, в зависимости от роста, возраста и количества беременностей. Но это число набранных килограммов может оказаться гораздо выше для женщин, предрасположенных к ожирению. Все это легко контролировать благодаря различным подходам, которые дает предлагаемая диета.

## Во время беременности

**Профилактика.** Для женщин, которые набрали вес во время предыдущей беременности, или имеют наследственную предрасположенность к ожирению, или просто хотят сохранить свою фигуру, лучшей превентивной стратегией является выполнение как можно скорее и в течение всей беременности третьего этапа, специально приспособленного для беременности и сопровождающегося тремя облегчающими его мерами:

- потреблять две порции фруктов в день вместо одной;

- использовать молоко и молочные продукты (йогурт, творог) 2%-ной жирности, а не 0%;

- отменить белковый четверг.

### Уже существующий избыточный вес

В таких сложных случаях, когда существующая полнота может усугубиться, лучше начать придерживаться третьего этапа диеты, усиленного отказом от крахмалосодержащих продуктов и двух праздничных приемов пищи, при этом следует оставить четверг чистых белков.

В случае ярко выраженного ожирения, когда есть риск осложнений во время беременности или родов, можно применять, особенно на ранних сроках беременности, второй этап, но с согласия вашего лечащего врача и под его строгим наблюдением.

## После беременности

Здесь складывается классическая ситуация с избыточным весом, и речь идет о том, чтобы вернуть прежний нормальный вес.

Однако каждая женщина должна знать, что не всегда легко и целесообразно полностью восстанавливать прежний вес и становиться такой же стройной, как в юности.

Исходя из профессионального опыта, я применил свой метод вычисления массы в зависимости от возраста и количества беременностей. Я думаю, между 20 и 50 годами средний прирост веса составляет около 1 кг в десятилетие и 2 кг на каждого ребенка.

!
ТО ЕСТЬ ЕСЛИ В 20 ЛЕТ ЖЕНЩИНА ВЕСИЛА 50 КГ, ТО В 25 ОНА БУДЕТ ВЕСИТЬ 54 КГ, С УЧЕТОМ ДВУХ БЕРЕМЕННОСТЕЙ, В 30 ЛЕТ — 55 КГ, В 40 ЛЕТ — 56 КГ И В 50 ЛЕТ — 57 КГ.

**В случае кормления грудью.** Неважно, насколько полна женщина: в период грудного вскармливания не стоит следовать строгим диетам, которые могут повлиять на развитие новорожденных.

Рекомендованное поведение заключается в применении превентивных мер — облегченный вариант третьего этапа, как и при беременности:

- добавление второй порции фруктов;

- использование молочных продуктов 2%-ной жирности;

- отсутствие белкового четверга.

**Если женщина не кормит грудью.** В этом случае процесс похудения может быть начат, как только женщина вернется домой из роддома.

Если прибавка в весе является нормальной — около 5–7 кг, восстановление прежнего веса осуществляется посредством второго этапа с ритмом чередования 1/1, а затем перехода на третий этап — по 10 дней на каждый потерянный килограмм, и наконец, на четвертый — в течение хотя бы четырех месяцев.

Если увеличение веса чрезмерно — от 10 до 20 кг лишнего веса, следует последовательно следовать всем четырем этапам диеты:

- 5 белковых дней;

- на смешанном этапе ритм 5/5, то есть 5 белковых дней подряд и 5 дней «белки + овощи» до достижения желаемого веса;

- далее этап закрепления веса — 10 дней на каждый потерянный килограмм;

- затем период окончательной стабилизации на 1 год.

# ДИЕТА В ПРЕМЕНОПАУЗУ И МЕНОПАУЗУ
## Опасности при менопаузе

Пременопауза и 6 первых месяцев менопаузы — период гормональных опасностей, при котором почти каждая женщина рискует получить лишний вес.

Совокупный эффект возраста, снижения мышечной массы и уменьшения секреции щитовидной железы приводит к уменьшению калорийных расходов женского организма.

В то же время яичники перестают производить один из двух гормонов — прогестерон, так что цикл становится нерегулярным, менструации начинаются с опозданием и, наконец, полностью исчезают.

Обычно лечение заключается в принятии заменителей прогестерона, в большинстве случаев синтетических.

Вышеперечисленные факторы и порождают излишний вес, который невозможно контролировать привычными мерами. Мы в центре пременопаузы.

> 66 *Остаточные признаки менопаузы могут проявляться от 2 до 5 лет и сопровождаться повышением веса* 99

Когда функция яичников прекращается полностью и перестает производить эстроген, о чем свидетельствуют внезапные приступы повышения температуры («приливы»), это значит — наступила менопауза, а следовательно, полнота усилится при обращении к синтетическим заменителям прогестерона и эстрогена. Тенденция сохранится, пока организм не приспособится к лекарственным средствам, и исчезнет через несколько месяцев.

Остаточные явления этого периода могут длиться от 2 до 5 лет и сопровождаться повышением веса, согласно статистике, от 3 до 5 кг в зависимости от применяемых препаратов. Но женщины, склонные к ожирению, рискуют увеличить свой вес до 10 и даже 20 кг.

## Растительные гормоны

Такие гормоны — оригинальная и естественная альтернатива для женщин группы риска.

Не так давно появился новый метод коррекции менопаузы, с помощью которого можно избежать избыточного веса, вызванного гормональными лекарствами. Речь идет об использовании природных веществ, выделенных из различных растений и, в частности сои. Данный метод разработан в США, но был заброшен, и сейчас его результаты используются только в виде косметического крема.

Эти вещества образованы молекулами, структура которых столь схожа со структурой женских гормонов, что они могут их частично заменить. Благодаря этому сходству они получили название «*соевые изофлавоны*».

Эти растительные заменители не так активны, как женские гормоны, но они не токсичны и доказали на практике свое защитное действие при приливах. В настоящее время проводятся исследования, чтобы подтвердить их действие при остеопорозе и сердечно-сосудистых заболеваниях, а также на многие гормонозависимые формы рака, в частности рак молочной железы.

Но нельзя забывать о профилактическом действии этих природных расти-

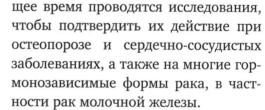

*Вместо гормональных препаратов можно использовать растительные заменители.*
*Они не так активны, но и менее токсичны*

тельных субстанций на женщин, подверженных риску увеличения веса во время менопаузы и пременопаузы. Похоже, что регулярное употребление фитоэстрогенов сои в достаточно больших дозах позволяет женщинам избежать риска полноты в этот период. Вы должны знать, что дозировки большинства этих препаратов, продающихся в аптеках в виде таблеток или капсул, являются недостаточными.

> **!** ТОЛЬКО 100 МГ СОЕВЫХ ИЗОФЛАВОНОВ В ДЕНЬ (ЧТО ЭКВИВАЛЕНТНО 200 Г СОЕВОГО ТВОРОГА, ТОФУ) ОБЕСПЕЧИВАЮТ РЕАЛЬНЫЙ ЭФФЕКТ, ТАК КАК РАСТИТЕЛЬНЫЕ ГОРМОНЫ В 1000—2000 РАЗ СЛАБЕЕ ЖЕНСКИХ.

Многие женщины, несмотря на трудности, используют диеты во время менопаузы и замечают, что ранее эффективные средства сейчас перестают работать и их вес постепенно увеличивается. У этих женщин классическая гормональная терапия может только подлить масла в огонь и вызвать неконтролируемую прибавку веса. Именно в таком тяжелом положении растительные гормоны могут быть особенно полезны. В последующем, когда вес стабилизируется, можно будет в случае необходимости перейти к обычным гормонам.

Все авторы, изучающие свойства сои, подчеркивают тот факт, что ее употребление снимает некоторые симптомы менопаузы — такие, как приливы, старение кожи. Регулярное потребление сои объясняет крепкий иммунитет азиатских женщин к раку молочной железы, остеопорозу и ожирению.

> **!** ПОЭТОМУ Я РЕКОМЕНДУЮ МОЛОДЫМ ЖЕНЩИНАМ ВЗЯТЬ В ПРИВЫЧКУ РЕГУЛЯРНОЕ ПОТРЕБЛЕНИЕ СОИ: НЕ РОСТКОВ СОИ, КОТОРЫЕ БЕСПОЛЕЗНЫ, А СЕМЯН, ЕЩЕ ЛУЧШЕ — СОЕВОГО МОЛОКА ИЛИ ТОФУ, ТО ЕСТЬ СОЕВОГО ТВОРОГА ИЛИ СЫРА.

## Превентивные меры

**Нормальная менопауза.** Если в прошлом у женщины не было излишнего веса и опыта соблюдения множества диет, то, чтобы предотвратить возможную полноту, при первых признаках наступления менопаузы рекомендуется четвертый этап с его белковым четвергом, 3 ложками овсяных отрубей ежедневно и отказом от лифта. В большинстве случаев этого достаточно, чтобы поддержать вес. Четвертый этап должен соблюдаться во время пременопаузы и периода адаптации к менопаузе, и особенно при использовании альтернативной гормональной терапии — периода, во время которого очень легко потерять контроль над весом.

> 66 *Женщины в период пременопаузы и менопаузы так же, как и в подростковом возрасте, сильно подвержены гормональным изменениям. Регулярное употребление сои (белка) позволяет женщинам избежать риска полноты в этот период, поэтому моя диета им также будет полезна* 99

**Риск менопаузы.** Это характерно для многих женщин, у которых всегда были затруднения в сохранении нормального веса, и у них есть все основания опасаться первых симптомов менопаузы.

В тех случаях, когда четвертого этапа будет недостаточно, следует перейти к третьему этапу с его основой «белки + овощи», а также порцией фруктов, цельнозерновым хлебом и сыром, 2 порциями крахмалосодержащих продуктов и 2 праздничными приемами пищи в неделю, и, конечно, белковым четвергом.

В некоторые критические моменты пременопаузы, при долгих задержках или отсутствии менструаций, сопровождающихся удержанием воды, вздутием живота, отеками ног и пальцев рук, головными болями, или в первые 3 месяца гормонального лечения следует перейти ко второму этапу с ритмом чередования 1/1: 1 белковый день, 1 день белков и овощей.

# Увеличение веса

**Недавнее увеличение веса.** Если женщина не приняла меры предосторожности и уже начала поправляться, то лучше начать с 3 дней этапа атаки, затем продолжить второй этап с чередованием 1/1, восстановив вес, перейти к третьему этапу и, наконец, к четвертому до совершенной адаптации к гормональной терапии, то есть не менее 6 месяцев.

**Ранняя полнота.** У тучных женщин велик риск дальнейшего увеличения веса при проведении гормональной терапии. Если лечение уже начали, следует максимально строго применять мою диету, начиная с 5 или даже 7 белковых дней, если это необходимо.

Затем переходите ко второму этапу с ритмом чередования 5/5, то есть 5 белковых дней, 5 дней белков и овощей. Когда вы достигнете желаемого веса, применяйте третий этап — 10 дней на закрепление каждого потерянного килограмма и, наконец, четвертый этап диеты до конца жизни.

## РЕЗЮМЕ

1. Если у вашего ребенка наблюдается стабильный лишний вес, то начните с простых мер:

   - избегайте покупок и наличия конфет в доме, за исключением тех, которые подслащены аспартамом;

   - исключите из питания такие продукты, как чипсы, жареный картофель и масличные растения (фундук, арахис);

   - наполовину или две трети сократите использование жира (растительное масло, сливочное масло, сливки) при приготовлении соусов и блюд.

2. В подростковом периоде девушки становятся уязвимыми и могут набрать лишние килограммы. Будьте внимательны и применяйте мою диету так, как описано в этой главе.

3. Женщины в период беременности и после нее, а также в пременопаузы и менопаузы тоже подвержены сильнейшим гормональным перестройкам, и лишний вес часто сопровождает эти этапы жизни женщины. Но вес можно взять под контроль — опять-таки внимательно читайте эту главу, для каждого случая у меня есть четкий план.

# Глава 11

# ДИЕТА И ОТКАЗ ОТ КУРЕНИЯ

## Отказ от курения и лишний вес

Часто курильщики не решаются бросить курить из-за оправданного страха набрать вес. Многие из тех, кому удалось бросить курить, начали полнеть и опять возвращались к сигаретам, ошибочно полагая, что они будут терять вес.

Вы должны знать, что увеличение веса при отказе от курения — следствие двух взаимосвязанных факторов: потребности в компенсации вкусовых ощущений во рту и ритмичных жестов, которые и подталкивают бывшего курильщика на поиски ощущений. Отсюда возникает необходимость положить в рот что-то приятное на вкус и калорийное. Это приводит к накоплению калорий, которые никотин позволяет сжечь.

**!** СОЧЕТАНИЕ ЭТИХ ДВУХ ФАКТОРОВ, ЧУВСТВЕННОГО И МЕТАБОЛИЧЕСКОГО, ДАЕТ В СРЕДНЕМ 4 КГ ПРИБАВКИ ВЕСА, КОТОРАЯ МОЖЕТ ДОСТИГАТЬ 10 И ДАЖЕ 15 КГ У СКЛОННЫХ К ОЖИРЕНИЮ ЛЮДЕЙ И ЗАЯДЛЫХ КУРИЛЬЩИКОВ. ВЫ ДОЛЖНЫ ЗНАТЬ, ЧТО НАКОПИВШИЙСЯ ПОСЛЕ ПРЕКРАЩЕНИЯ КУРЕНИЯ ВЕС НЕ ИСЧЕЗНЕТ АВТОМАТИЧЕСКИ ПРИ ВОЗОБНОВЛЕНИИ КУРЕНИЯ.

Нельзя также забывать, что увеличение веса при прекращении курения ограничено во времени — период бросания курить обычно длится 6 месяцев, а значит, и усилия, направленные на предотвращение набора веса, также ограничены во времени.

По истечении этого срока обмен веществ приходит в норму, снижается стремление к компенсации и контроль веса становится легче.

## Профилактика для курильщиков с нормальным весом

Рассмотрим простой случай курильщика, который не склонен к увеличению веса и никогда не использовал диеты.

Если он выкуривает **меньше 10 сигарет в день** или не затягивается, то лучшим решением является внедрение четвертого этапа с белковым четвергом и 3 ложками овсяных отрубей в течение 6 месяцев.

Если он выкуривает **более 20 сигарет в день**, следует применить третий этап в первые 4 месяца и перейти к четвертому еще на 4 месяца.

## Профилактика для курильщиков, склонных к увеличению веса

Когда курильщик подвержен полноте, появляются и другие факторы риска, такие как диабет, болезни сердца и дыхательная недостаточность. В этом случае следует применять второй этап с ритмом 1/1 в течение первого месяца, когда риск увеличения веса максимален.

Затем перейти на третий этап на 5 месяцев и, наконец, четвертый по крайней мере на 6 месяцев.

# Отказ от сигарет при ожирении

Здесь риск является максимальным и дополнительный вес усугубит и без того серьезную ситуацию с ожирением. Поэтому в таких случаях следует учитывать очень медленный обмен веществ, острую потребность во вкусовых ощущениях и желание перекусить.

Но польза будет огромной, так как отказ от курения вместе с потерей веса освобождают организм от двойного риска — сердечно-сосудистых заболеваний и рака легких.

Инициатива требует сильной мотивации, поддержки со стороны родственников, а также консультации врача. Последний часто вынужден предписывать успокоительные средства и даже антидепрессанты, чтобы смягчить шок отказа от двух таких серьезных проблем.

> 66 *Увеличение веса при прекращении курения ограничено во времени — отказ от курения обычно длится 6 месяцев, а значит, и усилия, направленные на предотвращение набора веса, также ограничены во времени* 99

В таких случаях я предписываю свою диету в самой строгой версии, начиная с этапа чистых белков «Атака» 5–7 дней, за которым следует второй этап «Чередование» с ритмом 1/1. Затем идет этап закрепления веса — 10 дней на каждый потерянный килограмм. И наконец, этап окончательной стабилизации с его превентивными мерами: белковый четверг, 3 ложки овсяных отрубей ежедневно и отказ от лифта в течение всей жизни.

# Лечение избыточного веса после отказа от курения

Итак, зло уже сотворено — бросивший курить не смог избежать прибавки в весе. Теперь его главная задача — сбросить вес, не вернувшись при этом снова к табаку.

Этот случай похож на случай классического ожирения и требует применения всех этапов диеты в самой мощной версии: этап атаки — 5 дней чистых белков, этап чередования с ритмом 5/5, этап закрепления веса — 10 дней на каждый потерянный килограмм, этап окончательной стабилизации минимум на 8 месяцев, а лучше на всю жизнь, если избыточный вес значителен.

## РЕЗЮМЕ

В этой главе хочу сделать единственный заключительный вывод: каким бы лишним весом вы ни обладали, курить нужно бросать, это положительно скажется не только на вашем весе, но и на здоровье всего организма. А четкий план моей диеты поможет справиться с желанием перекусить.

# Глава 12

# ГИМНАСТИКА — ОБЯЗАТЕЛЬНЫЙ КАТАЛИЗАТОР ПОХУДЕНИЯ

Дорогие читательницы и читатели,
если вы ДЕЙСТВИТЕЛЬНО хотите похудеть,
если вы ДЕЙСТВИТЕЛЬНО не хотите повторно поправиться,
вы должны ПРИНЦИПИАЛЬНО изменить взгляд на физическую активность.

Книга, которую вы держите в руках, — история моей жизни как врача. В 1970 году я создал основу моей диеты. В то время для похудения я предлагал 72 продукта, употребление которых приносило блестящие, но недолговременные результаты.

Очень скоро я добавил к ней 28 овощей, чтобы сделать ее более устойчивой. Это составило основу моей методики из 100 продуктов. В 80-х годах я включил этап закрепления достигнутого веса, чтобы сохранить полученные результаты при возвращении к обычной пище.

В 90-х годах я решил добавить к моей диете наиболее новаторский элемент — окончательную стабилизацию веса, чтобы достигнутый вес оставался неизменным на долгосрочный период.

В 2000 году методика стала законченной и достаточно исчерпывающей, и я представил ее на суд моим читателям и коллегам-врачам, даже не надеясь на тот успех, которого она удостоилась.

> *Значительная часть тех, кто воспользовался моей методикой, закрепили и стабилизировали свой вес на достаточно длительный срок, то есть больше чем на 3 года*

Сегодня эту книгу прочли **больше миллиона** человек. Она обсуждается на многих форумах и блогах, была переведена во многих странах, подняла волну энтузиазма. На некоторое время мне даже показалось, что эта книга и методика, которую она описывает, больше не принадлежат мне. На самом деле — и я об этом говорю совершенно искренне — она принадлежит вам в той же **степени**, что и мне.

Столько добровольцев приняли эстафету, и сегодня я чувствую большую ответственность по отношению к своим читателям.

Все это заставило меня искать **новые средства повышения эффективности** моей диеты. Таким образом, родилась эта глава, в которой описываются средства, удваивающие эффективность и прочность результатов методики.

Прошло около 10 лет после первого издания этой книги, и, надо заметить, наш мир развивается такими быстрыми темпами, что человечество просто не успевает изобретать средства для устранения вредных факторов этого прогресса. Один из них — избыточный вес — кажется мне весьма существенным препятствием, мешающим нормально жить и развиваться в современном мире, не противореча человеческому инстинкту и природе.

Это мир, который мы создали, к которому привыкли и без которого уже не сможем обойтись, но в то же время он причиняет нам много зла, боли и страданий. И вы, мои читатели, находитесь среди тех, кто, осознавая это зло, продолжает прибегать к пище как к спасательному кругу, думая, что делает себе благо.

ЗА ПОСЛЕДНИЕ 10 ЛЕТ ПОЯВИЛОСЬ ЕЩЕ БОЛЬШЕ ЛЮДЕЙ С ИЗБЫТОЧ-
НЫМ ВЕСОМ. ПРИЧЕМ ТАКАЯ ТЕНДЕНЦИЯ ИЗ ГОДА В ГОД ТОЛЬКО УСИ-
ЛИВАЕТСЯ. ЭТО ОЗНАЧАЕТ, ЧТО МЫ НЕ ТОЛЬКО НЕ ДЕЛАЕМ ПРАВИЛЬ-
НЫЙ ВЫБОР, А ПРОСТО УПОРСТВУЕМ В СВОЕМ НЕПРАВИЛЬНОМ
ВЫБОРЕ.

Поэтому важно найти решение — ненавязчивое, но достаточно
убедительное, позволяющее объединить опыт, компетенцию,
методы и необходимое финансирование, чтобы лучше бороться
с этим бичом современного общества, который мировая органи-
зация здоровья поставила на 6-е место среди человеческих бед-
ствий.

И это подтверждает право на существование этой главы.

## ВОЗМОЖНОСТИ ДИЕТЫ
## БЕЗ УПРАЖНЕНИЙ

Во всех изданиях книги, вплоть до того, которое вы сейчас держите в руках, мои читатели находили только 4 подробно описанных этапа, каждый со своими продуктами, рекомендациями и
указаниями, а также 100 продуктов, среди которых 78 животного
происхождения и 28 овощей, и 101-й — овсяные отруби. В этом
издании я уже настоятельно рекомендую включать движение и
физические усилия при похудении.

Как я уже упоминал, на данный момент более миллиона людей уже купили мою книгу, которая у вас в руках. Мой издатель
уверяет меня, что каждая проданная книга прочитывается в среднем двумя людьми, это означает, что около 2,5 миллиона женщин
и мужчин прочитали мою книгу.

Я не знаю, какая часть из купивших книгу воспользовалась
предложенной диетой. И наверное, еще меньше тех, кто, осуще-
ствив режим, достиг правильного веса, не говоря уже о тех, кто

смог стабилизировать свой вес, сохраняя его от всевозможных жизненных искушений. Но есть две вещи, в которых я убежден и которые могу гарантировать:

1) **я не знаю никого, кто бы не худел, следуя предписаниям диеты.** Результаты могут быть различными в зависимости от пола, возраста, количества избыточного веса, наследственности или числа уже испробованных диет. Но любой, кто соблюдал план, непременно терял вес;

2) мне также известно, что значительная часть читателей и пользователей моей методики закрепили и стабилизировали свой вес на достаточно длительный срок, то есть **больше чем на 3 года.** Эту информацию я получаю из регулярных сообщений, в которых они выражают мне свою признательность и симпатию, и это бесконечно меня трогает.

Тем не менее я получаю также письма от людей, которые похудели, прошли этап закрепления веса и, перейдя на заключительный этап стабилизации, некоторое время держались, а затем, потеряв интерес, вернули часть потерянного веса. Почему? Потому что, дойдя до последнего этапа стабилизации, они сбились с пути. С разными причинами этих провалов я часто встречаюсь на своих консультациях. Я их все проанализировал и классифицировал:

● у некоторых не было ни мотивации, ни желания начинать чтение и приступать к делу. Таким образом, книга осталась стоять на полке и дожидаться лучших времен;

● другие прочли эту книгу и начали выполнение плана, но остановились на полпути, не имея мотивации и достаточной энергии, чтобы достичь своего оптимального веса;

- третьи, находясь на **сложных этапах жизни** (пременопауза, менопауза, гормональная неустойчивость, тиреоидная или овариальная недостаточность, депрессия с приемом медикаментов), претерпевают изменения в весе. Все это разрушает мотивацию приступить к непосредственному выполнению пунктов диеты;

- ситуация не благоприятствует тем, **кто уже испробовал много безрезультатных или нестабильных диет**, слишком ограничивающих или слишком утомительных, которые в результате приводят к «эффекту йо-йо». Сюда относятся также люди, наследственность и генетика которых делают их предрасположенными к полноте. Для них всех борьба с лишним весом будет труднее и потребует больших усилий;

- и наконец, наиболее многочисленная группа — те, кто на пути к похудению, какой бы этап диеты ни был пройден, **встречают «удары судьбы и различные жизненные трудности»**. Сентиментальное разочарование, траур, развод, переутомление, профессиональное преследование или многие другие болезненные события. Мало кто может сопротивляться таким проблемам, большинство безучастно опускают руки.

> **!** ИМЕННО ДЛЯ ЭТИХ ТРУДНЫХ СЛУЧАЕВ — ГРУПП РИСКА — Я ПЕРЕСТАЛ ДОВОЛЬСТВОВАТЬСЯ ТОЛЬКО ОДНИМ ПЛАНОМ ДИЕТЫ И РЕШИЛ ОТКРЫТЬ ВТОРОЙ ФРОНТ БОРЬБЫ С МОИМ СТАРЫМ ВРАГОМ — ИЗБЫТОЧНЫМ ВЕСОМ.

В предыдущих главах я представил вам свою диету такой, какой я ее формировал из года в год вначале только для моих пациентов, затем для моих читателей, думая, что это законченная версия. Я никогда не представлял, что моя методика найдет столько последователей, и что все они станут ее друзьями и горячими сторонниками. Своими вопросами, предложениями, замечаниями и потребностями они заставили меня изменить многие принципы методики, некоторые из них даже очень существенно. Мой форум в Интернете стал наиболее важным местом встречи, где у меня есть возможность изучать в реальном времени состояние и эмоции тех, кто использует мою методику. Они ежедневно рассказывают о своих проблемах, что позволяет мне вносить в нее регулярные улучшения.

> **66** *Физические упражнения были введены мною в методику совсем недавно, до этого я рекомендовал своим пациентам только диету, и она давала потрясающие результаты* **99**

Прежде чем переходить к содержанию этой главы, я хотел бы кратко перечислить основные преимущества моей методики, которые обеспечивали успех всем, кто ее попробовал:

1) эффективность белков;

2) стремительность этапа атаки;

3) общая свобода в количестве потребляемой пищи, которая позволяет избежать острого ощущения голода;

4) простота инструкций и рекомендаций: 100 продуктов, из которых 78 — животного происхождения, 28 — растительного;

5) четкая понятная структура, последовательность 4 этапов;

6) дидактическая форма, которая одновременно с похудением учит худеть. Именно порядок ввода продуктов записывает в память тела уровень их важности. Все начинается с «жизненной части» (белки), затем следует «существенная часть» (овощи), «необходимая часть» (фрукты), «важная

часть» (цельнозерновой хлеб), «полезная часть» (крахмалосодержащие продукты), вознаграждение (сыр) и удовольствие (праздничные трапезы);

7) заключительный этап стабилизации веса — этап, находящийся в тени, пренебрежение которым может послужить причиной провала борьбы против избыточного веса. Цель двух фаз из четырех (закрепление веса и окончательная стабилизация) — не только похудеть, но «вылечиться от избыточного веса»;

8) это методика с человеческим лицом, она помогает забыть об одиночестве благодаря тому сопереживанию, активной поддержке и непрерывной мотивации, которую вы можете получить на моем сайте и многочисленных форумах.

В этой программе похудения недоставало трех элементов для того, чтобы сделать из нее настоящую боевую машину, которую можно бросить на борьбу с избыточным весом и попытаться взять под контроль тревожную скорость его роста.

1. **Индивидуальный подход** — главный момент в борьбе с избыточным весом. Для того, кто худеет, это — уверенность в том, что он не одинок в борьбе с излишним весом.

2. **Ежедневный контроль** — наиболее простое и наиболее эффективное средство облегчить трудоемкость диеты. Последовательно получать точные и обязательные инструкции кого-то авторитетного, кому можно доверять. Это позволяет лучше сопротивляться желаниям и делать правильный выбор.

Контроль — это значит быть в курсе всевозможных отклонений от методики на любом из его этапов, трудностях того или иного этапа, сомнений, часто случающихся слабостей. Контроль — это не оставаться в одиночестве на одном из наиболее опасных этапов — неизбежном моменте, когда вес без видимой причины останавливается. Этот период воспринимается как несправедливость и влечет сомнение и отчаяние. Роль коуча состоит в том, чтобы объяснить, что это нормальный и почти неизбежный процесс, успокоить и предоставить средства для «преодоления» этой задержки. В итоге для человека, следующего указаниям, это означает чувствовать присутствие и сопереживание того, кто в трудный момент, когда вы близки к тому, чтобы все бросить, может протянуть руку помощи.

3. Наконец, и это ЦЕЛЬ ДАННОЙ ГЛАВЫ, последний пункт, возможно, более существенный, чем любые другие, — ФИЗИЧЕСКАЯ ДЕЯТЕЛЬНОСТЬ.

## ФИЗИЧЕСКАЯ ДЕЯТЕЛЬНОСТЬ — ВТОРОЙ ВАЖНЫЙ ФАКТОР В БОРЬБЕ ПРОТИВ ИЗБЫТОЧНОГО ВЕСА

Я должен сказать, что, как и всякий человек, я всегда знал, что физическая деятельность — неотъемлемая часть здорового образа жизни и контроля своего веса. Я родился в мире, в котором двигаться было столь естественно и очевидно, что я не чувствовал себя никогда обязанным это доказывать.

Когда я был ребенком, СПИД не существовал, рак был редким заболеванием. Все боялись паралича. Люди жили в тревоге и почти в ожидании полиомиелита и инвалидных колясок. От моей матери мне передалось это беспокойство и необходимость жизни в движении. Идти, бежать, плавать, танцевать, прыгать, петь полной грудью — все эти действия были занесены в мою эмоциональную память как естественные и необходимые элементы жизни.

Когда я проходил свою первую стажировку в старом квартале Монпарнас, достаточно живом и пестром, то большинство моих визитов к больным приходилось на здания без лифтов, по лестницам которых я живо и весело поднимался. Движение всегда являлось частью и моей природы, и моей культуры.

**!** ЩЕЛЧОК В МОЕМ СОЗНАНИИ ПРОИЗОШЕЛ ПОЧТИ АНЕКДОТИЧЕСКИ. Я СТОЯЛ В ОЧЕРЕДИ В ИСПАНСКОМ БЮРО ПУТЕШЕСТВИЙ, ГДЕ ТРИ СЛУЖАЩИЕ ЗА СТОЙКОЙ ОБСЛУЖИВАЛИ КЛИЕНТОВ. ВСЕ ОНИ СИДЕЛИ В УДОБНЫХ КРЕСЛАХ НА КОЛЕСИКАХ, КОТОРЫЕ ПОЗВОЛЯЛИ ИМ ПЕРЕМЕЩАТЬСЯ, НЕ ВСТАВАЯ. ДВЕ ИЗ НИХ, КАЗАЛОСЬ, РАЗВЛЕКАЛИСЬ, ДВИГАЯСЬ К ПАПКАМ ИЛИ АФИШАМ, ИНОГДА УДАЛЕННЫМ НА НЕСКОЛЬКО МЕТРОВ, КАК ПАРАЛИТИКИ НА ИНВАЛИДНЫХ КОЛЯСКАХ. ТРЕТЬЯ СИСТЕМАТИЧЕСКИ ВСТАВАЛА. СОВПАДЕНИЕ ИЛИ ЗАКОНОМЕРНОСТЬ: ТРЕТЬЯ БЫЛА ЕДИНСТВЕННОЙ, У КОГО БЫЛА СТРОЙНАЯ ФИГУРА, ДВЕ ДРУГИЕ, НЕСМОТРЯ НА СВОЮ МОЛОДОСТЬ, БЫЛИ УЖЕ ПОЛНОВАТЫ.

Этот день и эта, казалось бы, банальная сцена из повседневной жизни изменили мой подход к борьбе против избыточного веса. Я стал решительно вводить физические упражнения в свою программу. Но не в виде простого здравого совета, как об этом упоминалось в других диетах, а в качестве предписания, которому надо следовать так же строго, как и режиму моей диеты. Я спрашивал себя: как я, закаленный практик, посвятивший всю свою профессиональную жизнь борьбе с избыточным весом, не принял во внимание роль физической нагрузки в процессе похудения, и как мой читатель мог не додуматься до этого раньше?

Практически каждый знает, что физическая деятельность помогает сжигать калории, но никто в это не верит или по крайней мере никто в это не верит в достаточной степени, чтобы считать ее такой же важной, как пищевое ограничение. Садиться на диету, лишаться любимой еды, даже голодать — почему нет? Но ходить, плавать, танцевать — никогда!

> Объединение диеты и несложных физических упражнений позволило многим моим пациентам добиться более впечатляющих результатов за короткие сроки

Я изменил свою политику. Если раньше я просто советовал своим пациентам включить физическую деятельность, то теперь я ее ПРЕДПИСЫВАЮ как лекарство!

Сначала, когда я задаю простой вопрос: «Занимаетесь ли вы физкультурой?» я получаю только неясные и расплывчатые ответы: «Я немного хожу пешком, как и все» или «С детьми не посидишь, приходится постоянно двигаться». Но когда я ставлю вопрос немного иначе, четко выделяются два типа физической деятельности:

1) **утилитарный тип**, для практических целей повседневной жизни;

2) «я стараюсь быть активной, двигаюсь, чтобы оставаться красивой, стройной и здоровой», — слова, вызывающие **чувство вины**, которые подталкивают многих покупать абонемент в спортзал, выбирать вместо лифта лестницу. Парадокс, обеспечивающий успех промоутерам различных спортивных тренажеров.

Проблема физической деятельности поднимает проблему общества, так как наша экономическая модель, основанная на достижениях технологий, восхваляет устранение физического усилия.

Как поверить в достоинства утилитарной физической деятельности, когда половина заявленных патентов на изобретение касается способов сокращения усилий и затрат времени, и обе эти составляющие связаны с избыточным весом и стрессом!

Кроме того, **ходьба — почти такое же фундаментальное действие, как и дыхание**, она настолько заложена в природу человека, что ее «терапевтическая» ценность воспринимается с трудом и еще меньше — как способ похудения.

Наконец, врачи не уделяют внимания этому направлению, так как оно довольно необычно для них или не представляет собой прорыв в технологиях. Когда я говорю о врачах, я имею в виду и себя. В течение многих лет я только давал советы, главным образом по поводу ходьбы, но не брал на себя ответственности предписывать ее как обязательную рекомендацию. Я ошибался, и теперь осознаю это!

Но еще не все потеряно, и сейчас я попытаюсь донести до вас мысль о том, что физическая деятельность играет решающую роль в процессе похудения. Для этого я хотел бы задать два простых и конкретных вопроса и получить на них недвусмысленные ответы:

● заставляет ли физическая деятельность вас худеть?

● необходима ли физическая деятельность для того, чтобы стабилизировать свой вес при похудении?

Однозначно — ответ ДА на каждый вопрос.

Теперь давайте рассмотрим эти ответы подробнее.

1. **Физическая деятельность заставляет худеть.** Когда вы закрываете глаза, чтобы снова их открыть, это простое моргание заставляет вас потратить энергию — разуме-

ется, только ее малую толику, но тем не менее исчисляемую в милликалориях. Дело обстоит так же, когда вы вспоминаете. Намного больше вы тратите, когда думаете, размышляете, и затраты еще больше, когда пытаетесь решить проблему. И намного больше, когда вы поднимаете руку или обе.

Встаньте — и вы незамедлительно повысите количество теряемых калорий. У всего, что вы делаете, есть своя калорийная ценность.

И вы, мой читатель, безусловно со мной в этом согласитесь, не так ли? Тогда давайте продолжим.

Представьте, что вы живете на 4-м этаже. Не используя лифт, спускаясь на улицу по лестнице, вы потратите 6 калорий. Вы забыли взять ключи, снова поднимаетесь на 4-й этаж — и на это израсходуете 14 калорий, еще 6 — чтобы снова спуститься. Вот уже 26 калорий растворяются в дымке.

> **66** *Введение физической деятельности в методику позволяет не только быстрее терять лишние килограммы, но и улучшает эластичность кожи и мышц, что незамедлительно сказывается на внешности* **99**

Продолжим. На часах 13:00. Вы работали в течение четырех часов, сидя за компьютером. Вы жили, то есть дышали, чувствовали, ваше сердце билось, ваша кровь циркулировала. Кроме того, в течение этих четырех часов вы выполняли свои профессиональные задачи, и сейчас несколько движений ногами и руками вам не помешают — вот еще 15 калорий. Вы ощущаете скованность ног и потребность двигаться, поднимаетесь и идете, выходите.

Итак, к вашему большому удивлению, я собираюсь просить вас двигаться в течение одного ЧАСА! О, я знаю, как это непросто. Да и зачем ходить, когда можно сидеть! И главное, этот час будет вычтен из вашего рабочего времени. Но давайте представим, что вы согласны. За час, если вы ходите не слишком быстро, вы растратите 300 калорий.

 С ТОГО МОМЕНТА, КАК ВЫ ОТКРЫЛИ ДВЕРЬ ВАШЕГО ДОМА, НА ДАННУЮ МИНУТУ ВЫ РАСТРАТИЛИ 340 КАЛОРИЙ!

Читатель, что если бы вы жили в другом мире — мире первобытного человека, охотника-собирателя, мире, где нехватка необходимых для выживания продуктов очень остра и требует больших затрат энергии? В таком мире, где пищу нужно было бы добывать на охоте, тратя при этом свою энергию, эти простые 60 минут ходьбы или «ходьбы ради ходьбы» рисковали бы оказаться бесполезно растраченными ценными, стратегическими жизненными запасами. Если случай единичный, то ничего страшного не происходит, но если бы первобытный человек завел себе привычку гулять каждый день, то он впустую тратил бы драгоценные калории. То есть физическая деятельность невероятно значима в управлении запасами энергии человека. Это именно те энергетические запасы, которые вы пытаетесь потерять и которые первобытные люди рассматривали как свой главный капитал. И здесь вы начинаете задаваться главным вопросом: **почему столь трудно похудеть, и как физическая деятельность** будет этому способствовать?

Давайте вернемся в наши дни. Если вы читаете эту книгу, значит, вы, вероятно, принадлежите к той части взрослого населения, которая страдает от избыточного веса. Если это так, каждый лишний килограмм, который вы так ненавидите, содержит немного более 8000 калорий.

 ПО-НАУЧНОМУ ЭТО ОЗНАЧАЕТ, ЧТО ВАМ ДОСТАТОЧНО ХОДИТЬ ТОЛЬКО 1 ЧАС В ДЕНЬ, 5 ДНЕЙ В НЕДЕЛЮ, 26 ДНЕЙ В МЕСЯЦ, ЧТОБЫ ИЗБАВИТЬСЯ ОТ ЭТОГО КИЛОГРАММА. РАСЧЕТ ПРОСТ: 300 КАЛОРИЙ × 26 ДНЕЙ = 8000 КАЛОРИЙ = 1 КГ ВАШЕГО ИЗЛИШНЕГО ВЕСА.

И это при условии, что вы ничего не меняете в вашем питании. Этот час ходьбы мог бы сам по себе урегулировать вашу проблему веса, вы избавились бы от 12 кг за 12 месяцев, т.е. всего за год. Слишком красиво, чтобы быть правдой! О, я заранее слышу возражения типа: как найти свободный час в день, особенно в будни? Как совмещать время ходьбы с ответственной профессиональной жизнью? Обязанности, дети, усталость, лень!

Все это чистая правда, и я с этим абсолютно согласен. Если физическая деятельность должна отныне входить в программу борьбы с лишним весом в качестве обязательного элемента, то не для того, чтобы дублировать то, чего мы уже добились с помощью этапов диеты; я хотел бы поручить ей исключительную роль в этой борьбе.

Будет ли неприятнее или труднее заниматься физической деятельностью, чем следовать ограничениям питания? НЕТ! Но при условии, если вы убеждены в ее эффективности.

> 66 *Наше современное общество поощряет всевозможные технологии, которые облегчают жизнь человека, заставляют его меньше двигаться, но именно этот взгляд вам нужно перебороть* 99

Как и другие, я построил свою методику вокруг питания. И теперь для повышения эффективности своей методики я хочу добавить в нее то, что я рассматриваю в качестве ни больше ни меньше как второго двигателя! Процесс похудения, даже для тех, кого сопровождает успех, несет психическую нагрузку. Столкновение с самим собой сурово, это обогащающий опыт, влекущий повышение самооценки и самоуважения. Но это также обязательства, которые требуют подготовки, руководства, поддержки, надежного и проверенного метода действия, ежесекундных внимания и бдительности. Это борьба с самим собой, с другими, которые тоже хотели бы похудеть, но у них еще нет стимулирующего фактора. Вам предстоит также и борьба с окружающей культурой потребления, производителями, которые продают больше жирного и сладкого, чем полезного; рекламщиками, которые находят слова, слоганы и изображения, «убийственные» во всех смыслах этого слова!

Кроме того, если моя методика нашла столько сторонников, то мой долг открыть для них то, что я считаю вторым плацдармом в борьбе против избыточного веса. Это также поможет тем, кто в затруднительном положении, у кого нет энергии или мужества, чтобы открыто вступать в борьбу с самим собой, худеть, зная, что столь страстно желаемая потеря веса помогла бы им морально и физически.

Кажется, что нежелание заниматься физической деятельностью связано с более глубокими противоречиями в обществе, которые выражаются двумя лозунгами:

1) «**Тебе не надо двигаться**! Вот любые виды электроприборов или роботов, вплоть до электрических зубных щеток, которые мы создали для тебя, для того чтобы ты смог избежать любого усилия!» Экономическая модель нашего общества способствует развитию технологий, направленных на обеспечение комфорта и сокращение усилий. Механика, робототехника, способы транспортировки уже давно облегчили тяжелый труд и различные усилия и с каждым днем охватывают все больше жестов и движений, естественных для людей;

2) «**Ты должен двигаться как можно больше**». Культура спорта, здоровья, программы против старения, спортзалы и парадоксальное возвращение механики — производство «аппаратов, которые заставляют двигаться»: беговая дорожка, велотренажер.

Между двумя этими лозунгами существует, и вы это увидите, золотая середина, которая убирает любое противоречие.

3. **Физическая деятельность вмешивается в процессы управления удовольствием и неудовольствием.** Читатели, я собираюсь попросить вас последовать за мной в удивительные глубины мозговой деятельности, туда, где принимаются первые решения, где укореняются ваши причины жить и не умирать. Прозаическая проблема избыточного веса, как вы увидите, находится в сердцевине мозга. Последуйте за мной, и вы об этом не пожалеете.

Если вы страдаете избыточным весом, вы, вероятно, знаете, что поправились не во время утоления естественного голода. В наши дни и в нашем обществе очень мало тех, кто действительно знает, что это такое. Сегодня мы поправляемся только за счет того, что для утоления голода мы едим сверх необходимого.

> 66 *Ходьба — почти такое же фундаментальное действие, как и дыхание, она настолько заложена в природу человека, что не воспринимается как способ похудения и легко принимается организмом* 99

Количество женщин, страдающих избыточным весом и ненавидящих его, стремительно растет из-за увеличивающейся потребности в еде, которая превосходит страх поправиться. «Это сильнее меня» — говорит такая женщина мне.

Что она ищет в еде? То, что может компенсировать и нейтрализовать страдание или стресс.

Трудность заключается в том, что для похудения надо двигаться в противоположную сторону. Не только перестать компенсировать свои проблемы едой, но и потерять свою пищевую свободу, что в итоге вызывает неудовольствие, обман — действие обратное искомому.

КАК ЖЕ ТОГДА ПОХУДЕТЬ, ЕСЛИ НУЖНО НАДОЛГО ЗАБЫТЬ ПРО ТО, ЧТО МЫ ИЩЕМ В ЕДЕ, — УДОВОЛЬСТВИЕ, КОТОРОЕ ЯВЛЯЕТСЯ ДВИГАТЕЛЕМ ЖИЗНИ И КОТОРОЕ НАСТОЛЬКО ВАЖНО И СУЩЕСТВЕННО ДЛЯ КАЖДОГО ЧЕЛОВЕКА, ЧТО РАДИ НЕГО ВЫ ЖЕРТВУЕТЕ СВОЕЙ ФИГУРОЙ, КРАСОТОЙ, ПРИВЛЕКАТЕЛЬНОСТЬЮ, ИНОГДА ДАЖЕ ЗДОРОВЬЕМ! КАК ЖЕНЩИНА, КОТОРАЯ ДЕНЬ ЗА ДНЕМ ИЩЕТ УДОВОЛЬСТВИЯ В ЕДЕ, СМОЖЕТ В ОДИН ПРЕКРАСНЫЙ МОМЕНТ СКАЗАТЬ ЭТОМУ УДОВОЛЬСТВИЮ «НЕТ» И НАЧАТЬ СЛЕДОВАТЬ СТРОГОЙ ДИЕТЕ? ОТВЕТИВ НА ЭТОТ ВОПРОС, МЫ ПОЙМЕМ, ПОЧЕМУ ТАК ТРУДНО ПОХУДЕТЬ И ТАК ЛЕГКО ПОВТОРНО ПОПРАВИТЬСЯ.

На пятой неделе беременности в животе будущей матери, в хрупком зародыше, которым стало оплодотворенное яйцо, появляется мозговой центр, который издает первые импульсы автономной жизни и не прекратит издавать их до момента смерти. Давайте подробнее рассмотрим этот центр — назовем его «*пульсар жизни*». Когда он передает импульсы, мы хотим жить, придерживаться такого поведения, которое защищает и поощряет жизнь: пить, есть, спать, воспроизводиться, играть, охотиться, заставлять функционировать свой организм, находиться в безопасности, принадлежать к социальной группе, поступать так, чтобы там укрепиться и остаться. Каждое живое существо имеет особую **инструкцию по эксплуатации**, которая помогает его сохранению. У вас, у меня, у всех людей есть своя инструкция, она была изменена эволюцией и записана в наши гены, чтобы помочь нам выживать в окружении людей. Если мы спонтанно и естественно следуем этой инструкции, мы улучшаем наши шансы сохранения и за это получаем награду в виде приятного ощущения под названием «*удовольствие*». Это объясняет, почему, человек если пьет, когда его тело иссушено, или ест, когда клетки организма истощены, — получает больше удовольствия. Все то, что облегчает выживание, генерирует удовольствие, а все то, что ему препятствует, порождает неудовольствие. Все, что мы делаем, мы делаем, чтобы получить удовольствие и избежать неудовольствия.

Но это еще не все, осталась еще более удивительная и важная информация. Жизнь выражается в человеческом поведении, которое ищет удовольствий. Ощущая удовольствие, человек чувствует действие какой-то другой жизненной силы, которая возвращается к пульсару, чтобы заставить его продолжить пульсировать и издавать импульсы удовольствия. Фактически речь идет о петле обратного действия или обратной связи, что часто наблюдается в живой природе, но расположенной на более высоком уровне в иерархии управления жизнью.

Эту жизненную силу, которую мы часто смешиваем с самим удовольствием, я окрестил «*помощником удовольствия*», чтобы подчеркнуть его двойную функцию удовлетворения и помощи.

 ВЫ, ДОЛЖНО БЫТЬ, СПРАШИВАЕТЕ СЕБЯ, ЗАЧЕМ СТОЛЬ ДЛИННОЕ ВВЕДЕНИЕ, ЧТОБЫ УЗАКОНИТЬ РОЛЬ ФИЗИЧЕСКОЙ ДЕЯТЕЛЬНОСТИ В БОРЬБЕ ПРОТИВ ИЗБЫТОЧНОГО ВЕСА? ДЛЯ ТОГО ЧТОБЫ РАЗЪЯСНИТЬ ВАМ, ЧТО ПРОЦЕСС ПИТАНИЯ — ЭТО ВОВСЕ НЕ БАНАЛЬНОЕ УДОВЛЕТВОРЕНИЕ ПОТРЕБНОСТИ В ЕДЕ, А ОДИН ИЗ НАИБОЛЕЕ МОЩНЫХ И ЭФФЕКТИВНЫХ ПОСТАВЩИКОВ «ПОМОЩНИКА УДОВОЛЬСТВИЯ».

Сколько женщин и мужчин находят жизнь серой, скучной и изматывающей, наполненной постоянным стрессом, суетой, и не чувствуют себя способными собрать достаточно энергии для функционирования их «помощника удовольствия». А когда такой энергии оказывается недостаточно, деятельность последнего угасает, оставшийся без подпитки пульсар также прекращает передавать импульсы, желание жить увядает и начинается депрессивное состояние.

И в этом, часто бессознательном, поиске удовольствия наиболее простым и досягаемым средством оказывается обычный акт приема пищи. Съесть что-то вкусное производит удовлетворение, успокаивающее и приятное действие, которое до этого мы смешивали с удовольствием.

Я написал такое большое введение и такую длинную аргументацию именно потому, что физическая деятельность сегодня абсолютно обесценена. Для большинства из нас она стала тяжким трудом, наказанием, которого надо избегать любой ценой. Даже название говорит само за себя: *физическое усилие*. Итак, кто бы ни собирался похудеть, физическая деятельность для него может и должна стать наиболее мощным первым союзником.

Если человек ест чересчур много, игнорируя тот факт, что это заставляет его поправляться, то это помогает «помощнику удовольствия» поддерживать ощущение удовольствия. Так как обычно речь идет о женщинах и мужчинах, имеющих проблемы, которые легко компенсировать едой, они больше, чем другие заинтересованы в физической деятельности, которая способна регулировать их отношение к удовольствию и неудовольствию.

> 66 *Поселите крысу в обычную клетку, где всегда достаточно корма, — она будет есть вдоволь и прекратит это делать при наступлении сытости. Прицепите к ее хвосту прищепку, которую она отныне будет таскать за собой, и за 6 недель у нее появится излишний вес. Даже крысы защищаются от неудобства, компенсируя его и противопоставляя ему удовольствие, создавая положительное, чтобы нейтрализовать отрицательное* 99

ВСЕ, О ЧЕМ Я ВАС ПРОШУ, ЧИТАТЕЛЬ, ТАК ЭТО ПРИЛОЖИТЬ УСИЛИЕ И ПОРАССУЖДАТЬ, КАК МОЖНО ИЗМЕНИТЬ СВОЙ ВЗГЛЯД НА ФИЗИЧЕСКУЮ ДЕЯТЕЛЬНОСТЬ.

ГЛАВНЫМ ОБРАЗОМ, ДОВЕРЬТЕСЬ МНЕ, И Я ВАМ ОБЕЩАЮ, ВЫ ОБ ЭТОМ НЕ ПОЖАЛЕЕТЕ.

Давайте посмотрим, как физическая деятельность поможет вам в самом начале диеты «фундаментально» похудеть, затем продолжительно сохранить ваш вес, чтобы, наконец, навсегда «вылечиться от избыточного веса».

1. **Физическая деятельность значительно усиливает эффективность диеты**. Так, например, для того чтобы сократить складские запасы предприятия, у вас есть выбор: покупать меньше или продавать больше. Чтобы похудеть, нужна та же логика. Вы располагаете двумя средствами одинаковой значимости: либо вы сокращаете калории — едите меньше или менее калорийную пищу, либо увеличиваете расходы — больше двигаетесь, сжигаете больше калорий. Идеально сочетать оба эти средства.

> **!** ЗНАЙТЕ, ЧТО ПРИ ЛЮБОЙ ДИЕТЕ ЧЕМ БОЛЬШЕ ВЫ ДВИГАЕТЕСЬ, ТЕМ БОЛЬШЕ ВЫ ХУДЕЕТЕ.

2. **Физическая деятельность сокращает длительность диеты**. Чем больше вы двигаетесь и сжигаете калории, тем меньше вы нуждаетесь в ограничении себя, и тем меньше длится ваша диета. Нужно, чтобы в вашем сознании любой ценой закрепился факт, что существует принцип взаимосвязи между пищей и физической деятельностью. Я вспоминаю одного из моих пациентов, артиста и любителя марочных вин, для которого наслаждение стаканом хорошего вина представляло одну из самых больших радостей жизни. И он мне говорил: «Доктор, ваша диета меня абсолютно удовлетворяет, но мне необходим бокал вина каждый вечер». Я ему ответил: «Что ж, если он вам так нужен, вы должны за него заплатить!» И так как он не понял, я ему объяснил: «Цена — 20 минут! Вы выпиваете бокал и в конце приема пищи отправляетесь на

20-минутную прогулку. Получится то же самое, как если бы вы никогда и не пили этот бокал. Двадцатиминутная пешая прогулка нейтрализует его». Так как он мне немного приукрасил правду — на самом деле этот страстный почитатель винного искусства выпивал чаще 3 бокала, а не 1, он приспособил рекомендацию к выпитому количеству и таким образом, помимо огромного удовольствия, которое ему доставлял этот драгоценный нектар, вскоре открыл для себя другое удовольствие — бег трусцой и тут же стал его ярым поклонником! И, совершенно очевидно, он похудел и стабилизировал новый вес. Он больше не приходит ко мне, но так как это общественный деятель, я констатирую по передачам на ТВ, что он сохранил свой стройный силуэт.

3. **Физическая деятельность генерирует удовольствие.** Активная мышечная деятельность вызывает секрецию эндорфинов. И когда при достаточной физической нагрузке этот механизм приведен в действие, наш организм сам начинает получать удовольствие от потери веса. Одна из моих пациенток сказала мне, что ей никогда не случалось влюбляться в диету, но она влюбилась в физическую деятельность, сопровождающую мою методику. Здесь было бы целесообразно повторить одно очень даже справедливое изречение: «Делаешь неохотно — получается недобротно».

4. **Физическая деятельность, в отличие от диеты, позволяет худеть, не развивая сопротивление.** Здесь мы коснемся одного из критичных пунктов борьбы против избыточного веса. Каждый знает, что чем дольше следовать диетам, тем труднее потерять вес. Человеческий род появился во времена, когда надо было сражаться за пищу. Запасы были тогда наилучшей гарантией сохранения жизни,

265

и мы были приспособлены к тому, чтобы сопротивляться перерасходу калорий. Сегодня мы живем в избытке и изобилии, но наши гены и наша программа не изменились ни на йоту, наш организм все так же глубоко привязан к своим запасам. Поэтому любое истощение воспринимается им как расхищение и опасность, против которых он запрограммирован бороться.

**!** КАК ЖЕ ОН БОРЕТСЯ? ДЛЯ ЭТОГО ОН РАСПОЛАГАЕТ ДВУМЯ СРЕДСТВАМИ: С ОДНОЙ СТОРОНЫ, РАСХОДОВАТЬ МЕНЬШЕ, ЖИТЬ В ЭКОНОМНОМ РЕЖИМЕ, «НА МЕДЛЕННОМ ОГНЕ», С ДРУГОЙ — ПОЛНОСТЬЮ ИЗВЛЕКАТЬ ИЗ ПРОДУКТОВ ВСЕ ПИТАТЕЛЬНЫЕ ВЕЩЕСТВА. ТАКИМ ОБРАЗОМ, ЧЕМ ДОЛЬШЕ ВЫ БУДЕТЕ СЛЕДОВАТЬ ДИЕТАМ, ТЕМ БОЛЬШЕ ВАШЕ ТЕЛО БУДЕТ УЧИТЬСЯ СОПРОТИВЛЯТЬСЯ. ЭТО СОПРОТИВЛЕНИЕ ВЫРАЖАЕТСЯ В ЗАМЕДЛЕНИИ ПРОЦЕССА ПОХУДЕНИЯ, И ЧЕМ МЕДЛЕННЕЕ ПОТЕРЯ ВЕСА, ТЕМ БОЛЬШЕ РИСК УНЫНИЯ, УТОМЛЕНИЯ И ПРОВАЛА.

Именно в момент, когда организм сопротивляется больше всего, наступает наиболее опасный для диеты **период плато**, когда даже неукоснительное соблюдение рекомендаций не приносит никакой потери веса. Для худеющего лучшим поощрением и наградой за усилия является снижение веса, и поверьте мне, нет ничего более изнурительного, чем усилия, не приносящие никакого вознаграждения. Эта длительная и незаслуженная остановка веса ответственна за большинство срывов и отказов от диет.

Итак, у вашего организма, если он действительно может приспособиться к ограничениям и к диетам, нет средств сопротивляться расходу калорий, вызванному физическим усилием. Он не запрограммирован на это. Вы можете сжигать 350 калорий в течение одного часа каждый день из месяца в месяц, бегая трусцой, и всегда будете терять то же количество калорий. Это верный способ! В то время как при сокращении вашего рациона на 350 калорий ваш организм за несколько недель к этому приспособится, вы больше не будете худеть, придется перейти на более существенную меру и вычитать из рациона уже не 350, а 500 калорий. Соединять диету и физическую нагрузку — лучший способ избежать катастрофических результатов сопротивления организма на последовательных, этапных диетах.

5. **Физическая деятельность позволяет худеть, сохраняя упругость кожи.** При интенсивной потере веса жир уходит, оставляя кожу вялой, с растяжками. Физическая же деятельность поддерживает мускулатуру в форме, и теперь для кожи даже быстрая потеря жира не страшна. Кожа остается молодой, цветущей и упругой, и в конце диеты вам будет чем гордиться.

6. **Физическая деятельность необходима для долгосрочной стабилизации.** Она позволяет быть менее зависимым от долговременного пищевого ограничения, вызывающего чувство неудовлетворенности. 20 минут ходьбы позволяют вам нейтрализовать, например, бокал вина или 3 кусочка шоколада. Это означает, что ваш организм будет действовать так, как если бы вы никогда их не ели.

   Когда вы достигли своего оптимального веса, пора переходить к этапу закрепления, а затем стабилизации, которые открывают доступ к новым продуктам, что делает эти два последних этапа более спонтанными и менее ограниченными.

**!** СОХРАНЕНИЕ ДОСТАТОЧНОЙ ФИЗИЧЕСКОЙ ДЕЯТЕЛЬНОСТИ, БЛАГОДАРЯ ЗАТРАЧЕННЫМ НА НЕЕ КАЛОРИЯМ И ПОЛУЧЕННОМУ УДОВОЛЬСТВИЮ, ПОЗВОЛЯЕТ ОТКРЫТЬ ДЛЯ СЕБЯ БОЛЬШЕ ВОЗМОЖНОСТЕЙ В ПИТАНИИ, СЪЕСТЬ БОЛЬШЕ И С БОЛЬШИМ УДОВОЛЬСТВИЕМ.

Кроме того, физическая деятельность позволяет поддержать ритм, сохранить трезвость ума, гордость за себя и за свое тело.

Благодаря секреции эндорфинов физическая деятельность сопровождается удовольствием, сравнимым с удовольствием от приема пищи, которое мы сами искусственно создаем.

7. **Физическая деятельность позволяет вам преодолеть период плато.** За 30 лет своей практики я видел, как сменилось поколение женщин и мужчин, борющихся с избыточным весом. Конечно, людей с лишними килограммами становится все больше — увы, это общеизвестный факт! Но главным образом я заметил, что число пациентов из категории, которую я рассматриваю как «трудные случаи», увеличивается быстрее, чем категория простых случаев. В основном, это женщины, которым больше 40 лет и которые попадают в одну или несколько из следующих 4 категорий:

● женщины, для которых избыточный вес уже стал историей. Я их обожаю и просто умиляюсь, когда они, едва усевшись напротив меня в моем офисе, с очаровательной улыбкой произносят: «Доктор, я должна вам сказать, что опробовала уже *все* диеты!»;

● женщины с тяжелой семейной наследственностью. Это матери, которые приходят на консультацию со своими уже тучными детьми и у которых родители или близкие родственники тоже страдают избыточным весом;

● женщины с ярко выраженным ожирением. Удивительно, что эта категория меньше всего опечалена своим избыточным весом;

● домоседы, живущие в искусственно сжатом времени, когда поспешность, накопление задач и усталость вызывают у них аллергию к любому дополнительному усилию.

Эти женщины, уже испробовавшие многочисленные диеты и методики, прекрасно понимают, насколько они уязвимы. Они бросаются в диету очертя голову и довольно быстро теряют первые несколько килограммов, главным образом в случае значительного избыточного веса. Затем постепенно сопротивление организма восстанавливается, потеря замедляется, и неожиданно наступает день, когда сопротивление немного больше, чем раньше, и потеря веса прерывается. Так и начинается период плато. Диета соблюдается с прежним рвением, но стрелка весов остается неподвижной. Опасность в этих случаях заключается в том, что мотивация слабеет, вновь появляется желание съесть что-

> 66 *«Это сильнее меня», — говорит женщина, страдающая избыточным весом и ненавидящая его, когда начинает осознавать, что ее потребность в еде все время растет. Что она ищет в еде? То, что может компенсировать и нейтрализовать страдание или стресс* 99

нибудь запретное, неожиданно возникают маленькие отклонения от диеты, которые и подпитывают остановку потери веса. Большая часть этих «остановившихся» пациентов расслабляется, соблюдает диету нерегулярно и рано или поздно бросает ее.

В этих случаях прежде всего важно убедиться, что нет никаких гормональных нарушений, никакой тиреоидной недостаточности, способных притормозить действие даже самых лучших диет. Если все в порядке, то надо не ослаблять диету, а наоборот, усилить ее.

 В СИТУАЦИЯХ, КОГДА ВЕЛИК РИСК ОТКАЗА ОТ ДИЕТЫ, РОЛЬ ФИЗИЧЕСКОЙ ДЕЯТЕЛЬНОСТИ СТАНОВИТСЯ РЕШАЮЩЕЙ.

Организм, сопротивляющийся диете, сокращает свои расходы и максимально использует поступающую в него пищу, что может остановить процесс похудения на некоторое время, достаточное, чтобы привести всю затею к провалу. Но если в этот период действующие на организм силы уравновешиваются, то доза «предписанной физической деятельности» нарушает это равновесие и склоняет чашу весов в сторону уменьшения веса.

Именно в таких случаях, чтобы превратить долгое ожидание в мотивацию, я предписываю то, что называю *ударной операцией*:

- вернитесь на 4 дня к этапу чистых белков;

- выпивайте 2 литра слабосоленой воды ежедневно;

- употребляйте как можно менее соленую пищу;

- ложитесь спать пораньше, так как сон до полуночи восстанавливает силы и энергию лучше, чем послеполуночный;

- добавьте растительный мочегонный раствор к воде, чтобы устранить удержание замаскированной воды;

- и, сверх того, я предписываю **60 минут ходьбы ежедневно в течение 4 дней чистобелковой диеты.**

Эти 6 элементов составляют мое ударное средство против плато.

**!** ЕСЛИ ОДНАЖДЫ ВЫ СТОЛКНЕТЕСЬ С ЭФФЕКТОМ ПЛАТО, НЕ ЗАБЫВАЙТЕ ЭТИ ПРЕДПИСАНИЯ И ЗНАЙТЕ, ЧТО В ПРОЦЕССЕ ПОХУДЕНИЯ ПРАКТИЧЕСКИ НЕВОЗМОЖНО ЕГО ИЗБЕЖАТЬ. ГЛАВНОЕ — ВЫЙТИ ИЗ ЭТОГО ПРОЦЕССА НЕВРЕДИМЫМ, И ЗДЕСЬ ВАЖНУЮ РОЛЬ ИГРАЕТ ФИЗИЧЕСКАЯ ДЕЯТЕЛЬНОСТЬ.

Констатируя исключительную эффективность простой физической деятельности в повседневной жизни, я решил ввести этот новый элемент в свою диету и в эту книгу — **физическую деятельность как предписание врача, обязательное для исполнения.**

Если бы те, кто пытается похудеть, действительно знали о **главной, существенной, необходимой, абсолютной** роли физической деятельности в процессе потери веса, я убежден, что они посвятили бы этому столько же, если не больше, усилий, что и самой диете. С тех пор как я стал «предписывать» физическую деятельность как лекарство с определенной дозировкой и частотой и привожу доказательства в ее поддержку, сравнивая способ действия одной только диеты и диеты, усиленной физической деятельностью, даже самые упрямые и ленивые пациенты полностью примыкают к ней, поверив в нее после полученных удивительных результатов. И именно в этом переходе между действием и верой в него находится суть предписания.

Я прошу вас, мой читатель, изменить свой взгляд на физическую деятельность, ведь речь идет о грозном оружии против надоевшего вам врага — лишнего веса.

Я МОГУ ГАРАНТИРОВАТЬ, ЧТО, ЕСЛИ ВЫ ПОСЛЕДОВАТЕЛЬНО СЛЕДУЕТЕ 4 ЭТАПАМ, НАЧИНАЯ С ЭТАПА ЧИСТЫХ БЕЛКОВ И ЗАКАНЧИВАЯ ЭТАПОМ ОКОНЧАТЕЛЬНОЙ СТАБИЛИЗАЦИИ, И МОЕЙ ПРОГРАММЕ ФИЗИЧЕСКОЙ ДЕЯТЕЛЬНОСТИ, ОБЯЗАТЕЛЬНОЙ К ИСПОЛНЕНИЮ, ВЫ ПОЛУЧИТЕ СВОЙ ИДЕАЛЬНЫЙ ВЕС И СОХРАНИТЕ ЕГО, КАК БЫ ВЫСОКА НИ БЫЛА СОПРОТИВЛЯЕМОСТЬ ВАШЕГО ОРГАНИЗМА ДИЕТАМ. ВЫ НЕ ТОЛЬКО ПОТЕРЯЕТЕ В ВЕСЕ, ВЫ ВЫЛЕЧИТЕСЬ ОТ ИЗБЫТОЧНОГО ВЕСА.

# ПРОГРАММА ОБЯЗАТЕЛЬНОЙ ФИЗИЧЕСКОЙ АКТИВНОСТИ

Отсутствие эффективности физической деятельности в процессе похудения связано с тем, что никто в нее не верит: ни врачи, которые предписывают диеты для похудения, ни те, кто следует этим диетам. До настоящего времени советчики всегда довольствовались тем, что выдавали корректные советы: «Пытайтесь двигаться немного больше, приложите усилия...» С такой формулировкой у этих советов нет **ни одного шанса** на то, что им действительно последуют, так как она доказывает, что советчик сам в них не верит. Расходы калорий и многочисленные преимущества физической деятельности демонстрируют ее очевидную эффективность, но экономическая модель и образ жизни в нашем обществе больше повернуты к проектировке и разработке различных электроприборов, которые всячески помогают человеку и устраняют любое усилие. Перед человечеством

> 66 *Активная мышечная деятельность вызывает выделение эндорфинов, и организм сам начинает получать удовольствие от потери веса* 99

встает серьезный вопрос: должны ли мы согласиться с тем, что модель «среднего человека» смещается к модели «полного человека», ставшего таким из-за чрезмерного питания для компенсации проблем, вызванных реальным миром? Или же мы должны отвергнуть тучность и у нас для этого есть все средства? Я полагаю, что общество, сознательно не задаваясь этим вопросом, склонится к терпимости общего избыточного веса.

## Вечный вопрос улья и пчелы, общества и индивида

Вы знаете мое мнение, так как читаете эту книгу, которая предлагает отказ от избыточного веса и средства для этого. Я — та пчела, которая собирает пыльцу и находит удовольствие, летая от цветка к цветку; мед и воск, сохраненные в самом сокровенном месте улья, у нее на втором плане.

Следовательно, вас не удивит, что я пытаюсь оптимизировать метод, которому я посвятил всю свою энергию с того дня, когда благодаря моим полным пациентам встал на этот путь. И я вижу в физической деятельности тот стратегический элемент, который может, в совокупности с моей диетой, дать вам средство самому выбирать, каким быть вашему телу, и отказаться от того, чтобы входить в число тучных людей. Поэтому я прошу вас забыть размытое предписание «двигаться больше и есть меньше».

Если вы хотите действительно похудеть с максимумом эффективности, надежности и минимумом обмана, вы должны будете следовать инструкциям, которые я сформулировал максимально лаконично и включил в 4 уже известных вам этапа.

66 *Вот уже более 50 лет мы делаем вид, что сражаемся против избыточного веса. Сегодня во многих странах больше половины населения страдают им, Франция медленно приближается к этой линии статистической медианы* 99

## Главное звено физической деятельности — ходьба

1. **Ходьба — наиболее естественный из всех видов человеческой деятельности.** Антропологи считают, что человек перешел от статуса обезьяны в статус человека, начав передвигаться на своих нижних конечностях. С этого решающего момента вся его деятельность — перемещения, защитные действия, охота — глубоко изменилась. Использование свободных рук взаимодействует с мозгом, усложняя его, открывая путь для понимания, сознания, языка и культуры. Это значит, что ходьба записана в кору нашего мозга, обеспечивая наше поведение.

В нашем бесчеловечном и наполненном стрессом мире ходьба стала потерей времени для предпринимателей, которым скорость помогает в данной экономической обстановке. Ходьба превратилась в деятельность, которую надо избегать, она полностью обесценилась. Зачем ходить, если у нас есть эскалаторы, лифты, велосипеды, мотороллеры, машины, электрические самокаты!

> ! НО ИМЕННО ХОДЬБУ Я ВЫБРАЛ КАК НАИЛУЧШУЮ СОЮЗНИЦУ В БОРЬБЕ ПРОТИВ ИЗБЫТОЧНОГО ВЕСА, ТАК КАК ХОДЬБА, ЗАПИСАННАЯ В НАШИ ГЕНЫ, — ОДНО ИЗ НАИБОЛЕЕ ЭФФЕКТИВНЫХ СРЕДСТВ БОРЬБЫ ПРОТИВ НАШЕГО ИСКУССТВЕННОГО ОБРАЗА ЖИЗНИ.

2. **Ходьба — наиболее простая физическая деятельность**. Каждый человеческий эмбрион в утробе матери ускоренно проходит длинную эволюцию животного мира: от рыб к млекопитающим, а затем к обезьянам. Когда человек рождается, он продолжает выполнять заложенную в него программу: учится ходить. С первых шагов ребенок будто говорит своим родителям: «Я за вами». Начиная с этого момента для человека потребность ходить становится на один уровень с потребностью дышать — самой простой из всех. Эта простота — главное преимущество, так как она значительно уменьшает ощущение усилия. Действительно, ходьба настолько проста и доведена до автоматизма, что позволяет вести почти любую синхронную деятельность. Прогуливаясь, можно думать, организовать свой день, общаться с друзьями и коллегами или звонить по телефону. Жизнь не останавливается, когда вы ходите пешком.

3. **Ходьба — наименее утомительная и выполнимая деятельность для большинства**. Можно ходить часами, не уставая. Усилие распределено на очень широкие мышечные и костные ткани. Для ходьбы достаточно иметь удобную обувь, но для ежедневного хождения с целью оптимизации процесса похудения подойдет любой тип обуви, в том чис-

---

ле и туфли на шпильках. Кроме того, ходьба не заставляет потеть, ходить можно в любой момент и в любой одежде, соответствующей сезону. Нет никакой потребности в спортивном костюме, душе и смене одежды.

4. **Ходьба — деятельность человека, которая одновременно мобилизует наибольшее количество мышц.** Трудно осознать сложность этого столь естественного и спонтанного действия. Было затрачено много сил и средств, чтобы кибернетики смогли проанализировать и воспроизвести эту функцию на роботах. Мышцы, которые непосредственно участвуют в процессе ходьбы:

- **четырехглавые мышцы**. Они находятся на передней и задней поверхности бедра, и это наиболее крупные мышцы корпуса. Именно они поднимают и толкают бедро и ногу вперед;

- **ягодично-бедренные мышцы**, образующие переднюю часть бедра;

- **ягодичные мышцы** — очень мощные и объемные мышцы, которые заканчивают движение при шаге назад;

- **брюшной пресс** принимает в ходьбе активное участие, он сокращается при каждом шаге вперед;

- **икроножные мышцы** и другие менее крупные мышцы икры, наиболее важные при шаге.

Дополнительные мышцы, задействованные ходьбой:

- **мышцы — стабилизаторы таза**. Они образуют мышечную массу, окружающую таз. Отводят ногу в сторону и приводят в действие внутренние брюшные и спинные мышцы;

- **передние мышцы икры**. Они поднимают ногу, чтобы избежать трения при скольжении ее вперед. Ходьба хорошо развивает эти мышцы;

- **мышцы рук и плеч** в процессе ходьбы принимают участие меньше, чем другие мышцы.

**!** ПЕРЕГРУППИРОВКА И СИНХРОННАЯ РАБОТА ВСЕХ ЭТИХ МЫШЦ ОБЪЯСНЯЮТ БОЛЬШИЕ ЗАТРАТЫ ЭНЕРГИИ, А СООТВЕТСТВЕННО, И БОЛЬШОЕ КОЛИЧЕСТВО СОЖЖЕННЫХ КАЛОРИЙ ТАКОЙ ДЕЯТЕЛЬНОСТЬЮ, КАК ХОДЬБА.

5. **Ходьба — физическая деятельность, позволяющая похудеть**. Удивительно, но ходьба сжигает столько же калорий, сколько теннис и многие другие виды спорта. Это связано с тем, что ходьба — непрерывная деятельность, в то время как на протяжении партии в теннис есть множество статичных промежутков.
Ходьба отлично приспособлена к повседневной жизни и может быть применена в любом месте и в любой час дня и ночи. Она гораздо доступнее, чем горные лыжи или футбол.

6. **Ходьба — наиболее полезная физическая деятельность в период окончательной стабилизации**. По причинам, упомянутым ранее, ходьба — это легкий, простой, естественный, здоровый и безопасный способ физической нагрузки. Ходьба — деятельность, на которую пациенты соглашаются достаточно легко и регулярно прибегают к ней, так как, и я об этом уже говорил, ходить так же естественно, как и дышать!

7. **Ходьба — единственная физическая деятельность, которая может выполняться без риска для людей с серьезным избыточным весом**. Для толстого человека ходьба результативна и эффективна, при этом он не рискует пораниться или получить сердечный удар.

**!** НЕЛЬЗЯ ЗАБЫВАТЬ, ЧТО НОШЕНИЕ НА СЕБЕ 15 КГ ЛИШНЕГО ВЕСА УЖЕ САМО ПО СЕБЕ МОЖНО РАССМАТРИВАТЬ КАК СПОРТ. СОВЕРШЕННО ОБРАТНОЕ ПРОИСХОДИТ В ТАКИХ ВИДАХ ФИЗИЧЕСКОЙ ДЕЯТЕЛЬНОСТИ, КАК ПЛАВАНИЕ ИЛИ ВЕЛОСПОРТ, ПРИ КОТОРЫХ ВЕС НЕ ВАЖЕН И ДЕЯТЕЛЬНОСТЬ ВЫПОЛНЯЕТСЯ ПОЧТИ В НЕВЕСОМОСТИ. ЧЕМ ПОЛНЕЕ ЧЕЛОВЕК, ТЕМ БОЛЬШЕ ОН ДОЛЖЕН БЫТЬ ЗАИНТЕРЕСОВАН В ХОДЬБЕ.

8. Наконец, **ходьба — деятельность, которая лучше всего защищает от старения**. Ходьба, которая так естественна для человеческой природы, не подвергает организм стрессу, а наоборот, очень благоприятно влияет на него. Практикуя ходьбу, вы оптимальным образом поддерживаете большинство важных функций организма: дыхательных, костных, гормональных, мышечных, умственных, относящихся к кровообращению. При отсутствии ходьбы все они не выполняются, и тело стареет быстрее. Таким образом, 30 минут ходьбы в день, помимо того что облегчают процесс похудения и стабилизации веса, позволяют жить дольше и в лучшем состоянии. Кроме того, ходьба глубоко связана с психическим здоровьем — благодаря выделяемым при ходьбе эндорфинам, посредникам удовольствия, ходьба также сопровождается выделением серотонина, «гормона счастья», недостаток которого способствует развитию депрессии.

## Как ходить в течение 4 этапов диеты

Читая предыдущие страницы, вы поняли, почему я побуждаю вас ходить и защищать эту естественную деятельность, без которой вы теряете часть вашей человеческой природы, в большей или меньшей мере лишаясь доступа к развитию.

Ходьба должна быть присоединена к диете с учетом специфики и миссии каждого из этапов.

На **этапе атаки**, срок которого варьируется от 2 до 7 дней (даже 10 дней в некоторых особых случаях), ходьба — практически единственная возможная деятельность, которая позволяет оптимизировать результаты без появления чувства усталости и увеличения аппетита.

> **!** 2 БЕЛКОВЫХ ДНЯ ДАЮТ В СРЕДНЕМ ПОТЕРЮ ВЕСА 800 Г, 1 КГ ИЛИ 1,2 КГ С ДОБАВЛЕНИЕМ ХОДЬБЫ.

Миссия первого этапа чистых белков состоит в том, чтобы резко начать и получить молниеносную потерю веса для удержания мотивации. В таком контексте я предписываю ходьбу по **20 минут в день**. Даже если вы ранее привыкли много ходить, не стоит отклоняться от этого предписания ни в большую, **ни в меньшую** сторону.

Для тучных людей, если у них болят бедра, колени или лодыжки, можно разделить процесс ходьбы на 2 подхода по 10 минут каждый.

> **66** *Измените ваш взгляд на физическую деятельность, если вы воспринимаете ее как тяжкий труд: она должна стать для вас помощником в борьбе с надоевшими килограммами* **99**

Миссия **этапа «Чередование»** состоит в том, чтобы продолжать потерю веса, когда тело, удивленное такой потерей, попытается вернуть прежний вес и начнет сопротивляться. Чтобы избежать этого, я предписываю ходьбу по **30 минут в день**. В течение этого этапа ходьба особенно необходима, так как именно здесь неизбежно наступят моменты, когда даже при неукоснительном следовании диете ваше сопротивляющееся тело перестанет уменьшаться в объеме и потеря веса остановится. На тех, кто нуждается в успокаивающих показаниях весов, чтобы стимулировать свою мотивацию и затенять утомление и обман, это остановка сказывается негативно, может дестабилизировать и даже привести к отказу от диеты и провалу. В случае остановки процесса похудения, незаслуженной и необъяснимой, скорее всего вызванной сильным удержанием воды, тиреоидной недостаточностью, гормональными нарушениями или большими дозами медикаментов (кортизона, антидепрессантов), необходимо **в течение четырех дней ходить по 60 минут ежедневно**. Можно разделить этот час ходьбы на 2 подхода по 30 минут.

Миссия **этапа закрепления** состоит в том, чтобы пройти через переходный шлюз между любой диетой и обычным питанием. Некоторые ожидают этого момента с нетерпением, большая часть опасается начала этого периода и повторного введения продуктов, которые уже подводили их. Я всегда удивляюсь, когда эти женщины и мужчины, бывшие большими любителями поесть, спрашивают у меня, почему они должны выходить за рамки белков и овощей, если при этом рационе они похудели, обрели спокойствие и не испытывают желания есть что-либо другое. В период закрепления веса я предписываю ходьбу по **25 минут в день**, и это не может быть предметом обсуждения.

> **!** ЭТО ОЧЕНЬ ВАЖНЫЙ ПЕРИОД, К КОНЦУ КОТОРОГО ЖЕЛАЕМЫЙ ВЕС ДОЛЖЕН БЫТЬ НЕ ТОЛЬКО ДОСТИГНУТ, НО И ЗАКРЕПЛЕН, ПОЭТОМУ ХОДЬБА ИМЕЕТ БОЛЬШОЕ ЗНАЧЕНИЕ.

Миссия **этапа стабилизации** состоит в том, чтобы следовать правилам повседневной жизни, никогда больше не поправляясь. Это «никогда больше» навязывает минимальные ограничения. Начиная с этого момента, вы можете питаться как пожелаете, за исключением 3 мер, составляющих фундамент безопасности. Вы о них уже знаете, но всегда полезно напомнить: 1 белковый день в неделю, отказ от лифта и 3 столовые ложки овсяных отрубей ежедневно. И на этом этапе, который я рассматриваю как наиболее значимый, я предписываю ходьбу по **20 минут в день**. Это мало, это очень мало, так как это порог человеческого существования, по другую сторону которого мы теряем часть своей природы. Может быть, это высокопарные фразы, но реальность такова, что отсутствие хотя бы небольшой физической нагрузки угрожает вашему развитию и счастью.

## Наилучший способ ходьбы

Рекомендуется бодрый темп ходьбы, примерно такой, как если бы вы должны были дойти до почты, прежде чем отправляться на работу, но специально отведенного на это времени у вас нет. Ни больше ни меньше.

С другой стороны, ходьба может быть оптимизирована, можно приспособить ее под ваше расписание.

*Пищеварительная ходьба.* Если ходить сразу после приема пищи, это **на 30% увеличивает расход калорий**. Если вы займетесь ходьбой в течение получаса после обеда или ужина, вы не только сожжете калории, но и повысите термический результат пищеварения и температуру тела, что в свою очередь еще увеличит расход калорий. Это маленькое средство держите про запас, в случае небольших отклонений в ходе диеты.

>  *Ваш организм может приспособиться к ограничениям и к диетам, постепенно прекращая терять вес, но у него нет средств сопротивляться расходу калорий, вызванному физическим усилием. Он не запрограммирован на это*

*Ходьба с напряжением ягодичных мышц.* Обычные ходоки идут, смотря вперед, и инстинктивно ищут поддержку твердой почвы. Нога выбрасывается вперед и бедро следует за ней, в то время как другая нога пассивно подтягивается за первой. Эти движения особо интенсивно задействуют четырехглавую мышцу и передние бедренные мышцы — далеко не самые главные мышцы для расхода энергии. Они также вовлекают мышцы брюшного пресса, естественно, мышцы ноги и особенно голени.

Чтобы улучшить ходьбу, повысить расход калорий и тонизировать немного забытые мышцы, надо заставить себя **поработать над ягодичными мышцами**. Когда нога заканчивает свой шаг и возвращается в вертикальное положение, прежде чем поднять ее для следующего шага, на короткий миг придержите ее в вертикальном положении и, интенсивно отталкиваясь пальцами ног от твердой поверхности для начала следующего шага, вы почувствуете сокращение ягодичных мышц и задней мышцы бедра. Таким образом вы удваиваете расход калорий во время такого типа ходьбы.

**Ходите, держась прямо**. Эту чудесную рекомендацию следует использовать в любом возрасте. Наставление держаться прямо вы слышали с раннего детства и, возможно, помните еще со школьных времен. Это просто: голова находится на одной линии с бюстом, шея вытянута, плечи свободные и отведены назад.

Молодым женщинам и девочкам-подросткам ходьба с таким положением бюста и головы придает изысканность, естественную элегантность и грацию. Бессмысленно говорить, что эти атрибуты редки, в высшей степени соблазнительны и престижны.

 КРОМЕ ТОГО, У МНОГИХ ИЗ НАС НЕТ ПРИВЫЧКИ ДЕРЖАТЬСЯ ПРЯМО, А ТАКОЕ ПОЛОЖЕНИЕ ТЕЛА, МЕЖДУ ПРОЧИМ, ПРИВОДИТ В ДВИЖЕНИЕ ВПЕЧАТЛЯЮЩЕЕ КОЛИЧЕСТВО МЫШЦ, А ЗНАЧИТ, ПОЗВОЛЯЕТ РАСХОДОВАТЬ МНОГО ЭНЕРГИИ.

Женщин и мужчин старше 50 лет прямая осанка при ходьбе еще и молодит! Как так? Да посмотрите вокруг себя. Один из первых признаков старения, после морщин и появления седых волос, — обвисание овала лица за счет согнутой и укороченной шеи. Лично я думаю, что согнутая спина старит силуэт намного больше, чем лишний вес.

Таким образом, худейте, следуя диете, занимаясь ходьбой, и не забудьте добавить эту породистую и элегантную осанку, которая встречается намного реже, чем стройность. Для этого достаточно развернуть плечи к внешней стороне, открывая бюст, поднять голову вверх и вытянуть шею.

# 4 КЛЮЧЕВЫХ УПРАЖНЕНИЯ ДЛЯ ХУДЕЮЩЕГО ОРГАНИЗМА

## Слишком богатый выбор мешает выбирать

На протяжении моей медицинской практики я убедился, что надежные, авторитетные, но простые и конкретные инструкции, без двусмысленности, улучшают контроль и облегчают их соблюдение. Поэтому я отобрал 4 эффективных упражнения, которые наиболее приспособлены к решению следующих проблем.

Первая проблема: потеря веса наиболее широким спектром мышечных секторов и интенсивность калорийного сжигания благодаря их работе.

И вторая проблема: как не допустить обвисания кожи после похудения, так как многие потерявшие вес пациентки часто жалуются на обвислость и дряблость кожи в области живота, рук, ягодиц и бедер.

## Четыре уязвимые зоны худеющего тела

При потере веса в 8 кг начинается состязание между сжигаемым жиром и стягивающейся кожей. Действительно, жир тает быстрее, чем кожа может стянуться, и наблюдается не очень привлекательная картина. Эта проблема чаще проявляется в зонах, где кожа более тонкая.

Существуют 4 проблемные зоны, на которые женщины жалуются чаще всего (потеря упругости и излишек кожи):

- **зона живота** (дряблый висящий живот). Когда вы худеете, потеря веса и жировой ткани затрагивает как внешнюю часть жира непосредственно под кожей, так и внутреннюю часть, окружающую мышцы. Когда жир уходит, мышцы оказываются менее напряженными, и вследствие этого кожа на животе становится вялой и дряблой, а сам живот выдается немного вперед. И когда тает внешний жир, страдает именно кожа, теряя свою упругость и эластичность. После похудения кожа восстанавливается, но очень медленно, ей нужно 6 месяцев, чтобы достичь наилучшего тонуса. Не надо надеяться на быстрые улучшения и не надо для этого предпринимать ничего радикального. Что же касается живота, немного выдающегося вперед, это происходит из-за ослабления мышечной стенки. Чтобы ее тонизировать и снова обрести плоский и мускулистый живот, надо работать над брюшными мышцами, качая пресс;

- **руки.** Именно женщины с крупными, большими руками жалуются на их размягчение при похудении. После потери веса руки становятся менее объемными и кожа на них обвисает;

- **отвислые и потерявшие упругость ягодицы.** Горожанин, ведущий сидячую жизнь, худея, очень быстро теряет жировую подушку ягодичных мышц. В результате он обретает мягкие и отвислые ягодицы, которые лишают его сексуальной привлекательности;

- **расслабленные бедра.** Это касается главным образом женщин, лишний вес которых сосредоточен в основном внизу тела, в области бедер и коленей. Когда потеря веса значительна, похудевшие бедра менее упруги, то же можно сказать и о кожном покрове.

### Упражнение № 1

Это упражнение я придумал сначала для себя и использую уже 20 лет. Последние 3 года я предписываю его своим пациентам, большинство из них уже приняло его. Кроме ходьбы, у вас только одно обязательное упражнение, которое надо делать, и я вас убедительно прошу включить его в ежедневные занятия.

> 66 *Вы можете использовать физическую деятельность как инструмент быстрого возврата на исходный пункт диеты: 20 минут ходьбы позволяют вам нейтрализовать, например, бокал вина или 3 кусочка шоколада* 99

Почему? Потому что оно простое и его легко выполнять. Это позволяет очень легко включить его в повседневную жизнь. Короткое и быстрое, оно может быть выполнено в постели утром после пробуждения или вечером перед сном. Оно является исключительно эффективным. И наконец, оно позволяет задействовать очень широкий спектр мышечных групп: брюшной пресс, бедра и руки. Посмотрите сами!

**Исходное положение** — лежа в постели после пробуждения или завтрака. Используйте валик или подушку, для того чтобы создать удобный наклон. Лягте на спину, подложив этот валик под туловище.

1) Согните колени, приподнимая их вверх, и держите руки у колен, поддерживая их.

2) В таком положении приведите туловище в вертикальное положение при помощи брюшного пресса, не используя рук.

3) Затем опуститесь на подушку или валик. **Повторите это упражнение 15 раз**, не прибегая к помощи рук.

4) Сделайте еще 15 раз, напрягая бицепсы.

Итого — 30 раз. Вечером повторите ту же серию — это даст вам 60 движений, и уже с первого дня вы приобретете основу устойчивости вашей брюшной стенки и ваших бицепсов.

Каждый день старайтесь сделать немного больше, добавляя 1–2 движения к брюшному прессу и рукам утром и столько же вечером, то есть 31 + 31 во 2-й день, 32 + 32 в 3-й день и 36 + 36 в конце первой недели.

Цель — дойти до 70 + 70 к концу первого месяца и со временем — до 100 утром и 100 вечером. К этому моменту 200 повторов займут только 3 минуты вашего времени. Вы сами видите, что это не очень обременительное занятие.

Вы поймете, насколько это занятие эффективно, рассмотрев свой живот через месяц, который вместо дряблого и выпирающего станет упругим и плоским.

## Упражнение № 2 — для ягодичных мышц

Это упражнение стало еще одним моим рефлексом, его я тоже выполняю каждый день сразу после первого, в постели после пробуждения, оно является логическим дополнением первого. Оно потрясающе эффективно, каждое утро и каждый вечер я ощущаю его мгновенный результат. При таких упражнениях лицевая сторона бедер разогревается очень быстро, очень сильно и я чувствую, как все основные мышцы тонизируются. Оно активизирует не только задние мышцы бедер, но и бедренно-ягодичные мышцы, а также мышцы рук. Давайте попробуем.

**Исходное положение** — возьмите валик или подушку, лежа на нем, разместите напряженные руки вдоль тела на постели.

1) Согните ноги в коленях. Поставьте ступни и колени вместе. На выдохе поднимите бедра вверх, чтобы образовался мостик. Корпус в мостике должен образовывать прямую линию.

2) Продержитесь в таком положении несколько секунд, приподнимая ягодицы вверх.

3) Затем опуститесь в исходное положение, чтобы снова быстро подняться и принять то же положение, стараясь сделать мостик прямым. Повторите упражнение 30 раз.

Повторите серию этих упражнений вечером, ложась спать. Это добавит вам еще 60 упражнений в день, то есть не более 1,5 минуты. Если вы не в состоянии выполнять эти 30 упражнений, значит, у вас очень тяжелый таз и недостаточная мышечная база, атрофированная сидячим образом жизни. В этом случае не беспокойтесь: сократите количество движений и знайте, что эти мышцы со временем адаптируются и вы сможете делать упражнение как положено. Старайтесь все же делать не меньше 10 упражнений утром и вечером, так как вы действительно в этом нуждаетесь.

Затем, как для предыдущего упражнения, старайтесь добавлять один подход каждый день, чтобы в один прекрасный день достичь 100 утром и 100 вечером. На этой стадии вы обнаружите, что ваш торс и таз, потерявшие вес, приобретут упругость.

> 66 Наше общество склоняется к терпимости общего избыточного веса. Вы, разумеется, слышите выступления министров, высокопоставленных лиц, предостерегающих от пищевого избытка и сидячего образа жизни, но в действительности они ничего не делают, чтобы воспрепятствовать этому 99

## Упражнение № 3 — для бедер

Это упражнение представляет двойной интерес, так как именно оно расходует больше всего калорий и мобилизует наиболее крупную, четырехглавую, мышцу, которая, как указывает ее название, состоит из четырех мышечных пучков. С другой стороны, над этой мышцей чаще всего проявляется целлюлит, и даже самая незначительная потеря веса может без труда уменьшить его.

Цель этого упражнения состоит в том, чтобы одновременно сжигать калории и обрести твердые и упругие мышцы после потери веса. Оно вовлекает в работу все мышцы бедер, что очень много для одного упражнения.

**Исходное положение** — встаньте на ноги, если возможно, перед зеркалом.

1) Ухватитесь за край стола или умывальника, чуть расставьте ноги и расправьте плечи.

2) Медленно начинайте приседать, сгибая ноги до тех пор, пока ваши ягодицы не коснутся пяток.

3) Затем поднимитесь в исходное положение.

Это трудное упражнение, но крайне высокоэффективное. Оно зависит от вашего веса, его локализации и степени вашей тренированности. Если вы весите более 100 кг, вам будет затруднительно сделать даже одно такое упражнение. В этом случае делайте то, что в ваших силах, и вы увидите, что, постепенно теряя вес при помощи диеты, вы сможете дойти до одного, потом двух, трех и более приседаний в день. Когда вы сделаете серию из 15 приседаний, вы уже будете недалеко от вашего оптимального веса.

Не забывайте добавлять по одному подходу каждый день. Дойдя до серии из 15 упражнений, стремитесь к 30, но не волнуйтесь — у вас есть время. Дойдя до 30, вы почувствуете, что обрели более упругие бедра, а тем временем 8 мышечных пучков будут продолжать свою работу, постепенно сжигая калории днем и ночью.

У МЕНЯ ЕСТЬ ДЛЯ ВАС ЕЩЕ ОДНА ХОРОШАЯ НОВОСТЬ. ДЕЛО В ТОМ, ЧТО, КОГДА ВЫ СОВЕРШАЕТЕ ФИЗИЧЕСКОЕ УПРАЖНЕНИЕ, МЫШЦЫ СЖИГАЮТ КАЛОРИЙНОЕ ГОРЮЧЕЕ, И ВЫ ЭТО ПРЕКРАСНО ЗНАЕТЕ. НО ВАМ, ВЕРОЯТНО, НЕИЗВЕСТНО, ЧТО ДАЖЕ КОГДА УПРАЖНЕНИЕ ЗАКОНЧЕНО, МЫШЦА ПРОДОЛЖАЕТ ПОТРЕБЛЯТЬ КАЛОРИИ, КОНЕЧНО, НАМНОГО МЕНЬШЕ, ЧЕМ ВО ВРЕМЯ ФИЗИЧЕСКОГО УСИЛИЯ, НО НЕПРЕРЫВНО, И ДНЕМ, И НОЧЬЮ, В ТЕЧЕНИЕ 72 ЧАСОВ. ТАК ЧТО ЕСТЬ СМЫСЛ ДВИГАТЬСЯ КАЖДЫЙ ДЕНЬ.

### Упражнение № 4 — для рук

Женская рука — очень чувствительный индикатор избыточного веса и состояния кожи. Существует симметрия в распределении целлюлита на бедрах и на руках. Большинство женщин с целлюлитом на бедрах обладают также очень мощными руками. Худея, они легче теряют жир в области рук, чем бедер. Из-за этого их похудевшие руки теряют тонус и становятся дряблыми, и женщины это очень тяжело переживают. В этой области не так уж много решений — хирургия противопоказана, так как оставляет слишком много рубцов. Зато существует огромный выбор физических упражнений. Я выбрал одно из них и предлагаю его вам. Это упражнение мое любимое, так как оно очень простое и эффективное.

> 66 *Ходьба эффективна еще и потому, что в процессе ее выполнения задействуется огромное количество мышц, и не только мышц нижних конечностей* 99

У этого упражнения есть преимущество — оно заставляет работать две мышцы: бицепсы на передней части руки и трехглавую мышцу на задней, — для того чтобы укрепить мускулы и стянуть кожу в мясистой части руки.

**Исходное положение** — возьмите 1,5-литровую бутылку с водой или одну гантелю того же веса.

1) Сгибайте руку с гантелей или бутылкой, пока гантеля не окажется вблизи ваших плеч. Начинайте с направленной внутрь ладони. По мере того как вы поднимаете гантелю, проворачивайте вашу кисть так, чтобы ладонь оказалась обращенной вверх.

2) Медленно опустите гантелю и повторите.

Это упражнение надо выполнить **15 раз** для каждой руки, чтобы добиться роста достаточной мышечной массы и избавиться от обвисшей кожи. Старайтесь дойти до предела ваших возможностей и, если чувствуете себя способной, смело идите дальше.

Когда вы будете делать 15 движений для каждой руки ежедневно в течение недели, попытайтесь выполнить серии по 20 раз, через неделю — уже по 25, чтобы достичь 30 движений в конце первого месяца. С другой стороны, помните, что коже похудевшего человека необходимо 6 месяцев, прежде чем она снова подтянется, поэтому не нужно ожидать чудес сразу.

> 66 *Многие функции организма перестают выполняться, если человек не ходит: его тело быстрее стареет. 30 минут ходьбы в день будут служить отличной профилактикой этого* 99

ЦЕЛЬ ЭТИХ ЧЕТЫРЕХ УПРАЖНЕНИЙ — УКРЕПИТЬ МЫШЦЫ, РАСТЯНУТЬ ВНУТРЕННЮЮ ЧАСТЬ БЕДЕР И РУК И ВНОВЬ ОБРЕСТИ УПРУГУЮ И ГЛАДКУЮ КОЖУ.

## РЕЗЮМЕ

1) Не забывайте про чудесные свойства простой ходьбы, даже 20 минут в день ускорят потерю веса и дадут вам стимул продолжать дальше.

2) Особенно важно включать ходьбу на этапе закрепления веса, когда риск появления эффекта плато очень высок, так как введение физической активности даст вам дополнительные резервы организма по сжиганию калорий.

3) Введите 4 простых упражнения, о которых вы узнали из этой главы, и вы быстрее получите не только ваш идеальный вес, но и упругие бедра, ягодицы и стройные руки.

# Глава 13

# ПЕРСОНАЛИЗАЦИЯ И КОНТРОЛЬ — СОСТАВЛЯЮЩИЕ УСПЕХА ДИЕТЫ

Я написал эту дополнительную главу для сентябрьского издания 2008 года и включил ее, чтобы держать вас в курсе изменений, нововведений и корректировок в моей методике, произошедших со времени первого издания этой книги, вышедшей впервые в 2000 году. Она обрела судьбу, которой я от всего сердца желаю любому автору, убежденному, что у него есть очень важное послание для читателей.

Это была моя восемнадцатая книга, и она стала одной из тех книг, которые за несколько лет превратились в настоящий справочник. Она сама проложила себе путь к успеху, заставляя меня гордиться и радоваться.

Первое издание не пользовалось большим спросом. Такая участь часто постигает первое издание книги без поддержки рекламы и прессы. Возникла даже угроза отказа от ее распространения. Второе издание, а затем третье нашли свою публику и завоевали ее. И случилось очень редкое явление, которое ни я, ни мой издатель не могли предвидеть: продажи буквально взорвались и книги начали расходиться рекордным тиражом, достигнув уровня, редко доступного французскому автору. В конце 2007 года книга заняла первые строчки в рейтингах лучших продаж, следуя сразу за книгами о Гарри Поттере.

## Форумы

Успех книги обязан энтузиазму пользователей, которые после успешного похудения сочли своим долгом сообщить об этом и поделиться своим опытом в Интернете. В течение 4 лет добровольцами, главным образом женщинами, которые стали настоящими последователями и продолжателями моей методики, даже не будучи знакомыми со мной лично, были созданы 144 сайта, многочисленные форумы и блоги. Первый из этих сайтов назывался «Девушки мая» на форуме aufeminin.com, о существовании которого я даже и не подозревал до тех пор, пока одна из пациенток мне об этом не рассказала. Вы представляете, с каким рвением я тотчас же устремился в Интернет, чтобы поскорее посмотреть, что там происходило?! Все началось под эгидой энергичной и трогательной женщины Сопрано — это был ее псевдоним. Она потеряла 30 кг, читая ту же книгу, которую вы сейчас держите в руках, и была так довольна потерянным весом, что ее радость и эмоции заразили других. Израэлла, другая участница форума, оказалась молодой приятной израильтянкой и матерью двух очаровательных маленьких принцесс, ради которых она решила похудеть. Были также Ева, Ваине, Маричу и множество других, имена которых я забыл.

> Вы не одни в этом мире. После выхода моей книги похудевшие добровольцы стали создавать в Интернете сообщества, блоги, сайты для общения и обмена опытом. Через 4 года после выхода книги их насчитывалось 144, сколько существует на сегодняшний день я даже затрудняюсь ответить

Два года спустя форум, буквально наводненный слишком большим количеством пользователей, взорвался и перекочевал на более престижные сайты: doctissimo.com, seniorplanet.com, supertoinette.com и т.д.

Затем изобретательные женщины и, вероятно, специалисты в своем деле создали свой собственный сайт, и с этого момента все начали говорить о дюкановках и дюкановцах, о последователях дюкановского клана, о преданности которых я регулярно получаю свидетельства.

## Книга на международном уровне

Параллельно методика стала известна и в других странах и культурах. Право на издание книги было приобретено английскими, итальянскими, корейскими, таиландскими, испанскими, бразильскими и польскими издательствами. Я понимаю успех моей методики у французской публики, но ее популярность в таких отличных от французской культурах, как бразильская или корейская, озадачивает меня. После публикации моей книги за границей я получил от своих зарубежных коллег и журналистов много корреспонденции, свидетельствующей об их симпатии и превосходных результатах моей методики. Все без исключения указывали мне на то, что какой бы французской она ни была, им она вовсе не казалась чуждой. 100 продуктов, которые составляют первые 2 этапа похудения, принадлежат к единому общечеловеческому гастрономическому достоянию.

> **!** 72 БЕЛКОВЫХ ПРОДУКТА И 28 ВИДОВ ОВОЩЕЙ СОСТАВЛЯЮТ ОСНОВУ ЧЕЛОВЕЧЕСКОГО ПИТАНИЯ. ПЕРВОБЫТНЫЕ ЛЮДИ — ОХОТНИКИ И СОБИРАТЕЛИ — ДОБЫВАЛИ ПИЩУ, ПРЕИМУЩЕСТВЕННО СОСТОЯЩУЮ ИЗ БЕЛКОВ И ОВОЩЕЙ. Я НЕ ЗНАЮ НИ ОДНОЙ СТРАНЫ В МИРЕ, ГДЕ БЫ НЕ ПОТРЕБЛЯЛИ ЭТИ ПРОДУКТЫ.

К тому же пометка **«без ограничений в количестве»**, которая сопровождает этот перечень, полностью отвечает инстинктивной природе любого живого существа. Когда ощущается потребность, мы пьем или едим до исчезновения жажды или голода, то есть до возвращения биологического равновесия. И эта потребность становится еще острее, когда сопровождается желанием психического или эмоционального порядка. А вот подсчет калорий, ограничение потребляемого количества продуктов противоречат человеческой природе.

Сегодня, после 35-летнего ежедневного использования моей методики, я убежден, что одна из причин провала борьбы с избыточным весом во всем мире лежит в упрямстве приверженцев низкокалорийных диет.

Теоретически эти диеты наиболее логичные из всех существующих, но на самом деле на практике нет ничего хуже их. Почему? Потому что они построены по модели, которая не учитывает образ мышления тех, кто склонен к полноте. На самом деле подсчет калорий учитывает только холодную логику цифр и игнорирует эмоционально-аффективную сторону питания.

Низкокалорийная диета указывает вам на то, что вы поглощаете слишком много калорий или едите слишком жирную и несбалансированную пищу. Но дело в том, что она не объясняет вам, почему вы это делаете. И, таким образом, она советует вам сократить количество потребляемых калорий, чтобы остановить набор веса и затем похудеть.

**!** ВРАЧИ, КОТОРЫЕ ПРЕДПИСЫВАЮТ ЭТИ ДИЕТЫ, ОГРАНИЧИВАЮТ ВАШУ СУТОЧНУЮ НОРМУ 1800 ИЛИ 1500 КАЛОРИЯМИ, 1200 ИЛИ 900, ИЛИ ДАЖЕ 600 КАЛОРИЯМИ, ТЩАТЕЛЬНО ПОДСЧИТЫВАЯ КАЛОРИЙНОЕ СОДЕРЖАНИЕ ВАШЕГО РАЦИОНА. ОНИ НАСТОЯТЕЛЬНО СОВЕТУЮТ НЕ ПРЕВЫШАТЬ ЭТО ЧИСЛО. ТАКАЯ КАЛИБРОВКА НАПОМИНАЕТ ОПИСАНИЕ ТЕХНИЧЕСКИХ УСЛОВИЙ ПРОЕКТА АТОМНОЙ СТАНЦИИ И НИ В КОЕЙ МЕРЕ НЕ МОЖЕТ БЫТЬ ПРИМЕНЕНА К ДИЕТЕ.

Согласно этим низкокалорийным диетам можно есть все, но в маленьких количествах, не превышая определенное диетологом количество калорий. Эта рекомендация — полная противоположность тому, что происходит в голове женщины или мужчины, склонных к полноте. Если бы они действительно могли следовать таким предписаниям и проделывать такие сложные математические расчеты, в мире не было бы проблемы избыточного веса.

В редких случаях некоторые последователи низкокалорийных диет достигают желаемого веса, но только потому, что они располагают незаурядной мотивацией и соглашаются даже изменить свой характер ради похудения.

Но что же на самом деле происходит, когда человек достигает желаемого веса при помощи такой диеты, и можем ли мы вообще требовать от человека, который поправился, потому что он всегда ел, не считая калорий, превратиться в настоящего счетчика калорий?

В моей практике я почти всегда имею дело с женщинами и мужчинами, которые в своей гастрономической жизни руководствуются принципами «все или ничего», «я человек крайностей, я не могу держаться середины!» или «я не могу ничего делать наполовину». Что же касается веса, эти трогательные люди вам простодушно признаются, что ради потери веса они способны предаваться наиболее строгим и аскетичным диетам.

> **❝** *Мою книгу перевели на несколько языков, и в каждой стране она становилась бестселлером, что дает мне право утверждать, что моя методика работает, и эффективна она не только для французов* **❞**

Чтобы поддерживать существование таких противоестественных и контрпродуктивных диет, их приверженцы привыкли размахивать оборонительным плакатом «БАЛАНС В ПИТАНИИ» и лозунгом «Питайтесь сбалансированно!». Но если бы страдающий избыточным весом был способен есть сбалансированно, то он никогда бы и не стал толстым.

> **!** ВЫ ДУМАЕТЕ, ЧТО ВО ФРАНЦИИ СУЩЕСТВУЕТ ХОТЯ БЫ ОДНА ЖЕНЩИНА, КОТОРАЯ МЕЧТАЕТ СТАТЬ ПОЛНОЙ И ТУЧНОЙ? Я ЗА 35 ЛЕТ ПРАКТИКИ ТАКИХ НЕ ВСТРЕЧАЛ. И ПОПРОСИТЬ ПОЛНУЮ ЖЕНЩИНУ ПОТРЕБЛЯТЬ НЕ БОЛЬШЕ 900 КАЛОРИЙ В ДЕНЬ — ЗНАЧИТ НАДРУГАТЬСЯ НАД ЕЕ СМЯТЕННЫМИ ЧУВСТВАМИ И СТРАДАНИЕМ.

В этом году низкокалорийным диетам исполнилось 64 года. Везде, где их проповедуют, они потерпели неудачу, но диетологи, которые их еще используют, не хотят признавать свой провал.

Кроме того, рекомендации таких диет, сокращая количество калорий, обрекают на неудачу любую надежду на стабилизацию полученного веса.

Единственным случаем, когда низкокалорийная диета не была контрпродуктивной, стал случай с **Движением весонаблюдателей,** которое возникло в 1963 году в США, сейчас это международная корпорация, которая функционирует в 31 государстве. Программа учит сбалансированно и правильно питаться, в ней освоение навыков сбалансированного питания можно сравнить с обучением языку или вождению автомобиля. Это движение вовсе не новаторская диета, но именно ее принцип регулярных встреч худеющих стал настоящей революцией для своего времени. В то время как низкокалорийные диеты без реального контроля обречены на неудачу. Впрочем, низкокалорийные диеты скоро исчезнут, как и диеты, основанные на белковых порошках, но по другим причинам, так как сегодня средства массовой информации позволяют пользователям передавать свой опыт через сайты, форумы, блоги. И я надеюсь, что это вытеснит все неудачные диеты прошлого.

# БОЛГАРСКИЙ ФЕНОМЕН

Вскоре моя книга преподнесла мне еще один неожиданный сюрприз, который я впоследствии назвал «болгарским феноменом». Дело в том, что болгарское издательство приобрело право на издание моей книги. Не имея достаточно средств для рекламы, они без прикрас представили ее публике. В первый год книга не имела большого успеха. Издатель уже готовился оставить это дело, когда вдруг сработало сарафанное радио — информация распространилась с молниеносной быстротой, и мы совсем не ожидали такого притока покупателей. Так моя книга начала и свою болгарскую карьеру. За несколько месяцев, без рекламы, благодаря информации, передаваемой из уст в уста, она стала наиболее продаваемой книгой в этой стране.

Самый главный еженедельный журнал г. Софии просит меня принять своего редактора в Париже, и вскоре в газете появляется пятистраничная главная статья номера, и я оказываюсь в центре событий. Даже сегодня я не понимаю, как такое могло произойти. Болгария, одна из самых бедных стран Европы, медленно просыпающаяся от зимней спячки, и вот 9 миллионов болгар загораются идеей моей методики! При таком ходе событий я начал было думать, что эта методика больше не принадлежит мне. Она меня фактически превзошла и стала собственностью всех тех, кто в ней нуждался. Я понял, что она должна прожить свою собственную жизнь, потому что перед ней было будущее и все средства, облегчающие ее распространение, были уместными.

Начиная с 2008 года право на издание приобрела Польша, и книгу стали покупать все возрастные группы населения.

> 66 *Консультации с автором методики облегчают страдания человека, стремящегося похудеть и находящегося в полном одиночестве, такое общение особенно полезно во время двух последних этапов стабилизации веса. И вы можете со мной общаться на моем сайте* 99

# ПЕРСОНАЛИЗАЦИЯ: ПРИЧИНЫ ИЗБЫТОЧНОГО ВЕСА

## 20 миллионов различных случаев

Во Франции 20 миллионов людей с избыточным весом и примерно сотни специалистов по вопросам питания. Но даже с такими
цифрами еще не сделано ничего конкретного в этой области, хотя
о проблеме избыточного веса много сказано и еще больше напи-
сано.

В поисках любого средства, способного усилить действие, про-
изводимое книгой и методикой, мне пришла безумная идея. Она
исходила из моего опыта, который заключался в том, что наиболее успешные результаты при использовании методики часто до-
стигались, когда я лично руководил процессом и был в прямом
контакте с пациентом.

Я говорю «часто», так как я получил массу доказательств от
читателей, худевших при помощи одной только книги, которая
была их единственным ориентиром. Но совершенно очевидно,
что консультации с автором методики облегчают страдания человека, стремящегося похудеть и находящегося в полном одиночестве, такое общение особенно полезно во время двух последних
этапов стабилизации веса.

ПОЧЕМУ ЖЕ ТАК ПРОИСХОДИТ? ПРИЧИНА ПРОСТА: ВСЕ МЫ ТАК ИЛИ
ИНАЧЕ ПОПРАВЛЯЕМСЯ, НАБИРАЕМ ВЕС ИЗ-ЗА ТОГО, ЧТО ПИТАЕМСЯ НЕ-
ПРАВИЛЬНО ИЛИ ИЗБЫТОЧНО. НО КОГДА Я ГОВОРЮ «ТАК ИЛИ ИНАЧЕ»,
Я ХОЧУ СКАЗАТЬ, ЧТО КАЖДЫЙ СЛУЧАЙ ИНДИВИДУАЛЕН И У КАЖДОГО
ЕСТЬ СВОИ ПРИЧИНЫ НА ЭТО. И ДАЖЕ ЕСЛИ ВОЗМОЖНО ПОХУДЕТЬ,
ИСПОЛЬЗУЯ ОДНУ ОБЩУЮ МЕТОДИКУ, ОНА ОКАЖЕТСЯ БОЛЕЕ ЭФФЕК-
ТИВНОЙ, ЕСЛИ УЧИТЫВАТЬ НАБОР ИНДИВИДУАЛЬНЫХ ПРИЧИН.

# Безумная идея принцессы

Моя идея приобрела окончательную форму, когда одна из моих пациенток, кувейтская принцесса, столь же богатая, сколь и красивая, тучная и капризная, во время консультации призналась мне, что у нее всегда было то, чего она желала. Из нашего разговора мне особо запомнилась ее удивительная фраза: «Я всегда получала за деньги то, чего хотела, нанимая людей и оплачивая их труд, но мне не удалось найти такого работника, который смог бы за меня сидеть на диете!»

Однажды, заметив, как я записываю то, что она мне говорит во время консультации, она спросила, зачем я это делаю. Я ответил, что каждый случай уникален в своем роде и для меня очень важно понимать личность пациентки или пациента, сидящего передо мной, — это поможет быстрее зафиксировать прибавку в весе и более эффективно похудеть.

> 66 *Я могу создать книгу вашего личного веса, для этого вам нужно ответить на 154 вопроса, которые позволят мне скорректировать методику под вас* 99

«Ладно, но я хотела бы тоже иметь эти записи, так как они касаются меня, — ответила она, затем после недолгого размышления, добавила: — Вы можете сделать еще лучше: соберите все необходимые записи и напишите книгу обо мне, только обо мне и моем случае. Взамен вы можете просить любую цену».

Меня взволновало далеко не вознаграждение: ее просьба вновь разбудила во мне воспоминание о моей идее индивидуального подхода к каждому человеку, стремящемуся похудеть по моей методике. Возможность написать единственную и личную книгу для каждого человека, который захотел бы использовать мою методику, — эта идея уже давно меня терзала. Да, именно книгу, в которой был бы изложен случай избыточного веса этой принцессы со всеми присущими ему причинами, ее личным отношением к своему весу и телу, ее питанием; книгу, в которой я бы приспособил мой план к ее индивидуальности, чтобы помочь ей похудеть раз и навсегда.

> **!** Я СТАРАЛСЯ НАЙТИ ПРИЧИНЫ, ПО КОТОРЫМ ЧЕЛОВЕК ПО-СВОЕМУ ИСПОЛЬЗУЕТ ПРОДУКТЫ ПИТАНИЯ. И Я ПОНЯЛ, ЧТО ЧЕЛОВЕК, САМ ТОГО НЕ ОСОЗНАВАЯ, ПРИДАЕТ ПРОСТОМУ ПРОДУКТУ ЗНАЧЕНИЕ НАМНОГО БОЛЬШЕЕ, ЧЕМ ПРОСТО НАСЫЩЕНИЕ. ДЛЯ НЕГО ПИЩА СТАНОВИТСЯ ИСТОЧНИКОМ УДОВОЛЬСТВИЯ ИЛИ НЕЙТРАЛИЗАЦИИ ВСЯЧЕСКИХ ОГОРЧЕНИЙ И НЕПРИЯТНОСТЕЙ. И ОКАЗЫВАЕТСЯ, ЧТО СТЕПЕНЬ ОТКЛОНЕНИЯ ПИЩИ ОТ ЕЕ ПЕРВИЧНОЙ ПИТАТЕЛЬНОЙ РОЛИ У КАЖДОГО ЧЕЛОВЕКА РАЗНАЯ.

Спустя 3 месяца у меня был уже набросок книги, но это занятие занимало у меня слишком много времени. Вскоре я предоставил принцессе около 50 страниц печатного текста, извиняясь за то, что не успел закончить. Когда я ее снова увидел, несколькими месяцами позже, она была очень довольна и сообщила мне, что похудела на несколько килограммов и что эти наблюдения отучили ее от некоторых привычек и плохих рефлексов в питании, но, самое главное, повлияли на ее вес. Она потеряла всего несколько килограммов и сама не могла понять, каким образом они исчезли, что и придавало этим страницам почти магическую власть. Она попросила меня продолжить, и я пообещал ей, что попробую, что и сделал, но не только для нее одной, но и для любого человека.

## От принцессы до программиста

Чтобы развить идею, я обратился к информатике, новым технологиям и искусственному интеллекту. Параллельно я приобщил к этому увлекательному, но, признаться, немного безумному проекту других врачей, друзей и представителей всех профессий, интересующихся избыточным весом. Вместе и добровольно мы изучили тысячи реальных случаев, проанализировали и извлекли все параметры, влияющие на набор веса.

Мы включили в базу данных 27 000 страниц информации, собранной по всему миру, во всех службах, университетах и исследовательских центрах, занимающихся проблемой избыточного веса.

Программисты попросили предоставить им опросник, анкету, нечто вроде матрицы, позволяющей вывести индивидуальное для каждого уравнение, исследуя различные области, начиная от возраста и пола и заканчивая вкусами, предпочтениями, семейной и профессиональной жизнью и т.д. Таким образом мы сумели объединить **154 универсальных вопроса**, которые оставались актуальными для любой культуры.

Обработка полученных ответов позволила выявить индивидуальные причины прибавки в весе и классифицировать их в зависимости от степе-

> 66 *Стрессы и отрицательные эмоции разрушают удовлетворение от того, что вы наконец одержали победу над своим весом. Именно в таких случаях вы можете обратиться к моему форуму* 99

ни важности. Это означало, что отныне стало возможным изучить свой избыточный вес и найти специфическое решение. Все эти данные были напечатаны в виде обычной книги, но книги, обращающейся только к одному-единственному читателю и трактующей только одну-единственную тему — **индивидуальный случай избыточного веса**.

Однажды руководитель проекта собрал нас и продемонстрировал первую версию. Первую анкету заполнила одна из моих подруг. Затем наступил черед компьютерной обработки полученной информации, что заняло целую ночь. На следующее утро мы увидели первую «Книгу моего веса», книгу моей подруги Ализы, которая была буквально ошеломлена результатами. За выходом книги последовал запуск сайта www.livredemonpoids.com, где было можно заполнить анкету и приобрести книгу.

Вся наша команда гордилась созданием такой книги. Предназначенная для одного-единственного читателя, она отходила от традиций обычной классической книги, где автор пишет для широкой публики. Наша команда экспертов создала книгу для одного читателя на точно определенную тему — в данном случае речь, конечно же, идет об избыточном весе.

> 66 *Около 50 000 участников каждый вечер заполняют свой отчет за день и получают на следующее утро новые инструкции. 75% из них читают чат, а я испытываю огромное удовольствие от того, что каждый день привношу туда что-то новое и посвящаю ему хотя бы один час* 99

С выходом в 2005 году программы мы решили проверить пользу книги для одного читателя из первых 10 000 записавшихся (проект «Апаж»), за которыми мы наблюдали в течение 6 месяцев. Последние данные (18–24 месяца) показывают очень хорошие результаты потери веса, которые можно сравнить с результатами наилучших на сегодня диет, осуществляемых в хороших условиях и под медицинским присмотром.

! НО ИМЕННО НА ЭТАПЕ СТАБИЛИЗАЦИИ ПОТЕРЯННОГО ВЕСА ПОЛУЧЕННЫЕ РЕЗУЛЬТАТЫ ОЧЕНЬ ОТЛИЧАЛИСЬ ОТ ВСЕГО ТОГО, ЧТО СУЩЕСТВОВАЛО ТОГДА НА РЫНКЕ. ОНИ ПОКАЗЫВАЛИ, ЧТО ДОСТИГНУТЫЙ ВЕС БЫЛ СТАБИЛИЗИРОВАН В 63% СЛУЧАЯХ, ПРОТИВ 5% УСПЕХА И 95% НЕУДАЧ ПРИ СОБЛЮДЕНИИ ТРАДИЦИОННОЙ ДИЕТЫ.

Этот успех мы приписали тому, что читатель получает информацию именно о своем конкретном случае лишнего веса, анализ которого был осуществлен командой специалистов, и в котором он узнает себя на каждой странице, в каждом аргументе, в каждом совете, даже в каждом рецепте. При этом он ясно видит свои слабые и сильные стороны в отношении к продуктам и к своему весу и понимает, почему он должен будет согласиться исправить некоторые из своих привычек. Для него уже эта задача не кажется непосильной, так как у него есть **«книга его собственного веса»** — его ориентир для достижения оптимального и правильного веса, программа, рассчитанная с учетом его слабостей, его деятельности, его детства и его склонностей в питании. Со временем человек понимает, что может находить свое счастье не только в еде, но и в других видах деятельности. Успех книги мы также объясняем сложностью средств, использованных для того, чтобы получать такую простую вещь, как «книга, написанная персонально для вас».

! КАКОЙ ПРИЗНАННЫЙ СПЕЦИАЛИСТ МОЖЕТ СЕГОДНЯ УДЕЛИТЬ ДОСТАТОЧНО ВРЕМЕНИ, ЧТОБЫ ЗАДАТЬ 154 СУЩЕСТВЕННЫХ ВОПРОСА, ОБСУДИТЬ И ПРОАНАЛИЗИРОВАТЬ ВСЕ ОТВЕТЫ?

У кого, за исключением этой компьютерной программы, хватило бы желания, воодушевления и убедительности, необходимых, чтобы вдохнуть жизнь в фактически документальное исследование? Да и наконец, какой владелец типографии напечатал бы такую книгу в единственном экземпляре и доставил бы ее по адресу того или той, кто ее заказал?

Наш совместный проект был наполнен страстью и воодушевлением от того, что мы вводим новшество и строим новую и действительно эффективную вещь «в мире, где все, казалось бы, уже сказано». Мы смогли осуществить его без финансовых вложений, всякой административной волокиты и барьеров, которые легко могут остановить даже самые благие намерения любого энтузиаста. Мы сделали это, потому что нас было много и мы были просто увлеченными добровольцами: 32 врача, 4 инженера и 1 талантливый архитектор-программист, графисты и другие благонадежные люди.

## Масштабная персонализация, ее стоимость и демократизация

Но несмотря на это, у «Книги моего веса» есть своя цена, которая и повлияла на ее распространение. Печать в единственном экземпляре, почтовые расходы, хостинг и главным образом экономисты навязывали минимальную цену книги, гарантирующую ей экономическое выживание, — 59 евро, что является не такой уж большой суммой за услугу, которую она предоставляет тем, кто ее заказывает. Сегодня первоначальное погашение инвестиций закончено, как, впрочем, и давление финансистов, и отныне нам ничто не мешает распространять книгу в цифровой версии, что наполовину сократит ее стоимость. Это одна из наших самых крупных побед. В течение «Недели борьбы против избыточного веса» мы предложили 10 000 бесплатных книг и собираемся повторить этот опыт под эгидой Организации здравоохранения и Европейского союза.

## ИНДИВИДУАЛЬНЫЙ КОНТРОЛЬ

Он включает в себя индивидуальный подход, ответственность, компетентную помощь, ясные и четкие инструкции каждое утро и подведение итогов каждый вечер.

Между 2004 и 2008 годами мировая статистика избыточного веса значительно ухудшилась: Индия и Китай с увеличением уровня жизни печально констатировали последствия влияния западного образа жизни.

Во Франции численность людей, страдающих избыточным весом, продолжает увеличиваться, и это сильнее всего заметно на детях и подростках. Я ощутил потребность добавить к своей методике другие средства, дабы усилить ее воздействие и принять активное участие в борьбе с по-настоящему безумной машиной под названием избыточный вес, влияние которой с неслыханной скоростью распространяется в равнодушном мире.

ФАКТИЧЕСКИ, ВСЕ ПОЛИТИЧЕСКИЕ РУКОВОДИТЕЛИ И МЕДИКИ — ТЕ, КТО УПОЛНОМОЧЕН ПРИНИМАТЬ РЕШЕНИЯ ПО ЭТОМУ ПОВОДУ, — КАЖУТСЯ БЕЗРАЗЛИЧНЫМИ, САМИ БОЛЬШЕ НЕ ВЕРЯ В ТО, ЧТО ГОВОРЯТ, И ДОВОЛЬСТВУЮТСЯ ТЕМ, ЧТО ПОЧТИ АВТОМАТИЧЕСКИ ПОВТОРЯЮТ ВСЕМ, КТО ХОЧЕТ УСЛЫШАТЬ, ЧТО ВО ИЗБЕЖАНИЕ ИЗБЫТОЧНОГО ВЕСА НЕОБХОДИМО ЕСТЬ МЕНЬШЕ, ДВИГАТЬСЯ БОЛЬШЕ И ПОТРЕБЛЯТЬ 5 ФРУКТОВ И ОВОЩЕЙ В ДЕНЬ.

Каждый год мы говорим о необходимости обложения налогом рекламы продуктов для перекуса в часы прайм-тайм — наиболее удобного времени для телепросмотра, — которая, по сути, публично стимулирует анорексию. Но никто ничего не предпринимает. В то же время сейчас выдается патент на каждое второе изобретение, касающееся товаров, способствующих сокращению человеческих усилий и экономии времени. Замечательный способ набрать еще больше веса, сокращая расходы энергии и увеличивая стресс из-за бешеного ритма жизни и неестественного сокращения времени!

Появилась новая гамма продуктов для перекусов, для которых находят маркетинговые аргументы, один соблазнительнее другого, используют привлекательные упаковки с надписями «С низким содержанием сахара (или соли)» и с изображениями мечты, где стройные силуэты грызут красивые зеленые яблоки, постоянно измеряя свой обхват талии. Таким образом производители продолжают продавать жиры и быстрые углеводы, опасность которых нам уже хорошо известна, хотя и под другим именем.

А тем временем 35 000–40 000 французов умирают каждый год от избыточного веса. Это жизни, унесенные диабетом, инфарктом или раком, развившимися из-за избыточного веса.

Реагировать, мне нужно было реагировать, и чем быстрее, тем лучше!

## Американские попытки

Международные исследования показали, что один из главных ключей борьбы против избыточного веса — контроль и помощь медицинского специалиста тому или той, кто решил соблюдать диету. Полученные результаты оказывались бесспорно лучше, как на этапах непосредственной потери веса, так и на этапах его стабилизации. Единственная проблема заключалась в том, где найти миллионы диетологов, которые могли бы взять под наблюдение всех пациентов. С другой стороны, в Интернете существует огромное количество сайтов, предлагающих коучинг — вид консультирования пациента врачом непосредственно через Интернет.

Являясь президентом Международной Ассоциации борьбы против избыточного веса, я был приглашен в США — посмотреть, что предпринималось там в этой области. Американцы всегда были новаторами в технологиях, но, к сожалению, одновременно они занимают лидирующее место по числу полных людей и нуждаются в эффективной помощи в вопросах похудения.

Там я встретил своих американских коллег — известных врачей, сталкивающихся с проблемами намного более серьезными, чем мы во Франции. Наше рвение в борьбе с избыточным весом, менее высокий процент смертности и подверженности к излишнему весу, наш образ жизни, наша кухня (несмотря на то что мы изобретатели и любители такой не очень сбалансированной пищи, как фуа-гра или майонез) вызвали у них некоторую зависть. С ними мы изучили наиболее известные американские сайты коучинга по снижению веса.

На этих сайтах, крайне профессионально выглядящих, — когда вы находитесь на их главной странице — указано, что предложенный коучинг тщательно подобран для каждого, интерактивен и утвержден специалистом. На самом же деле я не увидел там ничего, совсем ничего персонального и интерактивного. Да, ни одного американского сайта по коучингу, увы, не существует. Все, что вы можете там найти, — это стандартный, разбитый на части метод похудения, который порциями высылают человеку, зарегистрировавшемуся на этом сайте.

> **«Книга личного веса»** — *революционный продукт, который учитывает все слабости конкретного человека, его предпочтения в питании*

Нечто вроде книги с картинками, звуком и видео. Конечно, эти сайты пользуются колоссальным успехом. Их акции котируются на бирже, у них есть средства ежедневно доставлять своим участникам поток высококачественной информации, рецепты, физические упражнения, но ничто и никто не обращается к ВАМ лично. Так, например, муж и жена, страдающие избыточным весом, вместе в один день регистрируются на таком сайте и получают одинаковые инструкции, какой бы ни была их разница в возрасте, поле, весе и потребностях в пище.

Интернет и интерактивность предлагают настоящий шанс для контроля и персонализации, которые смогли бы изменить положение вещей в мире, где 1,3 миллиарда людей страдают избыточным весом.

Это технологическое чудо могло бы снизить рост количества людей с избыточным весом. Но в стране, где потребности в этой помощи настолько велики, люди довольствуются не настоящими решениями, а только их эрзацами.

## Запуск проекта

Вернувшись во Францию в ходе работы над проектом «Книга моего веса», я понял, что будущее борьбы против избыточного веса должно быть связано с этим прекрасным средством коммуникации — Интернетом. И я решил организовать консультации экспертов онлайн.

Я ощутил в себе силы воплотить это в реальность, разрабатывая свой консультационный сайт под девизом: «Ты знаешь, кто я, я знаю, кто ты и в чем ты нуждаешься, чтобы достичь своей цели в кратчайший срок с минимальными лишениями». Я бросил себе вызов и погрузился в это новое для меня дело, вкладывая в него весь мой энтузиазм. Я был убежден, что если у меня действительно получится воплотить эту идею в жизнь, то появится новое универсальное средство, у которого наконец будут все необходимые составляющие, способные противостоять эпидемии избыточного веса. Для этого я снова попросил помощи у моих друзей, тех же 32 врачей, которые сопровождали меня при создании «Книги моего веса», и свою команду программистов. Проект увлек всех, были даже новые добровольцы из Америки и Канады. Мы уже приобрели вместе уникальный опыт, создав первую в мире индивидуальную книгу. Но проблема коучинга была другой. Речь шла о постоянном контроле — день за днем, килограмм за килограммом — и более чем детальной характеристике участника коучинга. Уже недостаточно было разработать индивидуальную программу, за участником коучинга нужно было следовать в джунгли его желаний, его повседневной жизни, деловых поездок, профессиональных встреч, с ним надо было быть

 *Недостаточно разработать индивидуальную программу похудения, участнику нужен контроль со стороны коуча*

во время всех его приемов пищи, успокаивать его при стрессах, внезапных проявлениях слабости. Ибо все это необходимо человеку, который оказывается один лицом к лицу со своим весом.

# Цель: один пациент за другим, день за днем, с самого начала и на всю жизнь

Я очень высоко поднял планку, так как хотел, чтобы контроль был не только ежедневным, но и интерактивным. Односторонний контроль, сводящийся к простому отправлению универсальных инструкций или информации, даже если речь идет о высококачественной информации, привел бы меня к американскому варианту. Я же хотел, чтобы организатор коучинга, в данном случае я, мог **каждый вечер собирать отчет у каждого участника** и в соответствии с этим отчетом выдавать свои рекомендации на следующий день. Для этого мы вспомнили старый метод «мозгового штурма» и использовали совместный опыт врачей и программистов. С американскими специалистами по искусственному интеллекту мы сумели создать и запатентовать новый способ общения, Канал ПЭТД (EARQ) — Повседневная электронная почта туда и обратно. Этот способ позволяет нам каждое утро высылать наши инструкции, а участнику — каждый вечер отсылать краткий, но полный отчет о своем дне, который мне необходим, чтобы адаптировать инструкции на утро следующего дня.

# Адаптация к четырем этапам диеты

Этот интерактивный ежедневный контроль заботится об участнике с первого дня этапа атаки и больше никогда не оставляет его одного. День за днем, мейл за мейлом, контроль усиливается на протяжении всего этапа «Чередование» до достижения оптимального и правильного веса, но этого далеко не достаточно, так как человек, который останавливается здесь, снова набирает свой вес, сводя на нет все усилия. Следовательно, контроль продолжается на этапе закрепления. Но и здесь он не заканчивается.

Остается четвертый этап, этап окончательной стабилизации. Этот этап, столь часто игнорируемый, не должен прекращаться никогда, так как **ожирение является хроническим** и полностью не вылечивается никогда. Я знаю, что никто не любит термин «окончательный», когда речь идет о пище. Кроме того, чтобы осмелиться на такой шаг и предложить услугу коучинга на столь длительный промежуток времени, нужно, чтобы она была практически незаметной и имела символическую значимость.

Также нужно, чтобы руководства и инструкции, разработанные на этом этапе, были гибки, доброжелательны и одновременно очень тщательны.

## Коучинг с человеческим лицом

И в эти трудные моменты, когда у нас возникает острая потребность в ком-то, кто смог бы нас успокоить и поддержать, коучинг с человеческим лицом предложит свои наилучшие советы и рекомендации. Его миссия состоит в том, чтобы соединить воедино строгость и сопереживание, избегая драматизации и внушения чувства вины — верных союзников провала. Задача коучинга — **помочь включить в свой образ жизни четыре несложных указания**, касающиеся поддержания веса на оптимальном уровне: белковый четверг, ходьба, отказ от лифта и ежедневное потребление 3 ложек овсяных отрубей.

Но главная миссия коучинга — предотвращение повторного набора веса. Коуч (консультант) должен быстро отреагировать в случае первого прибавленного килограмма, прежде чем участник начнет погружаться в состояние полного уныния и разочарования. У него должна быть «гибкая система реагирования» в зависимости от значимости набранного веса.

В конце концов, мы знаем, что любые трудности жизни рано или поздно заканчиваются, коучу важно в этот момент передать положительные эмоции, необходимые для благополучного завершения проекта. Для этого нужно сопереживать, понимать и уметь слушать других.

## Один час чата в день

Этим элементом коучинга я очень дорожу и очень на нем настаиваю. Я решил выделить один час чата в день, когда я лично отвечал бы на вопросы, заданные моими пациентами на протяжении всей моей профессиональной жизни. **В 9 случаях из 10 пациенты сами заранее знают ответ**, но суть в том, что заданный вопрос не так уж и важен. Важно то, что человек понимает, что был услышан, чувствует присутствие и поддержку, и риск того, что он отступит от правильного пути, сокращается.

Коучинг с человеческим лицом тактично устанавливает внешнюю необходимость, освобождающую от выбора, который так трудно сделать самому, и который лучше воспринимается, если исходит от третьего лица, — это позволяет избежать осложнений на пути к желаемому весу и чрезмерного потребления энергии и мотивации. Именно эту миссию я день за днем беру на себя ради всех тех, кто напуган и теряет почву под ногами. Стрессы и отрицательные эмоции разрушают огромное удовлетворение от того, что вы, наконец, одержали победу над

> 66 *Я не предлагаю вам огромный комплекс гимнастики, так как знаю, что большое количество упражнений отбивает всякий настрой даже у очень упрямого пациента* 99

своим весом. Когда у вас спокойная жизнь, вес легко контролируется. Но если неожиданно возникнет какая-нибудь проблема профессионального или личного порядка: измена, увольнение или конфликт, траур, болезнь, провал или вынужденное одиночество, прервавшаяся беременность или бесплодие, депрессия, — стрелка весов начинает отклоняться не в ту сторону. Я чувствую, что люди нуждаются во мне и моем опыте и просто в моих словах, и для меня составляет великое счастье и гордость пытаться найти для них ответ, который поможет им избежать худшего.

## Плато — первая причина провала диеты

В моей диете, как и в любой другой, есть особо трудный момент, когда риск провала становится выше. В моей методике это именно тот период, когда люди переходят от этапа «Атака» ко второму этапу «Чередование», без особых усилий потеряв достаточное количество веса и застоявшейся в организме воды. На смешанном этапе наш организм готов к бою и он твердо решил защищать свои резервы. На этом этапе ведется ожесточенная борьба, где еще неопределенная победа может легко перейти на сторону врага.

 «Я ТЕРЯЮ 800 Г, А НА СЛЕДУЮЩИЙ ДЕНЬ НАБИРАЮ 600 Г, И ТАК ПОВТОРЯЕТСЯ СНОВА И СНОВА, НИЧТО НЕ ДЕЙСТВУЕТ И НЕ ПОМОГАЕТ, Я ОГОРЧЕН, ЧТО ДЕЛАТЬ, ДОКТОР?»

Это наиболее опасный этап, когда усилия не вознаграждаются, и мои пациентки имеют обыкновение называть это «застоем».

### Причины плато

Они многочисленны и разнородны. Так, например, есть пациенты и пациентки, которые бессознательно делают погрешности в соблюдении диеты или же просто забывают упомянуть о них в своем отчете, который они высылают нам каждый вечер.

У других женщин, добросовестно соблюдающих правила методики, вода удерживается в организме, чем и объясняется набранный вес. Или же те, кто подвержен удержанию воды, накануне взвешивания могли съесть чересчур соленую пищу или выпили бокал вина, не обратив на это внимания. Есть еще и те, кто принимает противовоспалительные препараты при ревматизме или позвоночной боли, или, еще хуже, те, кто принимает антидепрессанты. Или люди, которые соблюдали столько диет в своей жизни, что потеряли им счет, в результате их обмен веществ стал крайне экономным и у их организма выработалась сопротивляемость диетам всякого рода. Женщины, у которых соблюдение диеты вызывает запор, естественно, поправляются, так как организм выводит недостаточно отходов. Женщины в период пременопаузы, когда риск прибавки в весе наиболее высок, а удержание воды организмом сопряжено с метаболическими тормозами. Нельзя забывать и о менопаузе с гормональным лечением. Наконец, настоящий враг диет — тиреоидная недостаточность, все более и более часто встречающаяся, которую нужно очень быстро диагностировать, дабы избежать провала.

> 66 *Старайтесь ввести ходьбу и на работе, периодически вставая и прохаживаясь, например, к тумбочке с принтером. Забудьте о том, чтобы подъезжать к ней на катящемся кресле* 99

Вы видите, сколько причин, которые могут замедлить или даже заблокировать процесс потери веса?!

И именно в эти периоды остановки коучинг и индивидуальный контроль наилучшим образом оправдывают себя и доказывают свое право на существование. Они позволяют найти **причину остановки потери веса**, объясняя ее и определяя примерную дату, когда все может сдвинуться с мертвой точки. А до этого необходимо дать все полезные инструкции, чтобы вновь привести в движение механизм похудения. Например, устроить еще несколько дней этапа атаки, увеличить или сократить — смотря по обстоятельствам — потребление напитков, исключить из рациона чересчур соленые продукты, больше двигаться и включать 20–60 минут ходьбы ежедневно, снять запор вазелиновым маслом, ревенем или стаканом свежей минеральной воды натощак или увеличением потребления овсяных отрубей и т.д.

Во время этого вынужденного застоя и отчаяния надо суметь приручить время и сделать из него своего друга. Да, не прибавить в весе, когда организм твердо стоит на своих защитных позициях, оказывая максимальное сопротивление, — уже само по себе является подвигом. При малейшей погрешности или проявлении слабости ваш организм воспользуется этим и, естественно, ваш вес увеличится.

«УСТРОЙТЕ СЕБЕ ЕЩЕ ОДИН ДЕНЬ ИЗ ЭТАПА АТАКИ, ОДИН ДЕНЬ ЧИСТЫХ БЕЛКОВ, И ЗАВТРА ПОСЛЕ ВЗВЕШИВАНИЯ ПРИДИТЕ КО МНЕ С ХОРОШИМИ НОВОСТЯМИ!» ВОТ ЧЕГО ЖДЕТ ЧЕЛОВЕК, ПОПАВШИЙ ПОД ВЛИЯНИЕ СОМНЕНИЙ И НЕПРЕОДОЛИМЫХ ЖЕЛАНИЙ: ОН ЖДЕТ ОБЕЩАНИЯ, НАДЕЖДЫ, ПОДДЕРЖКИ, СОВЕТА, КОТОРЫЙ БЫ СНОВА УТВЕРДИЛ ЕГО В НАМЕРЕНИИ ПОХУДЕТЬ И УСПОКОИЛ.

Но когда период плато проходит, как приятно вновь увидеть сияющую улыбку на лице женщины, которая благодарит вас и не верит своим глазам, увидев отклоняющуюся в нужном направлении стрелку весов!

Я дал коучингу свое имя: regimedukan.com[13]. Он работает уже с апреля 2008, не скрою, он — моя гордость. Он мне приносит столько же радости, сколько и консультации, которые я даю. И это удивительно, потому что я не знаю тех, с кем я говорю, но так еще лучше, поскольку оставляет больше пространства для воображения. Недавно коучинг отпраздновал свое двухлетие, и его результаты ясно показывают, что основополагающая идея

---

[13] Запуск полноценной российской версии сайта планируется на конец 2011 года. Мини-сайт доступен с апреля по адресу: www.dukan.ru — *Прим. ред.*

хороша. Около 50 000 участников каждый вечер заполняют свой отчет за день и получают на следующее утро новые инструкции. 75% из них читают чат, а я испытываю огромное удовольствие от того, что каждый день привношу туда что-то новое и посвящаю ему хотя бы один час.

В течение этих 60 минут я нахожусь в кругу главным образом женщин, очень часто находящихся в состоянии плато, которые ищут поддержки в этот момент. Большая часть из них начали с книги, которую вы сейчас держите в руках. Несомненно, есть женщины более уязвимые, чем другие, или наоборот, более мужественные в отношении переносимости диеты, но все они имеют потребность в поддержке.

Сам форум появился для **поддержки, соревнования, сопереживания**, как случается, когда форум создается добровольцами — женщинами, которые, научившись методике, начали ее распространять и, более того, даже преподавать. Помогая другим, они помогают друг другу, тем самым еще больше укрепляя свое умение и мотивацию.

П.Р.О.Т.И.В. (Программа — Реакция на Ожирение — Тучность И Избыточный Вес), международная ассоциация, которую я возглавляю и которая в июне 2008 года открыла во Франции первую «Неделю борьбы против избыточного веса», как это было сделано ранее в Германии и в Бразилии. В течение этой недели мы пытались убедить наиболее крупные компании по страхованию здоровья в необходимости финансирования этой злободневной проблемы.

В рамках этой недели мы добились подтверждения финансирования проекта контроля за больными диабетом — службы, которой малоимущие граждане могут воспользоваться бесплатно. Я надеюсь от всего сердца, что такая же финансовая помощь будет оказана и людям, страдающим избыточным весом.

## <u>РЕЗЮМЕ</u>

1) Успех моей книги и подхода в разных странах придает мне уверенности в ее правильности, поэтому я хотел бы, чтобы и российские читатели смогли оценить мою диету, поэтому я принял решение издать ее и на русском языке.

2) Запомните, в этом мире вы не один (одна) с проблемой лишнего веса. На многочисленных форумах и сайтах, посвященных моей методике, вы можете найти последователей моей диеты, успешно избавившихся от ненужных килограммов. Они могут направить вас, если у вас вдруг что-то перестало получаться, или вы вступили в период плато.

3) Я ежедневно провожу интернет-конференции со своими пациентами, вы тоже можете присоединиться к ним на сайте regimedukan.com, правда, пока только на французском языке. Русская версия сайта уже готовится и планируется к запуску в конце 2011 года.

## ЗАКЛЮЧЕНИЕ

# ИЗБЫТОЧНЫЙ ВЕС — МЕДИЦИНСКАЯ ПРОБЛЕМА

Врачи-терапевты, утомленные неудачами в борьбе с избыточным весом, полностью сбитые с толку обилием предлагаемых сегодня диет, затормаживают свои действия в этом направлении — действия, требующие много времени. Постоянно сталкиваясь с систематическими рецидивами, они просто опустили руки перед проблемой избыточного веса. Тем более что многие терапевты вовсе не рассматривают прибавку в весе как болезнь. По правде говоря, внезапная потеря веса обеспокоила бы их гораздо больше. Большое количество врачей-терапевтов находят просьбы о помощи в похудении своих пациентов неоправданными и незначительными. Возможно, это и правда для некоторых пациентов, но не нужно забывать, что избыточный вес может вызвать массу сопутствующих болезней.

Поэтому наша ассоциация П.Р.О.Т.И.В. активно борется за воспитание нового поколения французских терапевтов, способных справиться с избыточным весом и осознающих важность этой проблемы. У них есть все необходимое для этого: сопереживание и медицинская компетенция. Они могут создать настоящую линию защиты по отношению к эпидемии избыточного веса. Их приход позволил бы также обезоружить армию врачей-шарлатанов, которые ради своей выгоды и наживы обманывают надежды тех, кто обращается к ним, предлагая лишенные смысла решения для похудения.

Эти лжеспециалисты находят в беде своих пациенток, страдающих избыточным весом, благоприятную почву для распространения и рекламы бесполезных, чисто коммерческих методик похудения. В некотором роде этот обман — одна из причин провала борьбы против избыточного веса во всем мире. Недавно я лично получил рекламный буклет, предлагающий мне потерять 6 кг за 28 дней. Почему за 28 дней? Они могли это утверждать, даже не зная, какого я пола, каков мой возраст и вообще нужно ли мне это, они гарантировали 92% успеха. Другое письмо, посланное мне по электронной почте, еще больше озадачило меня: спортивный тренер убеждал, что вылечит меня от диабета, которым я не страдаю, затем шла 100%-ная гарантия 100%-ного понижения содержания холестерина в крови, которого у

> 66 *Не ведитесь на рекламу методов похудения, в которой вам обещают прислать инструкции, не спрашивая о вас ничего. Получив стандартные рекомендации, вы не продвинетесь ни на йоту. Проблемой избыточного веса должны заниматься настоящие врачи — профессионалы в своем деле* 99

меня тоже не имеется. Все это очень насторожило меня — не потому, что они предлагают мечту, но потому, что, соблазнительные и многообещающие, они завоевывают внимание публики и одерживают верх над методиками не столь идиллическими, но, несомненно, гораздо более полезными и стабильными в плане сохранения результатов.

Вы, мои читательницы и читатели, будьте особо бдительны. Потерять вес не так уж и трудно, а вот вылечиться от избыточного веса — здесь требуются компетентность, опыт, сопереживание и серьезный подход. Поэтому проблемой избыточного веса должны заниматься настоящие врачи — профессионалы в своем деле. Мы с нетерпением ждем появления нового поколения терапевтов. Двести тысяч специалистов — значительная сила, если у них в руках есть все необходимые для работы средства.

Научно-популярное издание

# Пьер Дюкан

# Я НЕ УМЕЮ ХУДЕТЬ

Ответственный редактор *Т. Решетник*
Художественный редактор *Ю. Марданова*

**ООО «Издательство «Эксмо»**
127299, Москва, ул. Клары Цеткин, д. 18/5. Тел. 411-68-86, 956-39-21.
Home page: **www.eksmo.ru**   E-mail: **info@eksmo.ru**

*Оптовая торговля книгами «Эксмо»:*
ООО «ТД «Эксмо». 142702, Московская обл., Ленинский р-н, г. Видное,
Белокаменное ш., д. 1, многоканальный тел. 411-50-74.
E-mail: **reception@eksmo-sale.ru**

*По вопросам приобретения книг «Эксмо» зарубежными оптовыми*
*покупателями* обращаться в отдел зарубежных продаж ТД «Эксмо»
E-mail: **international@eksmo-sale.ru**

*International Sales: International wholesale customers should contact*
*Foreign Sales Department of Trading House «Eksmo» for their orders.*
**international@eksmo-sale.ru**

*По вопросам заказа книг корпоративным клиентам, в том числе в специальном*
*оформлении,* обращаться по тел. 411-68-59, доб. 2299, 2205, 2239, 1251.
E-mail: **vipzakaz@eksmo.ru**

*Оптовая торговля бумажно-беловыми и канцелярскими товарами для школы*
*и офиса «Канц-Эксмо»:* Компания «Канц-Эксмо»: 142700, Московская обл., Ленинский р-н, г. Видное-2, Белокаменное ш., д. 1, а/я 5. Тел./факс +7 (495) 745-28-87
(многоканальный), e-mail: **kanc@eksmo-sale.ru**, сайт: **www.kanc-eksmo.ru**

*Полный ассортимент книг издательства «Эксмо» для оптовых покупателей:*
**В Санкт-Петербурге:** ООО СЗКО, пр-т Обуховской Обороны, д. 84Е.
Тел. (812) 365-46-03/04. **В Нижнем Новгороде:** ООО ТД «Эксмо НН», ул. Маршала
Воронова, д. 3. Тел. (8312) 72-36-70. **В Казани:** Филиал ООО «РДЦ-Самара»,
ул. Фрезерная, д. 5. Тел. (843) 570-40-45/46. **В Самаре:** ООО «РДЦ-Самара»,
пр-т Кирова, д. 75/1, литера «Е». Тел. (846) 269-66-70.
**В Ростове-на-Дону:** ООО «РДЦ-Ростов», пр. Стачки, 243А. Тел. (863) 220-19-34.
**В Екатеринбурге:** ООО «РДЦ-Екатеринбург», ул. Прибалтийская, д. 24а.
Тел. +7 (343) 272-72-01/02/03/04/05/06/07/08.
**В Новосибирске:** ООО «РДЦ-Новосибирск», Комбинатский пер., д. 3.
Тел. +7 (383) 289-91-42. E-mail: **eksmo-nsk@yandex.ru**.
**В Киеве:** ООО «РДЦ Эксмо-Украина», Московский пр-т, д. 9. Тел./факс (044)
495-79-80/81. **Во Львове:** ТП ООО «Эксмо-Запад», ул. Бузкова, д. 2. Тел./факс: (032)
245-00-19. **В Симферополе:** ООО «Эксмо-Крым», ул. Киевская, д. 153.
Тел./факс (0652) 22-90-03, 54-32-99. **В Казахстане:** ТОО «РДЦ-Алматы»,
ул. Домбровского, д. 3а. Тел./факс (727) 251-59-90/91. RDC-Almaty@eksmo.kz

Подписано в печать 15.03.2012. Формат 70х90 $^1/_{16}$.
Печать офсетная. Бум. офс. Усл. печ. л. 23,33.
Доп. тираж 20 000 экз. Заказ № 2338

Отпечатано с готовых файлов заказчика
в ОАО «Первая Образцовая типография»,
филиал «УЛЬЯНОВСКИЙ ДОМ ПЕЧАТИ»
432980, г. Ульяновск, ул. Гончарова, 14

ISBN 978-5-699-50923-2

9 785699 509232 >